D0326947

AN OLD ENGLISH ANTHOLOGY

An Old English Anthology

by

W. F. BOLTON

NORTHWESTERN UNIVERSITY PRESS
Evanston 1966

LIBRARY OF CONGRESS CATALOGUE CARD NUMBER 66–17014

Printed in Great Britain

Preface

This *Anthology* has been assembled and edited to present Old English literature as the first phase of English literary history. Many selections have been made from an actual OE anthology, the Exeter Book; other texts illustrate and complement them. Quantities, punctuation, capitalization, and word- and line-division are of course editorial, and the reader must feel free to vary them as he sees fit. Corrections contemporary with the MS have been silently accepted if they rectify the scribe's blunder, silently rejected if they only 'normalize' his dialect, and mentioned in the notes if they make more substantial changes. All suspensions, including tailed *e* for *æ*, have been silently resolved. But otherwise the MS readings have been treated conservatively, and departures from them have been in most cases rejected or reserved for the notes.

My thanks are due to all those who have aided me; their mark is to be sought in the merits of this book, but not in its failings, which are my own. They include my teachers, especially Prof. D. W. Robertson, Jr.; my colleagues, especially Dr. P. A. M. Clemoes, who made many useful suggestions and collated some of the MSS, and Dr. Jean I. Young; my students, especially Dr. Anne M. Saxon and Dr. Robert Levine; my wife, who contributed wisdom and fortitude to the making of the glossary and the completion of the book; and Miss Janet C. Gilmour, who gave great help with the proofs.

W.F.B.
1963

The revisions incorporate suggestions and corrections made in published reviews and private communications; I am grateful to the contributors of these, and particularly to Mr. B. P. J. White.

W.F.B.
1965

Acknowledgments

The Dean and Chapter of Exeter Cathedral for extracts from the Exeter Book; the Bodleian Library, Oxford for extracts from MSS Junius 11, Tanner 10, Hatton 20 and 113, Laud Misc. 108 and 509, and Rawlinson B. 203; the Trustees of the British Museum for extracts from Cotton MSS Julius E.vii, Nero A.i, Otho B.ix, Tiberius A.vi, B.i, B.iv, B.xi, and Vespasian D.vi and D.xxi; John H. Scheide Library, Princeton, for Blickling Homily VII; Cambridge University Library for extracts from MSS G.g.3.28, K.k.3.18 and K.k.5.16; the Master and Fellows of Corpus Christi College, Cambridge, for extracts from MSS 41, 173 and 389; the President and Fellows of Corpus Christi College, Oxford, for extracts from MS 279; University Library, Leiden, for extracts from MS Voss 106; the Dean and Chapter of Vercelli Cathedral, Italy, for extracts from the Vercelli Book.

Contents

Abbreviations

ac.	accusative
aj.	adjective
an.	anomalous
art.	article
av.	adverb
BM	British Museum
BT	Bosworth-Toller, *An Anglo-Saxon Dictionary*
Cant.	*Song of Songs*
CC	*Corpus Christianorum*
CCCC	Corpus Christi College, Cambridge
CCCO	Corpus Christi College, Oxford
cf.	compare
cj.	conjunction
Cor.	*Corinthians*
def.	definite
dem.	demonstrative
dr.	direct
dt.	dative
f.	feminine (noun)
Gen.	*Genesis*
gn.	genitive
Hab.	*Habakkuk*
HE	Bede, *Historia Ecclesiastica*
Hebr.	Hebrew
id.	indirect
ij.	interjection
im.	imperative
ind.	indicative
ins.	instrumental
int.	intransitive
Isa.	*Isaiah*
JEGP	*Journal of English and Germanic Philology*
Kt.	Kentish
Lat.	Latin
m.	masculine (noun)
Matt.	*Matthew*
MÆ	*Medium Ævum*
ME	Middle English
MS(S)	Manuscript(s)
n.	neuter (noun)
NED	*New English Dictionary*
neg.	negative
nm.	nominative
O	Old
ob.	object
OE	Old English
ON	Old Norse
OS	Old Saxon
part.	participle
PL	Migne, *Patrologia Latina*
pl.	plural
pres.	present
prn.	pronoun
prp.	preposition
Ps.	*Psalm* (Vulgate numbering)
sbt.	subject
sbv.	subjunctive
sg.	singular
s. v.	under the entry for
tra.	transitive
vb.	verb
w.	with
1st	first person
2nd	second person
3rd	third person
>	becomes
<	comes from
*	hypothetical form

An Old English Anthology

1. Bede: The Poet Cædmon

The OE translation of Bede's *Historia ecclesiastica gentis Anglorum* cannot be by Alfred, but it is 'Alfredian' in that it is an outcome of the kind of enthusiasm he expressed for translating the medieval classics into English (see no. 8). The style is unduly influenced by the Latin original, but vernacular prose in ninth-century England was a new medium for literary composition, unlike the traditional Germanic poetic form.

The evidence provided by Bede (*HE* IV.xxiv) is particularly valuable for its assumptions about the practice of poetry, including the spontaneous singing to a harp in a working-class *gebēorscipe*; the belief that such poetry was learned, not inspired (cf. Plato's *Ion*) and the contrast between Cædmon and the imitative school to which he gave rise; and the Augustinian notion that divine lore is more accessible when presented in a poetic cortex.

The nine-line lyric is all that remains of Cædmon's work, and the poems in the Junius Book (see no. 7) are best regarded as 'Cædmonian' in much the same way as this translation is 'Alfredian'.

MS: Bodleian, Tanner 10
(variants: BM, Cotton Otho B.ix,
CCCC 41, CCCO 279,
Cambridge Univ. Lib. Kk.3.18)

Dialect: Late West Saxon

In ðeosse abbudissan mynstre wæs sum brōðor syndriglīce mid godcundre gife gemǣred ond geweorðad, forþon hē gewunade gerisenlīce lēoð wyrcan þā ðe tō ǣfestnisse ond tō ārfæstnisse belumpen, swā ðætte, swā hwæt swā hē of godcundum stafum þurh bōceras
5 geleornode, þæt hē æfter medmiclum fæce in scopgereorde mid þā mǣstan swētnisse ond inbryrdnisse geglængde ond in Engliscgereorde wel geworht forþbrōhte. Ond for his lēoþsongum monigra monna mōd oft tō worulde forhogdnisse ond tō geþēodnisse þæs heofonlīcan līfes onbærnde wǣron. Ond ēac swelce monige ōðre æfter him in
10 Ongelþēode ongunnon ǣfeste lēoð wyrcan; ac nǣnig hwæðre him þæt gelīce dōn meahte, forþon hē nāles from monnum ne þurh mon gelǣred wæs, þæt hē þone lēoðcræft leornade, ac hē wæs godcundlīce gefultumed ond þurh Godes gife þone songcræft onfēng. Ond hē forðon nǣfre

1. **ðeosse abbudissan mynstre**—the double monastery at Whitby, where the founder Hilda was abbess of both monks and nuns 659–680.
5. **scopgereorde**—cf. line 12, *lēoðcræft*; line 13, *songcræft*; line 7, *lēoðsongum* (Latin *uerbis poeticis, institutus canendi, donum canendi, carmen*).
10. **him**—ob. of *gelīce*.

nōht lēasunge ne īdles lēoþes wyrcan meahte, ac efne þā ān þā ðe tō
15 ǣfæstnesse belumpon, ond his þā ǣfæstan tungan gedeofanade singan.
Wæs hē se mon in weoruldhāde geseted oð þā tīde þe hē wæs
gelȳfdre ylde, ond nǣfre nǣnig lēoð geleornade. Ond hē forþon oft
in gebēorscipe, þonne þǣr wæs blisse intinga gedēmed, þæt hēo ealle
sceoldon þurh endebyrdnesse be hearpan singan, þonne hē geseah þā
20 hearpan him nēalēcan, þonne ārās hē for forscome from þǣm symble
ond hām ēode tō his hūse. Þā hē þæt þā sumre tīde dyde, þæt hē forlēt
þæt hūs þæs gebēorscipes ond ūt wæs gongende tō nēata scipene, þāra
heord him wæs þǣre neahte beboden; þā hē ðā þǣr in gelimplīce tīde
his leomu on reste gesette ond onslēpte, þā stōd him sum mon æt þurh
25 swefn ond hine hālette ond grētte ond hine be his noman nemnde:
'Cedmon, sing mē hwæthwugu.' Þā ondswarede hē ond cwæð: 'Ne
con ic nōht singan; ond ic forþon of þeossum gebēorscipe ūtēode, ond
hider gewāt, forþon ic nāht singan ne cūðe.' Eft hē cwæð sē ðe wið
hine sprecende wæs: 'Hwæðre þū meaht singan.' Þā cwæð hē: 'Hwæt
30 sceal ic singan?' Cwæð hē: 'Sing mē frumsceaft'. Þā hē ðā þās andsware
onfēng, þā ongon hē sōna singan in herenesse Godes Scyppendes þā
fers ond þā word þe hē nǣfre gehȳrde, þǣre endebyrdnesse þis is:

Nū sculon herigean heofonrīces Weard,
Meotodes meahte ond His mōdgeþanc,
35 weorc Wuldorfæder, swā Hē wundra gehwæs,
ēce Drihten, ōr onstealde.
Hē ǣrest scēop eorðan bearnum
heofon tō hrōfe, hālig Scyppend;
þā middangeard moncynnes Weard,
40 ēce Drihten, æfter tēode
fīrum foldan, Frēa ælmihtig.

14. **lēasunge ne īdles lēoþes**—partitive gn. sg. after *nōht*; Latin *friuoli et superuacui poematis.*
15. **þā ǣfæstan**—so all MSS, following Latin *religiosam eius linguam decebant*, but often emended *þǣre* to accord with normal OE usage: 'which was suitable (for) that pious tongue of his to sing'.
16. **Wæs hē se mon**—'he was a man', lit. 'That man, he was'.
18. **blisse intinga gedēmed**—Latin *laetitiae causa decretum*, where the translator has taken the ablative *causa* for nm.
19. **sceoldon**—MS *sealde*; emendation from MS CCCC 41. **endebyrdnesse**—ambiguous; 'in order (around the table)' or (as in lines 6, 32) 'the order of the verse.'
20. **for forscome**—probably dittography; other MSS *for scome*.
23. **gelimplīce**—so all but Kk.3.18 where the ac. sg. is emended to *gelimplīcre*, dt. sg.
32. **þǣre endebyrdnesse**—MS CCCO 279, *þara endebyrdnes;* Latin *quorum iste est sensus.*
36. **ōr**—var. *ord*; construe *swā Hē ōr gehwæs wundra onstealde.*

Þā ārās hē from þǣm slǣpe, ond eal þā þe hē slǣpende song, fæste in gemynde hæfde, ond þǣm wordum sōna monig word in þæt ilce gemet Gode wyrðes songes tōgeþēodde. Þā cōm hē on morgenne tō
45 þǣm tūngerēfan, þe his ealdormon wæs; sægde him hwylce gife hē onfēng, ond hē hine sōna tō þǣre abbudissan gelǣdde ond hire þā cȳðde ond sægde. Þā hēht hēo gesomnian ealle þā gelǣredestan men ond þā leorneras; ond him ondweardum hēt secgan þæt swefn ond þæt lēoð singan, þæt ealra heora dōme gecoren wǣre, hwæt oððe hwonon þæt
50 cumen wǣre. Þā wæs him eallum gesegen, swā swā hit wæs, þæt him wǣre from Drihtne sylfum heofonlīc gifu forgifen. Þā rehton hēo him ond sægdon sum hālig spell ond godcundre lāre word; bebudon him þā, gif hē meahte, þæt hē in swinsunge lēoþsonges þæt gehwyrfde. Þā hē ðā hæfde þā wīsan onfongne, þā ēode hē hām tō his hūse; ond cwōm
55 eft on morgenne, ond þȳ betstan lēoðe geglenged him āsong ond āgeaf, þæt him beboden wæs.

Ðā ongan sēo abbudisse clyppan ond lufigean þā Godes gife in þǣm men, ond hēo hine þā monade ond lǣrde þæt hē woruldhād ānforlēte ond munuchād onfēnge, ond hē þæt wel þafode. Ond hēo hine in þæt
60 mynster onfēng mid his gōdum, ond hine geþēodde tō gesomnunge þāra Godes þēowa, ond hēht hine lǣran þæt getæl þæs hālgan stǣres ond spelles. Ond hē eal, þā hē in gehȳrnesse geleornian meahte, mid hine gemyndgade, ond swā swā clǣne nēten eodorcende in þæt swēteste lēoð gehwerfde. Ond his song ond his lēoð wǣron swā wynsumu tō
65 gehȳranne, þætte seolfan þā his lārēowas æt his mūðe wreoton ond leornodon. Song hē ǣrest be middangeardes gesceape ond bī fruman moncynnes ond eal þæt stǣr Genesis, þæt is sēo ǣreste Moyses booc, ond eft bī ūtgonge Israhēla folces of Ǣgypta londe ond bī ingonge þæs gehātlandes; ond bī ōðrum monegum spellum þæs hālgan gewrites
70 canōnes bōca; ond bī Crīstes menniscnesse, ond bī His þrōwunge, ond bī His ūpāstignesse in heofonas; ond bī þæs Hālgan Gāstes cyme, ond þāra apostola lāre; ond eft bī þǣm dæge þæs tōweardan dōmes, ond bī fyrhtu þæs tintreglican wiites, ond bī swētnesse þæs heofonlecan rīces, hē monig lēoð geworhte. Ond swelce ēac ōðer monig be þǣm godcundan
75 fremsumnessum ond dōmum hē geworhte. In eallum þǣm hē geornlīce

43. **þǣm wordum**—id. ob. of *tōgeþēodde*.
44. **Gode wyrðes**—MS *godes wordes*, emendation from all other MSS; Latin *deo digni*.
49. **þæt ealra heora dōme gecoren wǣre**—Latin *ut uniuersorum iudicio . . . probaretur*. The sbt. of *wǣre* is the clause following.
55. **þȳ betstan lēoðe geglenged**—'adorned in the best song', modifying *þæt*, line 56.
63. **in þæt swēteste**—MS omits *in*, supplied from all other MSS.
65. **seolfan þā**—other MSS *þa seolfan*.

gēmde þæt hē men ātuge from synna lufan ond māndǣda, ond tō lufan ond tō geornfulnesse āwehte gōdra dǣda. Forþon hē wæs se mon swīþe ǣfæst ond regollecum þēodscipum ēaðmōdlīce underþēoded. Ond wið þǣm þā ðe in ōðre wīsan dōn woldon, hē wæs mid welme
80 micelre ellenwōdnisse onbærned.

2. *The Kentish Hymn*

The Kentish Hymn is a poem in the tradition of *Cædmon's Hymn*, although whether it was one of the imitations of it that Bede mentions would be impossible to say. It continues the praise of God the Creator to include God the Redeemer and God the Judge, with scriptural phrases like *weorada Dryhten, God Dryhten, cyninga Cyningc, hālige lamb, bearn Israēla, for Đīnes naman āre*, and others (see notes), but with very few from the traditional Germanic poetic vocabulary.

The MS, of the late tenth century (although the poem may be earlier), includes among other things a Kentish paraphrase of *Ps.* 50 and Kentish glosses to some of the Latin texts, and represents an important source for the study of this dialect. It is, however, too late to have avoided mixture with West Saxon: compare the varying spellings of 'heaven' lines 2, 22, 29; 'king' lines 15 and 42; 'living' lines 15 and 39, and others.

MS: BM, Cotton Vespasian D.vi — Dialect: Kentish

Wuton wuldrian   weorada Dryhten
hālgan hlīoðorcwidum,   hiofenrīces Weard,
lufian līofwendum   līfæs Āgend
and Him simle sīo   sigefæst wuldor
5 uppe mid ænglum,   and on eorðan sibb
gumena gehwilcum   goodes willan.
Wē Đē heriað   hālgum stefnum
and Þē blætsiað,   bilewit Fæder,
and Đē þanciað,   þīoda Walden,
10 Đīnes weorðlīcan   wuldordrēames
and Đīnra miclan   mægena gerēna,
Đē Đū God Dryhten   gāstes mæhtum
hafest on gewealdum   hiofen and eorðan,
ān ēce Fæder,   ælmehtig God.
15 Đū eart cyninga Cyningc   cwicera gehwilces,
Đū eart sigefest Sunu   and sōð Hælend
ofer ealle gescæft   angla and manna.

2. **hālgan**—either a late dt. pl. in *-an*, modifying *hlīoðorcwidum*, or (cap.) ac. sg. in apposition to *Dryhten*; cf. *hālgum stefnum*, line 46.
4–6. Cf. *Luke* 2.14.
5. **ænglum**—MS *ænlum*.
8. **bilewit**—MS *bilewitne*, ac. sg. instead of vocative.
11. **Đīnra**—MS *ðare*; perhaps meant for *ðāra*.
12. **Đē Đū**—'Thou Who'; cf. line 23, note.

Ðū Dryhten God   on drēamum wunast
on ðǣre upplīcan   æðelan ceastre
20 Frēa folca gehwæs,   swā Ðū æt fruman wǣre
efenēadig Bearn   āgenum Fæder.
Ðū eart heofenlīc līoht   and ðæt hālige lamb,
Ðē Ðū mānscilde   middangeardes
for þīnre ārfæstnesse   ealle tōwurpe,
25 fīond geflǣmdest,   follc generedes,
blōde gebohtest   bearn Israēla
ðā Ðū āhōfe   ðurh ðæt hālige trīow
Ðīnre ðrōwunga   ðrīostre senna,
þæt Ðū on hǣahsetle   heafena rīces
30 sitest sigehrǣmig   on ðā swīðran hand
Ðīnum Godfæder,   gāsta gemyndig.
Mildsa nū, Meahtig,   manna cynne,
and of leahtrum ālēs   Ðīne ðā līofan gescæft,
and ūs hāle gedō,   heleða Sceppend,
35 niða Nergend,   for Ðīnes naman āre.
Ðū eart sōðlīce   simle hālig
and Ðū eart āna   ǣce Dryhten
and Ðū āna bist   eallra Dēma
cwucra ge dēadra,   Crīst nergend,
40 forðan Ðū on ðrymme rīcsast   and on Ðrīnesse
and on ānnesse,   ealles Waldend,
hiofena Hēahcyninc,   Hāliges Gāstes
fegere gefelled   in Fæder wuldre.

22–24. Cf. *John* 1.29.
23. **Ðū**—MS *ðy*.
24. **for**—MS *foi*.
25. **generedes**—i.e., *generedest*.
28. **ðrīostre senna**—probably 'the darkness of sins' (ac. sg., gn. pl.) but possibly 'the sins of darkness' (gn. sg., ac. pl.).
33. **ālēs**—im. sg. of *ālēsan* (i.e., *ālȳsan*).
35. Cf. 25/113, and *Luke* 21.12.

3. Riddles

The ninety-four Old English *Riddles* cover a range of subjects from the divine (66) to the frankly obscene; between these two extremes they offer an insight into the Anglo-Saxon perception of nature (6) and the things of everyday life (35). In form they include the 'thing' riddle, a 'metaphor inside-out', translatable from one language to another, like the present three; and the 'word' or 'charade' riddle, which depends on the vocabulary of a single tongue. Latin riddles written by the Englishmen Aldhelm (†709), Tatwine (†734), Hwætberht (†ca. 750), Boniface (†754) and pseudo-Bede, testify to the popularity of the form at a time when obscure and figurative poetry was in favour. Two of the OE *Riddles*, 35 and 40, are translations from Aldhelm's; the former is printed here in the Late West Saxon version as well as in the Northumbrian version that accompanies the Latin original in one MS. Like the gnomics (see no. 12), riddles were influential outside their own genre. The technique of personification, for example, essential to the riddle, is basic as well to *The Dream of the Rood*, and the interest in runes appears again in the Cynewulfian signatures (27/358ff); both influence *The Runic Poem*.

MSS: 6, 66, 35, The Exeter Book; Leiden Riddle, Aldhelm's 'De Lorica', Leiden Univ. MS Voss. 106.

Dialect: 6, 66, 35, Late West Saxon; Leiden Riddle, Northumbrian.

Riddle 6

Mec gesette sōð   sigora Waldend
Crīst tō compe.   Oft ic cwice bærne
unrīmu cyn   eorþan getenge,
nǣte mid nīþe,   swā ic him nō hrīne
5 þonne mec mīn Frēa   feohtan hāteþ.
Hwīlum ic monigra   mōd ārēte,
hwīlum ic frēfre   þā ic ǣr winne on
feorran swīþe.   Hī þæs fēlað þēah
swylce þæs ōþres   þonne ic eft hyra
10 ofer dēop gedrēag   drohtað bēte. ᛋ

Riddle 6

10. bēte—MS *betan.*
Rune: S (*sigel*, 'sun'), the solution to the riddle.

Riddle 66

Ic eom māre þonne þes middangeard
lǣsse þonne hondwyrm, lēohtre þonne mōna,
swiftre þonne sunne. Sǣs mē sind ealle
flōdas on fæðmum ond þes foldan bearm,
5 grēne wongas. Grundum ic hrīne,
helle underhnīge, heofonas oferstīge,
wuldres ēþel, wīde rǣce
ofer engla eard, eorþan gefylle,
ealne middangeard ond merestrēamas
10 sīde mid mē sylfum. Saga hwæt ic hātte.

Riddle 35

Mec se wǣta wong wundrum frēorig
of his innaþe ǣrist cende.
Ne wāt ic mec beworhtne wulle flȳsum,
hǣrum þurh hēahcræft hygeþoncum mīn.
5 Wundene mē ne bēoð wefle ne ic wearp hafu
ne þurh þrēata geþræcu þrǣd mē ne hlimmeð
ne æt mē hrūtende hrīsil scrīþeð
ne mec ōhwonan sceal ām cnyssan.
Wyrmas mec ne āwǣfan wyrda cræftum

Riddle 66

1. **middangeard**—MS *mindan geard.*
1–3a. The same manner of description is used in *Riddle 40,* a fragmentary translation of Aldhelm's 'De creatura', esp. lines 92–96:
Māra ic eom ond strengra þonne se micla hwæl
sē þe gārsecges grund bihealdeð
sweartan sȳne; ic eom swīþre þonne hē,
swylce ic eom on mægene mīnum lǣsse
þonne se hondwyrm. . . .
4. **þes**—MS *þas.*
6. Rhyme, as is not infrequent in the *Riddles.*
9. **ealne**—MS *ealdne* (correctly ?).
10. **mē**—MS *mec.*
Solution: Creation.

Riddle 35

3. **ne**—modifies *beworhtne.*
4. **mīn**—'of mine', hence uninflected.
5. **mē ne bēoð**—'I have not. . . .'
7. **hrūtende**—modifies *hrīsil,* n. nm. sg.; Leiden *hrūtendu* modifies *hrīsil,* n. nm. pl.
8. **ām**—MS *amas*; cf. Leiden *aam.*

10 þā þe geolo gōdwebb geatwum frætwað.
Wile mec mon hwæþre sēþeah wīde ofer eorþan
hātan for hæleþum hyhtlīc gewǣde.
Saga sōðcwidum, searoþoncum glēaw,
wordum wīsfæst, hwæt þis gewǣdu sȳ.

The Leiden Riddle

Mec se uēta uong uundrum frēorig
ob his innaðae ǣrest cændæ.
Ni uaat ic mec biuorhtæ uullan flīusum,
hērum ðerh hēhcraeft hygiðoncum mīn.
5 Uundnae mē ni bīað ueflæ ni ic uarp hafæ
ni ðerih ðrēatun giðraec ðrēt mē hlimmith
ne mē hrūtendu hrīsil scelfath
ne mec ōuana aam sceal cnyssa.
Uyrmas mec ni āuēfun uyrdi craeftum
10 ðā ði geolu gōdueb geatum fraetuath.
Uil mec huethrae suǣðēh uīdæ ofaer eorðu
hātan mith hæliðum hyhtlīc giuǣde;
ni anōegnu ic mē aerigfaerae egsan brōgum
ðēh ði numen sīæ nīudlīcae ob cocrum.

Aldhelm's 'De lorica'

Roscida me genuit gelido de uiscere tellus.
Non sum setigero lanarum uellere facta,
licia nulla trahunt nec garrula fila resultant
nec crocea Seres texunt lanugine uermes
5 nec radiis carpor duro nec pectine pulsor;
et tamen en uestis uulgi sermone uocabor,
spicula non uereor longis exempta faretris.

13–14. Differ from the Leiden version and the Latin, but resemble a common riddle formula; cf. *Riddle 66*, line 10.
Solution: a coat of mail.

Leiden Riddle

2. **cændæ**—MS *cæn( )æ*; *d* supplied from Exeter version.
3. **Ni**—not in MS; supplied from Exeter version. **biuorhtæ**—MS **biuorthæ.**
4. **hygiðoncum mīn**—MS *hygiðonc(*); remainder supplied from Exeter version.
9. **uyrdi**—f. gn. sg.; Exeter version, f. gn. pl.
10. **geolu**—MS *goelu.*
11a. Understand (or supply?) *mon,* as in Exeter version.
13. **anōegnu**—MS *an oegun.*
14a. MS *ðeh ði n(*)*n siæ*; reconstructed from Latin original.

4. The Panther

The Panther is the first of the three OE poems excerpted from the Latin *Bestiary*. Like its source, it gives a 'natural' history of the animal followed by a spiritual analogy; the animal is here, as often, a type of Christ (cf. *Hosea* 5.14, 'For I will be . . . like a lion's whelp to the house of Juda'), but the next creature in the *Bestiary*—the whale—typifies the Devil. Characteristic of this kind of symbolism is the incomplete explanation which leaves some details of the animal unglossed. Thus Joseph's coat of many colours, connected in medieval exegesis with *Isa.* 63.1 ('Who is this that cometh from Edom, with dyed garments from Bosra?') and therefore like the passage from *Hosea* a prefiguration of Christ, is a hint to the reader to extend the poet's symbolic interpretation to the remaining details. The subject, though based on scripture and interpreted according to scriptural exegesis like no. 19, is actually not Biblical, and illustrates a first step of the medieval allegorical method toward 'secular' material.

MS: The Exeter Book　　　　Dialect: Late West Saxon

Monge sindon　geond middangeard
unrīmu cynn,　þe wē æþelu ne magon
ryhte āreccan　ne rīm witan.
Þæs wīde sind　geond world innan
5 fugla ond dēora　foldhrērendra
wornas wīdsceope　swā wæter bibūgeð
þisne beorhtan bōsm,　brim grymetende,
sealtȳþa geswing.　Wē bī sumum hȳrdon
wrǣtlīce gecynd　wildra secgan
10 fīrum frēamǣrne　feorlondum on
eard weardian,　ēðles nēotan
æfter dūnscrafum.　Is þæt dēor pandher
bī noman hāten　þæs þe niþþa bearn,
wīsfæste weras　on gewritum cȳþað
15 bī þām ānstapan.　Sē is ǣghwām frēond,
duguða ēstig,　būtan dracan ānum

1. Cf. line 70.
4. **world**—MS *worl*. For reasons probably connected with the scribe's exemplar, most textual problems in this poem involve *d*.
13. **bearn**—MS *beard*.
14. **cȳþað**—MS *cyþan*.
15. **ǣghwām**—MS *æthwam*.

þām hē in ealle tīd ondwrāð leofaþ
þurh yfla gehwylc þe hē geæfnan mæg.
Ðæt is wrǣtlīc dēor, wundrum scȳne
20 hīwa gehwylces. Swā hæleð secgað,
gǣsthālge guman, þætte Iōsephes
tunece wǣre telga gehwylces
blēom bregdende þāra beorhtra gehwylc
ǣghwæs ǣnlīcra ōþrum līxte
25 dryhta bearnum, swā þæs dēores hīw,
blæc brigda gehwæs, beorhtra ond scȳnra
wundrum līxeð, þætte wrǣtlīcra
ǣghwylc ōþrum, ǣnlīcra gīen
ond fægerra frætwum blīceð,
30 symle sellīcra. Hē hafað sundorgecynd:
milde gemetfæst, hē is monþwǣre,
lufsum ond lēoftǣl, nele lāþes wiht
ǣngum geæfnan būtan þām attorsceaþan,
his fyrngeflitan, þe ic ǣr fore sægde.
35 Symle fylle fægen þonne fōddor þigeð,
æfter þām gereordum ræste sēceð
dȳgle stōwe under dūnscrafum.
Ðǣr se þēodwiga þrēonihta fæc
swīfeð on swefote slǣpe gebiesgad.
40 Þonne ellenrōf ūp āstondeð
þrymme gewelgad on þone þriddan dæg,
snēome of slǣpe. Swēghlēoþor cymeð,
wōþa wynsumast þurh þæs wildres mūð.
Æfter þǣre stefne stenc ūt cymeð
45 of þām wongstede, wynsumra stēam,
swēttra ond swīþra swæcca gehwylcum,
wyrta blōstmum ond wudublēdum,
eallum æþelīcra eorþan frætwa.
Þonne of ceastrum ond cynestōlum
50 ond of burgsalum beornþrēat monig
farað foldwegum folca þrȳþum,
ēoredcystum, ofestum gefȳsde

20–25. **swā . . . swā**—correlative, 'just as . . . so'.
33. **ǣngum**—MS *ægnum.*
38. **þēodwiga**; 39 **gebiesgad**; 41 **gewelgad**—MS *ð* for *d.*
48. **frætwa**—sometimes emended *frætwum.*

dareðlācende; dēor efne swā some
æfter þǣre stefne on þone stenc farað.
55 Swā is Dryhten God, drēama Rǣdend,
eallum ēaðmēde ōþrum gesceaftum,
duguða gehwylcre, būtan dracan ānum,
āttres ordfruman. Þæt is se ealda fēond
þone Hē gesǣlde in sūsla grund
60 ond gefetrade fȳrnum tēagum,
biþeahte þrēanȳdum ond þȳ þriddan dæge
of dīgle ārās, þæs þe Hē dēað fore ūs
þrēo niht þolade, Þēoden engla,
sigora Sellend. Þæt wæs swēte stenc,
65 wlitig ond wynsum geond woruld ealle.
Siþþan tō þām swicce sōðfæste men
on healfa gehwone hēapum þrungon
geond ealne ymbhwyrft eorþan scēata,
swā se snottra gecwæð sanctus Paulus:
70 'Monigfealde sind geond middangeard
gōd ungnȳðe þe ūs tō giefe dǣleð
ond tō feorhnere Fæder ælmihtig,
ond se ānga hyht ealra gesceafta
uppe ge niþre.' Þæt is æþele stenc.

68. **scēata**—MS *scea tan.*
69. Cf. *I Cor.* 12.1–11.
71. **ungnȳðe**—MS *ungnyde.*

5. The Runic Poem

The Runic Poem is really a set of *biþ*-maxims (cf. no. 12, *sceal*-maxims) organized upon the runic alphabet. This form of epigraphic writing common to the Germanic nations antedates the Roman alphabet in England; it survived in the Christian era in more or less riddling applications (*rūn*, 'secret'). Each rune was a letter, but each had a name as well, although the name frequently varied. The order of the runic alphabet, like that of the Roman alphabet, was fixed, and it took its name from the first letters: *fuþorc*.

On this pattern the poet has built his series of maxims, beginning with wealth and ending with death. His concern is largely for nature, for man's place in it while he lives, and particularly for man's use of earthly prosperity.

The MS (BM, Cotton Otho B.x) was destroyed in the fire of 1731, but Hickes had printed it in 1705; the text has consequently less authority than would an original MS. Hickes' arrangement was Roman letter, runic letter, rune-name, but the Norwegian and Icelandic poems of this kind have only the runic letter, and the Roman letter and the rune-name may well have been among Hickes' own contributions. They have accordingly been removed to the notes.

Source: Hickes, *Linguarum Veterum Septentrionalium Thesaurus* (London, 1705), I. 35.

Dialect: Late West Saxon

ᚠ byþ frōfur   fīra gehwylcum.
Sceal ðēah manna gehwylc   miclun hyt dǣlan
gif hē wile for Drihtne   dōmes hlēotan.
ᚢ byþ ānmōd   and oferhyrned,
5 felafrēcne dēor   feohteþ mid hornum,
mǣre mōrstapa;   þæt is mōdig wuht.
ᚦ byþ ðearle scearp,   ðegna gehwylcum
anfeng is yfyl,   ungemetun rēþe
manna gehwylcun   ðe him mid resteð.
10 ᚩ byþ ordfruma   ǣlcre sprǣce,
wīsdōmes wraþu   and witena frōfur
and eorla gehwām   ēadnys and tōhiht.

1. Rune: F (*feoh*, 'wealth').
2. **miclun**—for *-um*, an adverbial dt. pl.; cf. lines 8, 9, 37, 68, 90.
4. Rune: U (*ūr*, 'aurochs, the wild bison'). **oferhyrned**—'with horns above', or 'with great horns', comparing *oferceald*, line 29, etc.
7. Rune: TH (*þorn*, 'thorn').
10. Rune: O (*ōs*, probably Latin 'mouth', but perhaps 'a heathen god').

ᚱ byþ on recyde   rinca gehwylcum
sēfte and swīþhwæt   ðām ðe sitteþ on ufan
15 mēare mægenheardum   ofer mīlpaþas.
ᚳ byþ cwicera gehwām   cūþ on fȳre,
blāc and beorhtlīc,   byrneþ oftust
ðǣr hī ǣþelingas   inne restaþ.
ᚷ gumena byþ   gleng and herenys,
20 wraþu and wyrþscype,   and wræcna gehwām
ār and ætwist   ðe byþ ōþra lēas.
ᚹ ne brūceþ   ðe can wēana lȳt,
sāres and sorge,   and him sylfa hæfþ
blǣd and blysse   and ēac byrga geniht.
25 ᚻ byþ hwītust corna,   hwyrft hit of heofones lyfte,
wealcaþ hit windes scūra,   weorþeþ hit tō wætere syððan.
ᚾ byþ nearu on brēostan,   weorþeþ hī ðēah oft niþa bearnum
tō helpe and tō hǣle gehwæþre,   gif hī his hlystaþ ǣror.
ᛁ byþ oferceald,   ungemetum slidor,
30 glisnaþ glæshluttur   gimmum gelīcust,
flōr forste geworuht   fæger ansȳne.
ᛄ byþ gumena hiht   ðon God lǣteþ,
hālig heofones Cyning,   hrūsan syllan
beorhte blēda   beornum and ðearfum.
35 ᛇ byþ ūtan   unsmēþe trēow,
heard, hrūsan fæst,   hyrde fȳres,

13. Rune: R (*rād*, not positively identified; perhaps ‘riding’, which seems easy to a man at home but difficult to one astride, or ‘the [rising and falling] sound of music’, or ‘furniture’ of a house and of a horse).
16. Rune: C (*cēn*, ‘torch’).
19. Rune: G (*gyfu*, ‘gift’).
22. Rune: W (*wēn*, *wynn*, ‘joy’); *wēnne*, the f. gn. sg. dr. ob. of *brūceþ*.
23. **sorge**—Hickes *forge* (*s* is an uncrossed *f* in OE script).
24. **byrga geniht**—‘the prosperity of cities’ in implied contrast with the destitution of exile.
25. Rune: H (*hægl*, ‘hail’). **hwītust corna**—cf. 21/33.
26. **scūra**—often emended to *scūras* as m. nm. pl., but perhaps (here) f.
27. Rune: N (*nȳd*, ‘misfortune’, ‘need’). **brēostan**—dt. pl.; cf. *māgan*, line 59.
28. **his**—gn. dr. ob. of *hlystaþ*.
29. Rune: I (*īs*, ‘ice’).
31. **geworuht**—Hickes *ge worulit*.
32. Rune: J (*gēr*, ‘year’ seen as a cycle of seasons and hence of prosperity).
34b. Clearer if compared with 76a, so that *beornum* are ‘(prosperous) men’.
35. Rune: ȝ? (*eoh*, ‘yew’), Middle English *yogh*.

wyrtrumun underwreþyd,   wyn on ēþle.
ᛈ byþ symble   plega and hlehter
wlancum   ðār wigan sittaþ
40 on bēorsele   blīþe ætsomne.
ᛉ secg eard hæfþ   oftust on fenne,
wexeð on wature,   wundaþ grimme,
blōde brēneð   beorna gehwylcne
ðe him ǣnigne   onfeng gedēð.
45 ᛋ sēmannum   symble biþ on hihte
ðonn hī hine feriaþ   ofer fisces beþ
oþ hī brimhengest   bringeþ tō lande.
ᛏ biþ tācna sum,   healdeð trȳwa wel
wiþ æþelingas,   ā biþ on færylde,
50 ofer nihta genipu   nǣfre swīceþ.
ᛒ byþ blēda lēas,   bereþ efne swāðēah
tānas būtan tūdder;   biþ on telgum wlitig,
hēah on helme   hrysted fægere
geloden lēafum,   lyfte getenge.
55 ᛖ byþ for eorlum   æþelinga wyn,
hors hōfum wlanc   ðǣr him hæleþ ymbe
welege on wicgum   wrīxlaþ sprǣce,
and biþ unstyllum   ǣfre frōfur.
ᛗ byþ on myrgþe   his māgan lēof;
60 sceal þēah ānra gehwylc   ōðrum swīcan,
forðām Dryhten wyle   dōme sīne
þæt earme flǣsc   eorþan betǣcan.

37. **wyn**—Hickes *wynan* (dittography, or correct for dt. pl.; cf. line 27 *brēostan*, note).
38. Rune: P (*peorð*, unknown; chessman?).
39. A defective line, although not noted by Hickes as such.
41. Rune: X (*eolhx*, 'a kind of sedge'). **secg eard**—Hickes *seccard.*
43. **brēneð**—according to Grein, Kt. for **brȳneð*, 'makes brown'.
45. Rune: S (*sigel*, 'sun').
46. Cf. *Andreas*, line 293: *ferigan frēolīce ofer fisces bæð.* **hine**—probably for *heonan*, 'hence'.
48. Rune: T (*Tir*, perhaps from ON *Týr*, a Germanic god; here appears to refer to a star, but *tācna sum* is ambiguous, and the rune-name may be influenced in meaning as well as form by *tīr*, 'glory, fame').
51. Rune: B (*beorc*, 'birchtree'; perhaps here 'poplar').
53. **hēah**—Hickes *þeah.* **hrysted**—i.e., *hyrsted*, 'adorned', with metathesis of *r*.
55. Rune: E (*eh*, 'horse').
56. **hæleþ ymbe**—Hickes *hæleþe ymb.*
59. Rune: M (*man*, 'man'); cf. 23/24.
60. **ōðrum**—Hickes *odrum.*

ᛚ byþ lēodum langsum geþūht
gif hī sculun nēþan on nacan tealtum
65 and hī sǣȳþa swȳþe brēgaþ
and se brimhengest brīdles ne gȳmeð.
ᛝ wæs ǣrest mid Ēastdenum
gesewen secgun oþ hē siððan ēst
ofer wǣg gewāt, wǣn æfter ran;
70 ðus heardingas ðone hæle nemdun.
ᛟ byþ oferlēof ǣghwylcum men,
gif hē mōt ðǣr rihtes and gerysena on
brūcan on bolde blēadum oftast.
ᛞ byþ Drihtnes sond dēore mannum,
75 mǣre Metodes lēoht myrgþ and tōhiht
ēadgum and earmum, eallum brīce.
ᚪ byþ on eorþan elda bearnum
flǣsces fōdor; fēreþ gelōme
ofer ganotes bæþ, gārsecg fandaþ
80 hwæþer āc hæbbe æþele trēowe.
ᚫ biþ oferhēah, eldum dȳre,
stīþ on staþule stede rihte hylt
ðēah him feohtan on fīras monige.
ᚣ byþ æþelinga and eorla gehwæs
85 wyn and wyrþmynd; byþ on wicge fæger,
fæstlīc on færelde fyrdgeatewa sum.

63. Rune: L (*lagu*, 'body of water').
64. **nēþan**—Hickes *neþun*.
66. **gȳmeð**—Hickes *gym*.
67. Rune: NG (*Ing*, name of Germanic hero).
68. **ēst**—sometimes emended *eft*.
69. **wǣn æfter ran**—'his chariot followed him'.
70. **heardingas**—or, capitalized, the name of a nation.
71. Rune: Œ (*ēþel*, 'country', from **ōþila* by i-mutation > *ǣþel* where its runic value was fixed despite subsequent *ǣ*>*ē*).
72. **rihtes**—Hickes *rihter* (*s* and *r* are similar in OE script). **on**—construe *þǣr . . . on* (or, despite metre, omit?).
73. **bolde**—Hickes *blode*.
74. Rune: D (*dæg*, 'day').
77. Rune: A (*āc*, 'oak'), as food for swine and material for ships.
81. Rune: Æ (*æsc*, 'ash tree').
83. Perhaps a reference to *æsc* as 'spear'; cf. 14/43.
84. Rune: Y (*ȳr*, probably 'bow' or 'saddle bow', perhaps 'horn').
86. **fyrdgeatewa**—Hickes *fyrdgeacewa*.

* byþ ēafixa, and ðēah ā brūceþ
fōdres on foldan, hafaþ fægerne eard
wætre beworpen ðǣr hē wynnum leofaþ.
90 ᛠ byþ egle eorla gehwylcun
ðonn fæstlīce flǣsc onginneþ
hrāw cōlian, hrūsan cēosan
blāc tō gebeddan; blēda gedrēosaþ,
wynna gewītaþ, wēra geswīcaþ.

87. Rune: IO (*īor*, probably 'eel'). **ēafixa**—'of the river fish', generic gn.
88. **foldan**—Hickes *faldan*.
90. Rune: EA (*ēar*, 'earth', here 'the grave').

6. *Ælfric: The Fall of the Angels*

Ælfric (ca. 955–after 1006) wrote the first series of *Catholic Homilies* (see also no. 19) in 989, the letter to Sigeweard *De vetere et novo testamento* some sixteen years later. He also wrote a second series of *Catholic Homilies*, one of *Saints' Lives* (see no. 16), paraphrases of the Bible, letters, prefaces, notes and pedagogical pieces. His work continued Alfred's project of presenting medieval classics in the vernacular, but Ælfric was not simply a translator, and his style was consequently free to develop. He is the first master of English prose, regarding the medium as important in its own right, enriching its resources with the rhythm and alliteration of English poetry, exploiting combinations of clause-structure on the model of Latin literary prose. A student of St. Æthelwold at Winchester, he became a monk of Cerne Abbas (Dorset) in 987, and was appointed first abbot of Eynsham (Oxfordshire) in 1005. His literary programme made him the foremost scholar and writer of the Benedictine Revival.

MS: (*a*) Cambridge University Library, Gg. 3.28 Dialect: Late West Saxon
(*b*) Bodleian, Laud Misc. 509

(*a*) *CH. I. i : De initio creaturae* (*part*)

Hē gescēop tȳn engla werod, þæt sind englas and hēahenglas, throni, dominationes, principatus, potestates, uirtutes, cherubim, seraphim. Hēr sindon nigon engla werod. Hī nabbað nǣnne līchaman, ac hī sindon ealle gāstas swīðe strange and mihtige and wlitige, on micelre
5 fægernysse gesceapene, tō lofe and tō wurðmynte heora Scyppende. Þæt tēoðe werod ābrēað and āwende on yfel. God hī gescēop ealle gōde, and lēt hī habban āgenne cyre, swā hī heora Scyppend lufedon and filigdon, swā hī Hine forlēton. Þā wæs ðæs tēoðan werodes ealdor swīðe fæger and wlitig gesceapen, swā þæt hē wæs gehāten Lēoht-
10 berend. Ðā begann hē tō mōdigenne for ðǣre fægernysse þe hē hæfde, and cwæð on his heortan þæt hē wolde and ēaðe mihte bēon his Scyppende gelīc, and sittan on ðām norðdǣle heofenan rīces, and habban andweald and rīce ongēan God ælmihtigne. Þā gefæstnode hē ðisne rǣd wið þæt werod þe hē bewiste, and hī ealle tō ðām rǣde
15 gebugon. Ðā ðā hī ealle hæfdon ðysne rǣd betwux him gefæstnod, þā becōm Godes grama ofer hī ealle, and hī ealle wurdon āwende of ðām fægeran hīwe, þe hī on gesceapene wǣron, tō lāðlīcum dēoflum. And swīðe rihtlīce him swā getīmode, ðā ðā hē wolde mid mōdignysse bēon

13. **ælmihtigne**—MS *ælmihtne*.

betera þonne hē gesceapen wæs, and cwæð, þæt hē mihte bēon þām
20 ælmihtigan Gode gelīc, þā wearð hē and ealle his gefēran forcūðran
and wyrsan þonne ǣnig ōðer gesceaft. And þā hwile ðe hē smēade hū
hē mihte dǣlan rīce wið God, þā hwīle gearcode se ælmihtiga Scyppend
him and his gefērum helle wīte. And hī ealle ādrǣfde of heofenan rīces
myrhðe, and lēt befeallan on þæt ēce fȳr, ðe him gegearcod wæs for
25 heora ofermēttum.

Revised by Wulfstan (see no. 29, notes): *Ða wearð þǣr ān þǣra engla swā scinende an swā beorht and swā wlitig, sē wæs Lucifer genemned. Þæt him þūhte þæt hē mihte bēon þæs efengelīca ðe hine gescōp and geworhte; and sōna swā hē þurh ofermōdignysse þæt geðōhte, þā hrēas hē of heofonum and eall þæt him hȳrde, and hȳ gewurdan of englum tō dēoflum gewordene, and heom wearð hyll gegearwod, and hi ðǣr wuniað on ēcan forwyrde.* [MS Bodleian, Hatton 113.]

(*b*) *De vetere et novo testamento* (*part*)

Se ælmihtiga Scippend, ðā ðā Hē englas gescēop, þā geworhte Hē
þurh His wīsdōm tȳn engla werod on þām forman dæge on micelre
fægernisse, fela þūsenda on ðām frumsceafte, þæt hī on His wuldre
Hine wurðedon ealle līchamlēase, lēohte ond strange, būton eallum
5 synnum on gesǣlþe libbende, swā wlitiges gecindes, swā wē secgan
ne magon, ond nān yfel ðing næs on ðām englum þā gīt, ne nān
yfel ne cōm ðurh Godes gesceapennisse, forðan ðe Hē sylf ys eall
gōd ond ǣlc gōd cimð of Him; ond ðā englas þā wunodon on
þām wuldre mid Gode. Hwǣt, þā binnan six dagum, þe se sōða God
10 þā gesceafta gescēop, þe Hē gescippan wolde, gescēawode se ān engel
þe þǣr ǣnlīcost wæs, hū fæger hē silf wæs ond hū scīnende on
wuldre, ond cunnode his mihte, þæt hē mihtig wæs gesceapen, ond
him wel gelīcode his wurðfulniss þā: se hātte 'Lucifer,' þæt ys 'Leoht-
berend,' for ðǣre miclan beorhtnisse his mǣran hīwes. Ðā þūhte him
15 tō hūxlīc, þæt hē hīran sceolde ǣnigum hlāforde, þā hē swā ǣnlīc wæs,
ond nolde wurðian þone, þe hine geworhte, ond Him þancian ǣfre
ðæs þe Hē him forgeaf ond bēon him underðēodd þæs ðe swīþor
geornlīce for þǣre micclan mǣrðe þe Hē hine gemǣðegode. Hē nolde
þā habban his Scippend him tō hlāforde, ne hē nolde þurhwunian on
20 ðǣre sōþfæstnisse ðæs sōðfæstan Godes Sunu, þe hine gescēop fægerne,
ac wolde mid rīccetere him rīce gewinnan ond þurh mōdignisse hine
macian tō Gode, ond nām him gegadan ongēan Godes willan tō his

17. **ðæs þe . . . þæs ðe.** Not correlative; the first is gn. ob. after *þancian*, 'for that which', while the second is the (here analytical) comparative, 'the more readily'.

unrǣde on eornost gefæstnod. Ðā næfde hē nān setl hwǣr hē sittan mihte, forðan ðe nān heofon nolde hine āberan, ne nān rīce næs þe his
25 mihte bēon ongēan Godes willan, þe geworhte ealle ðinc. Ðā āfunde se mōdiga hwilce his mihta wǣron, þā þā his fēt ne mihton furðon āhwār standan, ac hē fēoll ðā ādūn tō dēofle āwend, ond ealle his gegadan of ðām Godes hīrede in tō helle wīte be heora gewirhtum.

7. *Genesis B*

Genesis B, a translation from Old Saxon, appears in the MS amid *Genesis A*, an original composition in Old English; perhaps the compiler or author of the A-poem brought the other version into his text at this point to continue the Biblical narrative he was paraphrasing. But *Genesis B* differs from the poem which surrounds it: it is an imaginative treatment of material from non-scriptural sources quite unlike the A-text's conscientious rendering of the Bible, and it is metrically adventurous where the A-text is entirely conventional. *Genesis B* presents a devil drawn from patristic demonology, vigorous, scheming, haughty. Some have thought that Milton may have known of the MS through its first student, Franciscus Junius, and that the Miltonic Satan is related to the Saxon one. But the older Satan is interesting in himself, without regard to his literary descendants. The poet has seen in him a figure of the banished soul (cf. lines 63–65) whose ambitions, once loosed, cannot cease turning order into chaos. Thus when his first presumption leads to a rearrangement of the cosmos by God, Satan seeks to undo the new order as well. The poem mediates the Biblical material within the traditions of heroic poetry, including the epic set speech and the *comitatus* ideal.

MS: Bodleian, Junius 11 — Dialect: Late West Saxon

'ac nīotað inc þæs ōðres ealles,   forlǣtað þone ǣnne bēam,
wariað inc wið þone wæstm.   Ne wyrð inc wilna gǣd.'
Hnigon þā mid hēafdum   Heofoncyninge
georne tōgēnes   and sǣdon ealles þanc,
5 lista and þāra lāra.   Hē lēt hēo þæt land būan;
hwærf Him þā tō heofenum   hālig Drihten,

1. Genesis B commences after a gap in the MS; this selection begins at that break and ends with the next one, lines 235–441a.

2a. **wariað**—In 1875 Sievers postulated that the OE *Genesis* was composed of two poems, one a translation from OS; in 1894 Zangemeister published the fragments of the OS original which he had discovered in the Vatican. The internal evidence on which Seivers based his deduction includes OE words influenced by OS meanings, like *warian* (OS *wardon*, 'guard against'), *þegnscipe* (92), *hātan* (110), *cræft* ('troop', 168), *onwendan* ('take away from', 197); OS constructions, like *wǣron . . . befeallene* (96), *hæfð befælled* (127), *mid wihte* (147, 194), *æfter tō aldre* (202); OS inflections, esp. *hell* (f. ac. sg., 97); and particularly OS words, like *giongorscipe* (15), *geongordōm* (33, 49), *hearra* (29 *et passim*), *hygesceaft* (54), *firnum* (82), *rōmigan* (126), *landscipe* (142), *gebodscipe* (196) and *hearmscearu* (198). Some of the other words mentioned by Sievers, like *strīð* (50), have since been found in OE texts, but his argument—and the documentary proof of it—remain classics.

2b. Cf. 11/44.

stīðferhð Cyning. Stōd His handgeweorc
somod on sande, nyston sorga wiht
tō begrornianne būtan hēo Godes willan
10 lengest lǣsten. Hēo wǣron lēof Gode
ðenden hēo His hālige word healdan woldon.
Hæfde se Alwalda engelcynna
þurh handmægen hālig Drihten
tēne getrimede þǣm Hē getrūwode wel
15 þæt hīe His giongorscipe fyligan wolden,
wyrcean His willan; forþon He him gewit forgeaf
and mid His handum gescēop hālig Drihten.
Gesett hæfde Hē hīe swā gesǣliglīce, ǣnne hæfde Hē swā swīðne geworhtne,
swā mihtigne on his mōdgeþōhte, Hē lēt hine swā micles wealdan,
20 hēhstne tō Him on heofona rīce, hæfde Hē hine swā hwītne geworhtne,
swā wynlīc wæs his wæstm on heofonum þæt him cōm from weroda Drihtne,
gelīc wæs hē þām lēohtum steorrum. Lof sceolde hē Drihtnes wyrcean,
dȳran sceolde hē his drēamas on heofonum and sceolde his Drihtne þancian
þæs lēanes þe Hē him on þām lēohte gescerede þonne lǣte Hē his hine lange wealdan.
25 Ac hē āwende hit him tō wyrsan þinge: ongan him winn ūp āhebban
wið þone hēhstan heofnes Waldend þe siteð on þām hālgan stōle.
Dēore wæs hē Drihtne ūrum; ne mihte Him bedyrned weorðan
þæt His engyl ongan ofermōd wesan,
āhōf hine wið his Hearran, sōhte hetesprǣce,
30 gylpword ongēan, nolde Gode þēowian,
cwæð þæt his līc wǣre lēoht and scēne,
hwīt and hīowbeorht. Ne meahte hē æt his hige findan
þæt hē Gode wolde geongerdōme,
Þēodne þēowian. Þūhte him sylfum
35 þæt hē mægyn and cræft māran hæfde
þonne se hālga God habban mihte
folcgestælna. Feala worda gespæc

15. **fyligan**—often emended *fullgān*, to improve alliteration.
20. **tō Him**—'next to Him'.
21. **wæstm**—MS *wæwtm*.
24. **þām lēohte**—'heaven'; cf. lines 76, *on wyrse lēoht*, 160, *lēohtes bescyrede*, and 167, *þæs lēohtes . . . niotan.* **his**—gn. dr. ob. of *wealdan*; line 178, note.
33. **hē**—added by corrector.

se engel ofermōdes, þōhte þurh his ānes cræft
hū hē him strenglīcran stōl geworhte,
40 hēahran on heofonum, cwæð þæt hine his hige spēone
þæt hē west and norð wyrcean ongunne,
trymede getimbro, cwæð him twēo þūhte
þæt hē Gode wolde geongra weorðan.
'Hwæt sceal ic winnan?' cwæð hē. 'Nis me wihtæ þearf
45 hearran tō habbanne. Ic mæg mid handum swā fela
wundra gewyrcean, ic hæbbe geweald micel
tō gyrwanne gōdlecran stōl
hēarran on heofne. Hwȳ sceal ic æfter His hyldo ðēowian,
būgan Him swilces geongordōmes? Ic mæg wesan God swā Hē.
50 Bigstandað mē strange genēatas þā nē willað mē æt þām strīðe geswīcan,
hæleþas heardmōde. Hīe habbað mē tō hearran gecorene,
rōfe rincas. Mid swilcum mæg man rǣd geþencean,
fōn mid swilcum folcgesteallan. Frȳnd synd hīe mīne georne,
holde on hyra hygesceaftum. Ic mæg hyra hearra wesan,
55 rǣdan on þīs rīce. Swā mē þæt riht ne þinceð
þæt ic ōleccan āwiht þurfe
Gode æfter gōde ǣnegum; ne wille ic leng His geongra wurþan.'
Þā hit se Allwalda eall gehȳrde,
þæt His engyl ongan ofermēde micel
60 āhebban wið his Hearran and spræc hēalīc word
dollīce wið Drihten sīnne, sceolde hē þā dǣd ongyldan,
worc þæs gewinnes gedǣlan, and sceolde his wīte habban,
ealra morðra mǣst. Swā dēð monna gehwilc
þe wið his Waldend winnan ongynneð
65 mid māne wið þone mǣran Drihten. Þā wearð se Mihtiga gebolgen,
hēhsta heofones Waldend, wearp hine of þan hēan stōle.
Hete hæfde hē æt his Hearran gewunnen, hyldo hæfde His ferlorene,
gram wearð him se Gōda on His mōde. Forþon hē sceolde grund gesēcean
heardes hellewītes þæs þe hē wann wið heofnes Waldend.

38. **ofermōdes**—construe either with *worda* or *engel* (cf. line 104); not instr. gn.
40. **hēahran**—MS *heah ran;* perhaps 'a high dwelling'.
49a. 'Bow to Him in such servitude'.
49b. **God**—just possibly *gōd*; cf. the word-play lines 57a, 68a.
52. **rǣd geþencean**—'take counsel', 'lay a plan'.
69. **þæs**—causal gn.

70 Ācwæð hine þā fram His hyldo and hine on helle wearp,
on þā dēopan dala, þǣr hē tō dēofle wearð,
se fēond mid his gefērum eallum. Fēollon þā ufon of heofnum
þurhlonge swā þrēo niht and dagas
þā englas of heofnum on helle, and hēo ealle forscēop
75 Drihten tō dēoflum. Forþon hēo His dǣd and word
noldon weorðian, forþon Hē hēo on wyrse lēoht
under eorðan neoðan, ællmihtig God,
sette sigelēase on þā sweartan helle.
Þǣr hæbbað hēo on ǣfyn ungemet lange
80 ealra fēonda gehwilc, fȳr ednēowe,
þonne cymð on ūhtan ēasterne wind,
forst fyrnum cald; symble fȳr oððe gār,
sum heard geswinc habban sceoldon.
Worhte man hit him tō wīte, hyra woruld wæs gehwyrfed
85 forman sīðe, fylde helle
mid þām andsacum. Hēoldon englas forð
heofonrīces hēhðe þe ǣr Godes hyldo gelǣston;
lāgon þā ōðre fȳnd on þām fȳre þe ǣr swā feala hæfdon
gewinnes wið heora Waldend, wīte þoliað
90 hātne heaðowelm helle tōmiddes,
brand and brāde līgas, swilce ēac þā biteran rēcas,
þrosm and þȳstro, forþon hīe þegnscipe
Godes forgȳmdon. Hīe hyra gāl beswāc,
engles oferhygd, noldon Alwaldan
95 word weorþian; hæfdon wīte micel,
wǣron þā befeallene fȳre tō botme
on þā hātan hell þurh hygelēaste
and þurh ofermētto, sōhton ōþer land
þæt wæs lēohtes lēas and wæs līges full,
100 fȳres fǣr micel. Fȳnd ongēaton
þæt hīe hæfdon gewrixled wīta unrīm
þurh heora miclan mōd and þurh miht Godes
and þurh ofermētto ealra swīðost.
Þā spræc se ofermōda cyning þe ǣr wæs engla scȳnost,

82. **gār**—perhaps literal, the prodding of infernal spears, but perhaps instead 'piercing cold'.
83. **geswinc**—MS *gewrinc.*
103. Cf. line 117.

105 hwītost on heofne and his Hearran lēof,
Drihtne dȳre oð hīe tō dole wurdon
þæt him for gālscipe God sylfa wearð
mihtig on mōde yrre, wearp hine on þæt morðer innan,
niðer on þæt nīobedd and scēop him naman siððan;
110 cwæð se Hēhsta hātan sceolde
Sātan siððan, hēt hine þǣre sweartan helle
grundes gȳman, nalles wið God winnan.
Sātan maðelode, sorgiende spræc;
sē ðe helle forð healdan sceolde,
115 gīeman þæs grundes, wæs ǣr Godes engel
hwīt on heofne oð hine his hyge forspēon
and his ofermētto ealra swīðost,
þæt hē ne wolde wereda Drihtnes
word wurðian. Wēoll him on innan
120 hyge ymb his heortan, hāt wæs him ūtan
wrāðlīc wīte. Hē þā worde cwæð:
'Is þæs ænga styde ungelīc swīðe
þām ōðrum hām þe wē ǣr cūðon,
hēan on heofonrīce, þe mē mīn Hearra onlāg.
125 Þēah wē hine for þām Alwaldan āgan ne mōston,
rōmigan ūres rīces, næfð Hē þēah riht gedōn
þæt Hē ūs hæfð befælled fȳre tō botme,
helle þǣre hātan, heofonrīce benumen;
hafað hit gemearcod mid moncynne
130 tō gesettanne. Þæt mē is sorga mǣst,
þæt Ādām sceal, þe wæs of eorðan geworht,
mīnne stronglīcan stōl behealdan,
wesan him on wynne, and wē þis wīte þolien,
hearm on þisse helle. Wālā, āhte ic mīnra handa geweald
135 and mōste āne tīde ūte weorðan,

106. Note change in grammatical number.
110. **cwæð**—corrector adds *þæt*.
111. **Sātan**—deprived of the world of light (lines 22, 31, and 24, note) and of his name Lucifer ('light-bearer'), he becomes keeper of *sweartan helle*.
114–116. Note the series of temporal adverbs to imply an intricate sequence of tenses.
123. **hām**—not in the MS.
124. **on**—added in margin.
125–126. **þēah . . . þēah**—correlative.
130b. Cf. 14/223.

wesan āne winterstunde, þonne ic mid þȳs werode—
ac licgað mē ymbe īrenbenda,
rīdeð racentan sāl. Ic eom rīces lēas,
habbað mē swā hearde helle clommas
140 fæste befangen. Hēr is fȳr micel
ufan and neoðone. Ic ā ne geseah
lāðran landscipe. Līg ne āswāmað
hāt ofer helle. Mē habbað hringa gespong,
slīðhearda sāl sīðes āmyrred,
145 āfyrred mē mīn fēðe; fēt synt gebundene,
handa gehæfte. Synt þissa heldora
wegas forworhte, swā ic mid wihte ne mæg
of þissum lioðobendum. Licgað mē ymbe
heardes īrenes hāte geslægene,
150 grindlas grēate, mid þȳ mē God hafað
gehæfted be þām healse. Swā ic wāt Hē mīnne hige cūðe,
and þæt wiste ēac weroda Drihten
þæt sceolde unc Ādāme yfele gewurðan
ymb þæt heofonrīce, þǣr ic āhte mīnra handa geweald.
155 Ac ðoliaþ wē nū þrēa on helle þæt syndon þȳstro and hǣto,
grimme grundlēase. Hafað ūs God sylfa
forswāpen on þās sweartan mistas; swā Hē ūs ne mæg ǣnige synne gestǣlan,
þæt wē Him on þām lande lāð gefremedon, Hē hæfð ūs þēah þæs lēohtes bescyrede,
beworpen on ealra wīta mǣste. Ne magon wē þæs wrace gefremman,
160 gelēanian Him mid lāðes wihte þæt Hē ūs hafað þæs lēohtes bescyrede.
Hē hæfð nū gemearcod ānne middangeard þǣr Hē hæfð mon geworhtne
æfter His onlīcnesse, mid þām Hē wile eft gesettan

136a. **winterstunde**—probably figurative; cf. 10/37.
136b. Probably rhetorical anacoluthon, but the off-verse appears to be metrically short.
148. Corrector added *utan* at end of line.
152b. **weroda Drihten**—irony?
153. Impersonal.
153a. **unc Ādāme**—'to us two, Adam (and me)'.
154. **þǣr**—either 'if' or (more usually) 'where'.
157b. **swā**—probably concessive.
158b. **lēohtes**—MS ( ) *ohtes;* cf. line 160b.
161. **hæfð . . . geworhtne**—not compound; note the inflected participle.

heofona rīce mid hlūttrum sāulum. Wē þæs sculon hycgan georne
þæt wē on Ādāme, gif wē ǣfre mægen,
165 and on his eafrum swā some andan gebētan,
onwendan him þǣr willan sīnes, gif wē hit mægen wihte āþencan.
Ne gelȳfe ic mē nū þæs lēohtes furðor þæs þe Hē him þenceð lange nīotan,
þæs ēades mid His engla cræfte. Ne magon wē þæt on aldre gewinnan,
þæt wē mihtiges Godes mōd onwǣcen. Uton oðwendan hit nū monna bearnum,
170 þæt heofonrīce nū wē hit habban ne mōton, gedōn þæt hīe His hyldo forlǣten,
þæt hīe þæt onwendon þæt Hē mid His worde bebēad. Þonne weorð Hē him wrāð on mōde,
āhwēt hīe from His hyldo, þonne sculon hīe þās helle sēcan
and þās grimman grundas; þonne mōton wē hīe ūs tō giongrum habban,
fīra bearn on þissum fæstum clomme Onginnað nū ymb þā fyrde þencean.
175 Gif ic ǣnegum þegne þēodenmādmas
gēara forgēafe þenden wē on þan gōdan rīce
gesǣlige sǣton and hæfdon ūre setla geweald,
þonne hē mē nā on lēofran tīd lēanum ne meahte
mīne gife gyldan, gif his gīen wolde
180 mīnra þegna hwilc geþafa wurðan,
þæt hē ūp heonan ūte mihte
cuman þurh þās clūstro and hæfde cræft mid him
þæt hē mid feðerhoman flēogan meahte,
windan on wolcne þær geworht stondað
185 Ādām and Ēue on eorðrīce
mid welan bewunden, and wē synd āworpene hider
on þās dēopan dalo. Nū hīe Drihtne synt
wurðran micle and mōton him þone welan āgan
þe wē on heofonrīce habban sceoldon,
190 rīce mid rihte; is se rǣd gescyred

165b. 'amend our injury'.
167a. 'I no longer expect that glory. . . .'
171, 172, 173. Note the series of *þonne*; cf. *gif*, lines 175–196.
178ff. 'Then never in a more desirable time could he repay my gifts with offerings, if one of my underlings would consent (*geþafa wurðan*) to it (*his*), that. . . .'

monna cynne. Þæt mē is on mīnum mōde swā sār,
on mīnum hyge hrēoweð, þæt hīe heofonrīce
āgan tō aldre. Gif hit ēower ǣnig mæge
gewendan mid wihte þæt hīe word Godes
195 lāre forlǣten, sōna hīe Him þē lāðran bēoð.
Gif hīe brecað His gebodscipe, þonne Hē him ābolgen wurðeþ;
siððan bið him se wela onwended and wyrð him wīte gegarwod,
sum heard hearmscearu. Hycgað his ealle,
hū gē hī beswīcen. Siððan ic mē sēfte mæg
200 restan on þyssum racentum, gif him þæt rīce losað.
Sē þe þæt gelǣsteð, him bið lēan gearo
æfter tō aldre þæs wē hēr inne magon
on þyssum fȳre forð fremena gewinnan.
Sittan lǣte ic hine wið mē sylfne swā hwā swā þæt secgan cymeð
205 on þās hātan helle, þæt hīe Heofoncyninges
unwurðlīce wordum and dǣdum
lāre

191. Corrector transposes MS *mode minum.*
199. **sēfte**—often emended *sōfte.*

8. *Alfred: Preface to the Pastoral Care*

Alfred's decision to translate the medieval classics into English grew out of the ruin of the eighth-century English renaissance by the ninth-century Danish invasions. It was completely revolutionary, for it not only made vernacular learning possible for the first time in medieval Europe, but it demanded of Germanic prose a medium capable of transmitting this learning. The response to this demand was not quick in coming, but in the later Alfredian prose, and even more in the writers of the following two centuries, it produced some of the most enduring influences in early English literature.

In addition to the *Pastoral Care*, Alfred translated or had translated Gregory's *Dialogues*, the *Ecclesiastical History* of Orosius, and the *Consolation of Philosophy* of Boethius, and he composed a collection of extracts from St. Augustine. He may also have had some influence on the translation of Bede's *Ecclesiastical History* and on the beginning of the *OE Chronicle*.

The two oldest MSS of the *Pastoral Care* are very nearly contemporary with Alfred, and so they preserve a form of the language earlier than all but the earliest OE documents. In the Preface, moreover, Alfred could compose freely without the limitation of a text to be translated.

MS: Bodleian, Hatton 20 — Dialect: Early West Saxon

Ælfred kyning hāteð grētan Wærferð biscep his wordum luflīce ond
frēondlīce; ond ðē cȳðan hāte ðæt mē cōm swīðe oft on gemynd,
hwelce wiotan iū wǣron giond Angelcynn, ǣgðer ge godcundra hāda
ge woruldcundra, ond hū gesǣliglīca tīda ðā wǣron giond Angelcynn,
5 ond hū ðā kyningas ðe ðone onwald hæfdon ðæs folces on ðām dagum
Gode ond His ǣrendwrecum hērsumedon; ond hīe ǣgðer ge hiora sibbe
ge hiora siodo ge hiora onweald innanbordes wel gehīoldon, ond ēac ūt
hiora ēðel gerȳmdon; ond hū him ðā spēow ǣgðer ge mid wīge ge mid
wīsdōme; ond ēac ðā godcundan hādas hū giorne hīe wǣron ǣgðer ge
10 ymb lāre ge ymb liornunga, ge ymb ealle ðā ðīowotdōmas ðe hīe
Gode dōn scoldon; ond hū man ūtanbordes wīsdōm ond lāre hieder on
lond sōhte, ond hū wē hīe nū sceoldon ūte begietan gif wē hīe habban
sceoldon. Swǣ clǣne hīo wæs oðfeallenu on Angelcynne ðæt swīðe
fēawa wǣron behionan Humbre ðe hiora ðēninga cūðen understondan

2. Change in grammatical person.
3. **ǣgðer ge . . . ge**—correlative, 'both . . . and'. Correlative constructions are a mark of the Alfredian style.
5. **on ðām dagum**—added by the corrector; so also *wel*, line 7, and *dōn*, line 11.
13. **hio**—i.e., *lār*.

15 on Englisc, oððe furðum ān ǣrendgewrit of Lædene on Englisc
āreccean; ond ic wēne ðætte nōht monige begiondan Humbre nǣren.
Swǣ fēawa hiora wǣron ðæt ic furðum ānne ānlēpne ne mæg geðen-
cean besūðan Temese ðā ðā ic ǣrest tō rīce fēng. Gode ælmihtegum
sīe ðonc ðætte wē nū ǣnigne onstāl habbað lārēowa. Ond forðon ic ðē
20 bebīode ðæt ðū dō swǣ ic gelīefe ðæt ðū wille, ðæt ðū ðē ðissa
woruldðinga tō ðǣm geǣmetige swǣ ðū oftost mæge, ðæt ðū ðone
wīsdōm ðe ðē God sealde ðǣr ðǣr ðū hiene befæstan mæge, befæste.
Geðenc hwelc wītu ūs ðā becōmon for ðisse worulde, ðā ðā wē hit
nōhwæðer ne selfe ne lufodon ne ēac ōðrum monnum ne lēfdon: ðone
25 naman ānne wē hæfdon ðætte wē Crīstne wǣren, ond swīðe fēawe
ðā ðēawas. Ðā ic ðā ðis eall gemunde, ðā gemunde ic ēac hū ic ge-
seah, ǣr ðǣm ðe hit eall forhergod wǣre ond forbærned, hū ðā ciricean
giond eall Angelcynn stōdon māðma ond bōca gefyldæ ond ēac micel
menigeo Godes ðīowa ond ðā swīðe lȳtle fiorme ðāra bōca wiston, for-
30 ðǣm ðe hīe hiora nān wuht ongiotan ne meahton forðǣm ðe hīe
nǣron on hiora āgen geðīode āwritene. Swelce hīe cwǣden: 'Ūre
ieldran, ðā ðe ðās stōwa ǣr hīoldon, hīe lufodon wīsdōm ond ðurh ðone
hīe begēaton welan ond ūs lǣfdon. Hēr mon mæg gīet gesīon hiora
swæð, ac wē him ne cunnon æfterspyrigean, ond forðǣm wē habbað nū
35 ǣgðer forlǣten ge ðone welan ge ðone wīsdōm, forðǣm ðe wē noldon
tō ðǣm spore mid ūre mōde onlūtan.' Ðā ic ðā ðis eall gemunde, ðā
wundrade ic swīðe swīðe ðāra gōdena wiotona ðe giū wǣron giond
Angelcynn, ond ðā bēc eallæ befullan geliornod hæfdon, ðæt hīe hiora
ðā nǣnne dǣl noldon on hiora āgen geðīode wendan. Ac ic ðā sōna eft
40 mē selfum andwyrde ond cwæð: 'Hīe ne wēndon ðætte ǣfre menn
sceolden swǣ reccelēase weorðan ond sīo lār swǣ swȳðe oðfeallan; for
ðǣre wilnunga hīe hit forlēton, ond woldon ðæt hēr ðȳ māra wīsdōm on
londe wǣre ðȳ wē mā geðēoda cūðon.' Ðā gemunde ic hū sīo ǣ wæs
ǣrest on Ebrēisc geðīode funden, ond eft, ðā hīe Crēacas geliornodon, ðā
45 wendon hīe hīe on hiora āgen geðīode ealle, ond ēac mænige ōðre bēc;

16. **ðætte**—final *-te* added by the corrector, as also in lines 19, 25, 40, 53, 73, and *ǣrest* line 18.

20f. 'that you free yourself of these worldly concerns as often as you can'.

23f. 'Consider what punishments have come upon us . . . because we neither loved [wisdom] ourselves nor allowed other men to obtain it . . . .'

25. **hæfdon**—MS *lufodon*; emendation from MS BM, Cotton Tiberius B.xi.

29. **menigeo**—the *i* added by the corrector, as also the first *c* in *reccelēase* line 41, and the second *e* in *Ebrēisc* line 44.

41. **swȳðe**—added by the corrector.

45. **mænige**—substituted by the corrector for *ealle*.

ond eft Lædenware swǣ same, siððan hīe hīe geliornodon, hīe hīe wendon ealla ðurh wīse wealhstōdas on hiora āgen geðīode. Ond ēac ōðræ Crīstnæ ðīoda sumne dǣl hiora on hiora āgen geðīode wendon. Forðȳ mē ðyncð betre ēac, gif īow swǣ ðyncð, ðæt wē ēac sumæ bēc,
50 ðā ðe nīedbeðearfosta sīen eallum monnum tō wiotonne, ðæt wē ðā on ðæt geðīode wenden ðe wē ealle gecnāwan mægen, ond gedōn swǣ wē swīðe ēaðe magon mid Godes fultume, gif wē ðā stilnesse habbað, ðætte eall sīo gioguð ðe nū is on Angelcynne frīora monna, ðāra ðe ðā spēda hæbben ðæt hīe ðǣm befēolan mægen, sīen tō
55 liornunga oðfæste, ðā hwīle ðe hīe tō nānre ōðerre note ne mægen, oð ðone first ðe hīe wel cunnen Englisc gewrit ārǣdan; lǣre mon siððan furður on Lædengeðīode ðā ðe mon furðor lǣran wille ond tō hīeran hāde dōn wille. Đā ic ðā gemunde hū sīo lār Lædengeðīodes ǣr ðissum āfeallen wæs giond Angelcynn, ond ðēah monige cūðon
60 Englisc gewrit ārǣdan, ðā ongan ic ongemang ōðrum mislīcum ond manigfealdum bisgum ðisses kynerīces ðā bōc wendan on Englisc ðe is genemned on Læden Pastoralis, ond on Englisc Hierdebōc, hwīlum word be worde, hwīlum andgit of andgite, swǣ swǣ ic hīe geliornode æt Plegmunde mīnum ærcebiscepe ond æt Assere mīnum biscepe ond æt
65 Grimbolde mīnum mæsseprīoste ond æt Iohanne mīnum mæssepreōste. Siððan ic hīe ðā geliornod hæfde, swǣ swǣ ic hīe betst understandon cūðe, ond swǣ ic hīe andgitfullīcost āreccean meahte, ic hīe on Englisc āwende, ond tō ǣlcum biscepstōle on mīnum rīce wille āne onsendan. Ond on ǣlcre bið ān æstel, sē bið on fīftegum mancessa, ond ic bebīode
70 on Godes naman ðæt nān mon ðone æstel from ðǣre bēc ne dō, ne ðā bōc from ðǣm mynstre; uncūð hū longe ðǣr swǣ gelǣrede biscepas sīen, swǣ swǣ nū Gode ðonc gewelhwǣr siendon. Forðȳ ic wolde ðætte hīe ealneg æt ðǣre stōwe wǣren, būton se biscep hīe mid him habban wille oððe hīo hwǣr tō lǣne sīe oððe hwā ōðre biwrīte.

75 Þis ǣrendgewrit Agustīnus
ofer sealtne sǣ sūðan brōhte
īegbūendum, swā hit ǣr fore

47. Corrector deletes *ealla* after *ēac.*
49. **betre ēac**—second word added by corrector.
50. **ðæt wē**—redundant.
66. **betst . . . cūðe**—substituted in margin by corrector for *forstōd.*
72. **gewelhwǣr**—*ge* added by corrector.
75ff. Alfred was fond of English poetry, and this poem (in which *ic* is the book) may be his; there is a metrical epilogue to the *Pastoral Care* as well, a metrical preface and epilogue to the translation of the *Dialogues*, and verse translations of the meters in the *Consolation.* But the handwriting of the present poem is like none of those around it, and the space it fills is a natural gap in the MS.

ādihtode Dryhtnes cempa,
Rōme pāpa. Ryhtspell monig
80 Gregorius glēawmōd gindwōd
ðurh sefan snyttro, searoðonca hord.
Forðǣm hē monncynnes mǣst gestrīende
rodra Wearde, Rōmwara betest,
monna mōdwelegost, mǣrðum gefrǣgost.
85 Siððan mīn on Englisc Ælfred kyning
āwende worda gehwelc ond mē his wrīterum
sende sūð ond norð, hēht him swelcra mā
brengan bī ðǣre bisene, ðæt hē his biscepum
sendan meahte, forðǣm hī his sume ðorfton,
90 ðā ðe Lǣdensprǣce lǣste cūðon.

9. *Wulf and Eadwacer*

Like *Deor*, which it follows in the MS, this poem has a refrain; like several other poems, notably *The Wife's Lament*, it alludes to a situation which scholarship has not been able to identify. This obscurity at one time led scholars to include it among the *Riddles* which follow it in the MS; the solution was held to be 'Cynewulf', who in turn was held to be the author of the *Riddles*. The more recent rejection of this theory has not been followed by the adoption of another. In addition to the linguistic problems, the very setting itself is uncertain. Does it represent an episode in the *Völsungasaga* or other Germanic story, or more generally the kind of arrangement mentioned in the *Jómsvíkingasaga*, where the vikings made an island stronghold their headquarters and only rarely visited their families on the mainland? Despite its obscurities, the intensity of emotion and the detailed regard for structure have made the poem the object of frequent critical attention.

MS: The Exeter Book — Dialect: Late West Saxon

Lēodum is mīnum swylce him mon lāc gife.
Willað hȳ hine āþecgan gif hē on þrēat cymeð.
Ungelīc is ūs.

Wulf is on īege, ic on ōþerre.
5 Fæst is þæt ēglond fenne biworpen.
Sindon wælrēowe weras þǣr on īge.
Willað hȳ hine āþecgan gif hē on þrēat cymeð.
Ungelīc is ūs.

Wulfes ic mīnes wīdlāstum wēnum dogode.
10 Þonne hit wæs rēnig weder ond ic rēotugu sæt,
þonne mec se beaducāfa bōgum bilegde;
wæs mē wyn tō þon, wæs mē hwæþre ēac lāð.

1. Unless a line is missing before this one, the construction is impersonal: 'It is to my people as if one gave them a gift', perhaps the woman's ironic complaint that her husband has—contrary to convention—left her among her family, or that her lover has not accepted this responsibility of a husband.
2. **hȳ**—his people, not hers. **āþecgan**—otherwise unknown; perhaps 'receive, protect, nourish'. **on þrēat**—perhaps 'into difficulties', more probably 'in(to) a troop'.
4. **Wulf** (also lines 9, 13)—see line 17, note.
5. If a comma is placed at the caesura, *fæst* is aj., not av.
9. **dogode**—assumes a vb. *dogian*, otherwise unknown. The sense should be something like 'sorrow' or 'wait'.

Wulf mīn Wulf, wēna mē þīne
sēoce gedydon, þīne seldcymas,
15 murnende mōd, nāles metelīste.
Gehӯrest þū Ēadwacer? Uncerne earne hwelp
bireð wulf tō wuda.
Þæt mon ēaþe tōslīteð þætte nǣfre gesomnad wæs,
uncer giedd geador.

17. **Wulf** (lines 4, 9, 13) may be either a man's or a beast's name, or both; the capitalization in this version has no MS authority. Similarly, *Ēadwacer* may be man's name or a (pejorative? 'you miser') description of him, or both. Nor is it clear which is the speaker's husband and which her lover. **earne**—best explained as the ac. sg. of *earh* ('cowardly'), but also possibly a contraction of *earone* ('swift') or a minim error for *earmne* ('wretched').

19. **giedd**—'song' or 'poem'; perhaps here 'riddle', an ironic alternative to the conventional romantic meaning in this context.

10. The Wife's Lament

The situation described in *The Wife's Lament* is similar to that assumed in *The Husband's Message*, and there are points of verbal similarity as well: his departure over the sea (*ofer ȳþa gelāc, on ȳþa gelagu*), the boasts of steadfastness (*oft wit bēotedan, wordbēotunga / þe git ... oft gesprǣcon*) and love (*frēondscipe uncer, frēondscype fremman*), the feud that parted them (*fǣhðu drēogan, hine fǣhþo ādrāf*). If *Riddle 60* is taken as a separate poem, moreover, *The Wife's Lament* and *The Husband's Message* are, like companion pieces, exactly the same length. Some of the circumstances described in *The Wife's Lament* are ambiguous, but in each case at least one of the possibilities is consistent with what we can tell about *The Husband's Message*. On the other hand, the poems are separated by fourteen pages in the MS, and attempts to connect them both with a lost cycle of Old English poetry have proved unconvincing.

MS: The Exeter Book — Dialect: Late West Saxon

Ic þis giedd wrece   bī mē ful gēomorre,
mīnre sylfre sīð.   Ic þæt secgan mæg,
hwæt ic yrmþa gebād   siþþan ic ūp wēox,
nīwes oþþe ealdes,   nō mā þonne nū;
5 ā ic wīte wonn   mīnra wræcsīþa.
Ǣrest mīn hlāford gewāt   heonan of lēodum
ofer ȳþa gelāc.   Hæfde ic ūhtceare
hwǣr mīn lēodfruma   londes wǣre.
Ðā ic mē fēran gewāt   folgað sēcan,
10 winelēas wræcca,   for mīnre wēaþearfe.
Ongunnon þæt þæs monnes   māgas hycgan
þurh dyrne geþōht,   þæt hȳ tōdǣlden unc
þæt wit gewīdost   in woruldrīce
lifdon lāðlīcost—   ond mec longade.
15 Hēt mec hlāford mīn   herheard niman;
āhte ic lēofra lȳt   on þissum londstede,

1–3. Cf, 21/1–3, note.

11–13. The first *þæt* is the pronominal ob. of *hycgan*; the second is the relative prn. introducing a noun clause also the ob. of *hycgan*; the third introduces a result clause, 'so that'.

14. **longade**—impersonal.

15. **herheard**—MS *her / heard* (erroneous division). The banishment may have been because of jealousy or an attempt to protect her from his enemies; cf. lines 20b and 26b, notes.

holdra frēonda. Forþon is mīn hyge gēomor.
Ðā ic mē ful gemæcne monnan funde
heardsǣligne, hygegēomorne,
20 mōd mīþendne, morþor hycgendne.
Blīþe gebǣro ful oft wit bēotedan
þæt unc ne gedǣlde nemne dēað āna
ōwiht elles. Eft is þæt onhworfen,
is nū swā hit nō wǣre,
25 frēondscipe uncer. Sceal ic feor ge nēah
mīnes felalēofan fǣhðu drēogan.
Hēht mec mon wunian on wuda bearwe,
under āctrēo in þām eorðscræfe.
Eald is þes eorðsele, eal ic eom oflongad,
30 sindon dena dimme, dūna ūphēa,
bitre burgtūnas, brērum beweaxne,
wīc wynna lēas. Ful oft mec hēr wrāþe begeat
fromsīþ frēan. Frȳnd sind on eorþan
lēofe lifgende, leger weardiað,
35 þonne ic on ūhtan āna gonge
under āctrēo geond þās eorðscrafu.
Þǣr ic sittan mōt sumorlangne dæg,
þǣr ic wēpan mæg mīne wræcsīþas,
earfoþa fela. Forþon ic ǣfre ne mæg
40 þǣre mōdceare mīnre gerestan
ne ealles þæs longaþes þe mec on þissum līfe begeat.
Ā scyle geong mon wesan gēomormōd,
heard heortan geþōht, swylce habban sceal
blīþe gebǣro ēac þon brēostceare,

20b. **morþor hycgendne**—MS *hycgende*, which could be retained (with change of meaning) by putting the full stop after 20a. As it stands the *morþor* ('injury') may be one her lord is planning or one he has received.

24a. The half-line is metrically defective, although there is no gap in the MS.

25. **sceal**—MS *seal.*

26. The feud may be between the speaker and her lord, or between him and others.

31–32. **burgtūnas . . . wīc.** Either an alternative (exile is dreary, but the town is hostile) or an ironic apposition (the earthcave makes a joyless *wīc*).

35. Cf. 11b/18b, note.

37. **sittan** —MS *sittam;* **sumorlangne**—probably figurative.

42ff. Perhaps a malediction on another person, the trouble-maker in the affair, but perhaps on the other hand the young man is her *frēond*, taking *sceal* as 'must', *þæt* (line 47) as causative, *biþ* (line 52) as descriptive.

45 sinsorgna gedreag; sȳ æt him sylfum gelong
eal his worulde wyn, sȳ ful wīde fāh
feorres folclondes, þæt mīn frēond siteð
under stānhliþe storme behrīmed,
wine wērigmōd, wætre beflōwen
50 on drēorsele. Drēogeð se mīn wine
micle mōdceare; hē gemon tō oft
wynlīcran wīc. Wā bið þām þe sceal
of langoþe lēofes ābīdan.

45. sȳ . . . sȳ—correlative: 'be he . . . or be he'.

11. *Riddle 60, The Husband's Message*

Three problems affect in part the question of the relationship of *The Husband's Message* to *The Wife's Lament* (discussed p. 35) and of the solution to the *Riddle*. The first is whether they are separate poems or one: the conventional ending sign :7 and the capital letter beginning a new section set *Riddle 60* off from the previous poem and from the first section of *The Husband's Message*, as they do also the three sections of *The Husband's Message* from each other and from the following poem (*The Ruin*). Second is the state of the text in *The Husband's Message* which, like that of *The Ruin*, is badly damaged by fire; in this edition, the more probable reconstructions are adopted in both poems, but some gaps are left unfilled. Finally there are the runes at the end of *The Husband's Message*. Set apart by dots, they appear to be intended as initials or letter-names rather than—or as well as—the letters of a single word (cf. 27/358ff). The present version employs conventional titles and line-numbers which suggest that the two poems are separate, but they can well be read as a unit. In that case the *Riddle* is no riddle, but personification contributing to an intentional obscurity of which the runes are another aspect.

MS: The Exeter Book — Dialect: Late West Saxon

a. Riddle 60

Ic wæs be sonde   sǣwealle nēah,
æt mere faroþe   mīnum gewunade
frumstaþole fæst.   Fēa ǣnig wæs
monna cynnes   þæt mīnne þǣr
5 on ānǣde   eard behēolde,
ac mec ūhtna gehwām   ȳð sīo brūne
lagufæðme belēolc.   Lȳt ic wēnde
þæt ic ǣr oþþe sīð   ǣfre sceolde
ofer meodu   mūðlēas sprecan,
10 wordum wrixlan.   Þæt is wundres dǣl,
on sefan searolīc   þām þe swylc ne conn,
hū mec seaxes ord   ond sēo swīþre hond,
eorles ingeþonc   ond ord somod,
þingum geþȳdan   þæt ic wiþ þē sceolde
15 for unc ānum twām   ǣrendsprǣce

1. The riddle may be connected with Symphosius' no. 2.
9. **ofer meodu**—probably a defective half-line, often emended *ofer meodubence.*
12. **seaxes**—MS *seaxeð.*
15. **twām**—MS *twan* (minim error).

ābēodan bealdlīce swā hit beorna mā
uncre wordcwidas wīddor ne mǣnden.

b. The Husband's Message

Nū ic onsundran þē secgan wille
ymb þisum trēocynne ic tūdre āwēox.
In mec æld( ) sceal ellor londes
settan ( )c sealte strēamas
5 ( )sse. Ful oft ic on bātes
( ) gesōhte
þǣr mec mondryhten mīn onsende
ofer hēah hofu. Eom nū hēr cumen
on cēolþele ond nū cunnan scealt
10 hū þū ymb mōdlufan mīnes frēan
on hyge hycge. Ic gehātan dear
þæt þū þǣr tīrfæste trēowe findest.
Hwæt þec þonne biddan hēt sē þisne bēam āgrōf
þæt þū sinchroden sylf gemunde
15 on gewitlocan wordbēotunga
þe git on ǣrdagum oft gesprǣcon
þenden git mōston on meoduburgum
eard weardigan, ān lond būgan,
frēondscype fremman. Hine fǣhþo ādrāf
20 of sigeþēode. Hēht nū sylfa þē
lustum lǣran þæt þū lagu drēfde
siþþan þū gehȳrde on hliþes ōran
galan gēomorne gēac on bearwe.
Ne lǣt þū þec siþþan sīþes getwǣfan,
25 lāde gelettan lifgendne monn.
Ongin mere sēcan, mǣwes ēþel,
onsite sǣnacan þæt þū sūð heonan
ofer merelāde monnan findest
þǣr se þēoden is þīn on wēnum.

2a. MS ( ) *treocyn*( ).
7b. MS **mīn** ( ).
10. **mōdlufan**—MS *mod lufun*; *a* and *u* are very similar in this hand.
16. Cf. line 53.
18b. The head-stave is *ān* (emphatic); cf. line 29b *þīn*, 31b *mē*, 39b, *hēr*, 41b *āna*.
21. **lǣran**—MS *lǣram* (minim error).

30 Ne mæg him worulde   willa gelimpan
māra on gemyndum,   þæs þe hē mē sægde,
þonne inc geunne   alwaldend God
þæt git ætsomne   siþþan mōtan
secgum ond gesīþum   sinc bryhtnian,
35 næglede bēagas.   Hē genōh hafað
fǣdan goldes   (   )
(   )d ēlþeode   ēþel healde,
fægre foldan.   (   )
holdra hæleþa   þēah þe hēr mīn wine(   )
40 nȳde gebǣded   nacan ūt āþrong
ond on ȳþa gelagu   āna sceolde
faran on flotweg   forðsīþes georn,
mengan merestrēamas.   Nū se mon hafað
wēan oferwunnen.   Nis him wilna gād
45 ne mēara ne māðma   ne meododrēama,
ǣnges ofer eorþan   eorlgestrēona,
þēodnes dohtor,   gif hē þīn beneah
ofer eald gebēot   incer twēga.
Genȳre ic ætsomne   .ᛋ.ᚱ. geador
50 .ᛠᚹ. ond .ᛗ.   āþe benemnan
þæt hē þā wǣre   ond þā winetrēowe
be him lifgendum   lǣstan wolde
þe git on ǣrdagum   oft gesprǣconn.

30b. MS *willa* with no sign of following loss.
33a. MS (   ) *ætsomne.*
34b. MS *s*(   ); cf. 12/11–13, and *Beowulf*, line 2383: *þāra ðe in Swīorīce sinc brytnade.*
36a. MS *fędan gol*(   ).
39a. MS (   ) *ra hæleþa.*
41b. MS (   ) *sceolde.*
49–50. Runes: S (*sigel*, 'sun') R (*rād*, 'journey') together, EA (*eār*, 'earth') W (*wynn*, 'joy') and M (*monn*, 'man'; perhaps D, *dæg*, 'day'). The D-rune permits rearrangement to SWEARD, 'sword', a likely object to swear by but an improbable spelling. If this is, among other things, a 'signature' like the runes at the end of the Cynewulfian poems, it should give a man's name: the most probable of these is *Sigeweard*, but perhaps *sigelrād* (together) is a kenning for 'sky', *eārwynn* another for 'earth': the husband is swearing by heaven and earth and by man (or himself) as well.

12. Maxims

OE gnomic verse appears in poems on other subjects (see e.g. 21/106, 109, notes) as well as in the collections of gnomes in MS Cotton Tiberius B.i and the Exeter Book. The latter collection falls into three separate sections, perhaps three separate poems, of roughly equal length. The first is notable for its opening, *Frige mec frōdum wordum*, a formula recalling the Riddles; the gnomes are like the Riddles as well in their oblique or figurative language and their often puzzling juxtaposition of subjects. Like the first section, the third contains passages of half-lines unresolved into distiches and perhaps preserving very early poetry.

The second section printed here is characteristic of all three in subject and treatment. The structure has been called (by Dawson, *JEGP* 61, 14ff) 'mnemonic arrangements in sequences built up by multiple association of ideas'.

MS: The Exeter Book — Dialect: Late West Saxon

Forst sceal frēosan, fȳr wudu meltan,
eorþe grōwan, īs brycgian,
wæter helm wegan, wundrum lūcan
eorþan cīþas. Ān sceal inbindan
5 forstes fetre felameahtig God;
winter sceal geweorpan, weder eft cuman,
sumor swegle hāt, sund unstille—
dēop dēada wæg dyrne bið lengest.
Holen sceal in ǣled, yrfe gedǣled
10 dēades monnes: dōm biþ sēlast.
Cyning sceal mid cēape cwēne gebicgan,
būnum ond bēagum; bū sceolon ǣrest
geofum gōd wesan. Gūð sceal in eorle,
wīg geweaxan, ond wīf geþēon
15 lof mid hyre lēodum, lēohtmōd wesan,
rūne healdan, rūmheort bēon

8. **dēop dēada wæg**—probably a kenning for 'sea'; *dyrne* then means 'obscure' (through turbulence?). If *wǣg* is 'cup', there is no connection between lines 1–7 and 8ff.
9. A rhyming line, as also 47, 50, 51.
10. Cf. 21/72–80, for the inevitability of death and the need for a suitable *dōm*.
12–13. Cf. 11b/33–35.
15. **lof**—sometimes emended *lēof*, assuming *geþēon* to be int.

mēarum ond māþmum, meodorǣdenne
for gesīðmægen symle ǣghwǣr
eodor æþelinga ǣrest gegrētan,
20 forman fulle tō frēan hond
ricene gerǣcan ond him rǣd witan
boldāgendum bǣm ætsomne.
Scip sceal genægled, scyld gebunden,
lēoht linden bord, lēof wilcuma
25 Frȳsan wīfe þonne flota stondeð;
biþ his cēol cumen ond hyre ceorl tō hām,
āgen ǣtgeofa, ond hēo hine in laðaþ,
wæsceð his wārig hrægl ond him syleþ wǣde nīwe;
līþ him on londe þæs his lufu bǣdeð.
30 Wīf sceal wiþ wer wǣre gehealdan. Oft hī mon wommum behlīð—
fela bið fæsthȳdigra, fela bið fyrwetgeornra—
frēoð hȳ fremde monnan þonne se ōþer feor gewīteþ.
Lida biþ longe on sīþe; ā mon sceal seþēah lēofes wēnan,
gebīdan þæs hē gebǣdan ne mæg. Hwonne him eft gebyre weorðe,
35 hām cymeð gif hē hāl leofað, nefne him holm gestȳreð,
mere hafað mundum mǣgðegsan wyn.
Cēapēadig mon cyningwīc þonne
lēodon cȳpeþ þonne līþan cymeð,
wuda ond wætres nȳttað ðonne him biþ wīc ālȳfed,
40 mete bygeþ gif hē māran þearf ǣrþon hē tō mēþe weorþe.
Sēoc sē biþ þe tō seldan ieteð þēah hine mon on sunnan lǣde;
ne mæg hē be þȳ wedre wesan þēah hit sȳ wearm on sumera;
ofercumen biþ hē ǣr hē ācwele gif hē nāt hwā hine cwicne fēde.

17. Cf. 11b/45.
19. **æþelinga**—MS *æþelinge.*
30. **behlīð**—sometimes emended *belīhð* (*belēan*, 'prohibit', 'charge with') because the same half-line appears with *belīhð* in the first section of the Exeter *Maxims*, line 64b.
31. **fyrwetgeornra**—MS *fyrwet geonra.*
36. **mǣgðegsan wyn**—variously emended and translated: *mægð ēgna* (i.e., *ēagena*) *wyn*, *mægð ēgsan* ('of the possessor') *wyn*, both understanding *biþ*. Perhaps *mǣgðegsa* meant 'terror of nations', 'a viking', and the whole was a kenning for 'ship'. If so, it may be the quarry, not the possession, of the viking: see lines 37ff.
37–38. A troublesome passage. One version: 'The man fortunate in barter will then buy a noble house among the people when he comes sailing home.'
39. **ālȳfed**—MS *alyfeð.*
44b–46. These lines are almost certainly a continuation of the description of the starving man, but in what way is not altogether clear. If he is diseased rather than merely indigent, his *morþor* ('misery', 'anguish') might require secret burial, instead of the usual *gedēfe* ceremony, to prevent public alarm.

45 Mægen mon sceal mid mete fēdan, morþor under eorþan befēolan,
hinder under hrūsan, þe hit forhelan þenceð;
ne biþ þæt gedēfe dēaþ þonne hit gedyrned weorþeð.
Hēan sceal gehnīgan, ādl gesīgan,
ryht rōgian. Rǣd biþ nyttost,
yfel unnyttost þæt unlǣd nimeð.
50 Gōd bið genge ond wiþ God lenge.
Hyge sceal gehealden, hond gewealden,
sēo sceal in ēagan, snyttro in brēostum
þǣr bið þæs monnes mōdgeþoncas.
Mūþa gehwylc mete þearf; mǣl sceolon tīdum gongan.
55 Gold gerīseþ on guman sweorde,
sellīc sigesceorp, sinc on cwene,
gōd scop gumum, gārnīþ werum,
wīg tōwiþre wīcfreoþa healdan.
Scyld sceal cempan, sceaft rēafere,
60 sceal brȳde bēag, bēc leornere,
hūsl hālgum men, hǣþnum synne.
Wōden worhte wēos, wuldor Alwalda,
rūme roderas. Þæt is rīce God,
sylf Sōðcyning, sāwla Nergend
65 sē ūs eal forgeaf þæt wē on lifgaþ
ond eft æt þām ende eallum wealdeð
monna cynne; þæt is Meotud sylfa.

47. Or change *ādl* to *hadl* (by metathesis from *hald*, 'prone') for alliteration, but *had* is not of the same order as *hēan* and *ryht*. It seems better to accept the MS form and regard *gesigan* as tra.

51. Cf. 14/4.

57. **gārnīþ werum**—MS three words, and so perhaps *gār nīþwerum.*

13. The Battle of Brunanburh

The Battle of Brunanburh appears in four MSS of the *OE Chronicle* for the year 937, but it is not a history poem; it is a *gielp* or encomium for the victors and for the Saxon race. The poet describes only the closing stages, when the victory had been won, and returns again and again to the national implications of the battle (lines 3b, 7b–8a, 65–73) and to contrasts like that between Constantine's homecoming (*mid flēame cōm / on his cȳþþe norð*) and Æþelstan's (*cȳþþe sōhton / . . . wiges hrēmige*).

Because it is not a narrative, the poem abandons strict chronological structure in favour of the episodic. The end of each episode is marked by a cluster of appositives (lines 13–17, 49–52, 61–65, 70–73), which share with the rest of the poem a considerable debt to the traditional phrases of older poetry; it has been estimated that upwards of one-quarter of the half-lines can be traced elsewhere in identical form, and a great many others in only slightly differing form.

MS: CCCC 173 (Parker Chronicle) Dialect: Late West Saxon

Hēr Æþelstān cyning, eorla dryhten,
beorna bēahgifa, and his brōþor ēac,
Ēadmund æþeling, ealdorlangne tīr
geslōgon æt sæcce sweorda ecgum
5 ymbe Brunanburh; bordweal clufan,
hēowan heaþolinde hamora lāfan
afaran Ēadweardes, swā him geæþele wæs
from cnēomǣgum þæt hī æt campe oft
wiþ lāþra gehwæne land ealgodon,
10 hord and hāmas. Hettend crungun,
Sceotta lēoda and scipflotan
fǣge fēollon. Feld dunnade

1. **Hēr**—the word which regularly introduces the annual entries in the *OE Chronicle* and so probably not to be considered part of the poem proper.
5. **Brunanburh**—MS with a second *n* above the line. The site of the battle has not been identified. **bordweal**—cf. 14/277.
6. **hamora lāfan**—a kenning for 'swords'; cf. *daraða lāf*, line 54, the remnants of Anlāf's army.
7b–8a. 'as was innate in them from their heritage'.
11. **Sceotta**—the invaders were a combined force of Picts and Scots under their king, Constantine, and Norsemen based in Ireland under Anlāf (ON Ólafr). Cf. line 56, note.
12. **dunnade**—MS *dænnede*, with the second *n* above the line; the three BM Cotton Tiberius MSS (A.vi, B.i, B.iv) have *dennade, dennode*. The word is unknown and has

secga swāte   siðþan sunne ūp
on morgentīd,   mǣre tungol
15 glād ofer grundas,   Godes condel beorht,
ēces Drihtnes,   oð sīo æþele gesceaft
sāh tō setle.   Þǣr læg secg mænig
gārum āgēted   guma norþerna,
ofer scild scoten,   swilce Scittisc ēac
20 wērig, wīges sæd.   Wesseaxe forð
ondlongne dæg   ēorodcistum
on lāst legdun   lāþum þēodum,
hēowan hereflēman   hindan þearle
mēcum mylenscearpan.   Myrce ne wyrndon
25 heardes hondplegan   hæleþa nānum
þǣra þe mid Anlāfe   ofer ēargebland
on lides bōsme   land gesōhtun
fǣge tō gefeohte.   Fīfe lǣgun
on þām campstede   cyningas giunge
30 sweordum āswefede,   swilce seofene ēac
eorlas Anlāfes,   unrīm heriges
flotan and Sceotta.   Þǣr geflēmed wearð
Norðmanna bregu   nēde gebēded
tō lides stefne   lītle weorode;
35 crēad cnear on flot,   cyning ūt gewāt
on fealene flōd,   feorh generede.
Swilce þǣr ēac se frōda   mid flēame cōm
on his cȳþþe norð,   Costontīnus,
hār hildering   hrēman ne þorfte
40 mēcga gemānan.   Hē wæs his mǣga sceard,
frēonda gefylled   on folcstede
beslagen æt sæcce,   and his sunu forlēt

been variously translated and emended. The version *dunnode* is from an attested OE verb, *dunnian*, 'become dark'.

13. **secga swāte**—MS *secgas hwate*; emendation supplied from all three Cotton MSS.

25. **heardes**—MS *heeardes*; cf. line 72, note.

26. **þǣra þe**—MS *þæ*; emendation from B.iv. **ēargebland**—MS *æra gebland*; emendation from all Cotton MSS.

29. **cyningas**—MS *cyninges*; emendation from B.iv.

32. **flotan**—so all MSS, but often emended *flotena* to make it parallel with *Sceotta*; the inflection is to be considered a (late?) anomalous gn. pl.

35. **cnear on**—MS *cnearen*; emendation from all Cotton MSS.

40. **mēcga**—MS *mæcan*; emendation from B.iv.

on wælstōwe wundun fergrunden,
giungne æt gūðe. Gelpan ne þorfte
45 beorn blandenfeax bilgeslehtes,
eald inwidda, ne Anlāf þȳ mā,
mid heora herelāfum hlehhan ne þorftun
þæt hēo beaduweorca beteran wurdun
on campstede, cumbolgehnāstes,
50 gārmittinge, gumena gemōtes,
wǣpengewrixles, þæs hī on wælfelda
wiþ Ēadweardes afaran plegodan.
Gewitan him þā Norþmen nægledcnearrum,
drēorig daraða lāf on Dingesmere
55 ofer dēop wæter Difelin sēcan,
eft Īraland, ǣwiscmōde.
Swilce þā gebrōþer bēgen ætsamne,
cyning and æþeling cȳþþe sōhton,
Wesseaxena land, wīges hrēmige.
60 Lētan him behindan hrǣ bryttian
saluwigpādan, þone sweartan hræfn
hyrnednebban, and þane hasupādan
earn æftan hwīt, ǣses brūcan,
grǣdigne gūðhafoc and þæt grǣge dēor,
65 wulf on wealde. Ne wearð wæl māre
on þīs ēiglande ǣfre gīeta
folces gefylled beforan þissum
sweordes ecgum, þæs þe ūs secgað bēc,
ealde ūðwitan, siþþan ēastan hider
70 Engle and Seaxe ūp becōman,
ofer brād brimu Brytene sōhtan,
wlance wīgsmiþas Wealas ofercōman,
eorlas ārhwate eard begēatan.

49. **cumbolgehnāstes**—MS *culbodgehnades*; emendation from all Cotton MSS.
54. **Dingesmere**—unidentified, sometimes regarded as 'a part of the sea'; but cf. *Gunnlaugssaga Ormstungu*, ch. 12, *á Hörða . . . nesi Dinga*, perhaps simply 'the sounding sea' in both places.
56. **Īraland**—MS *hira land*; Cotton *ira-*, *yra-*. *hira* may be right, for Ireland was called *Scotland* in OE until the mid-tenth century and frequently thereafter.
62. **hasupādan**—MS *hasewan padan*; emendation from B.i.
66. **ǣfre**—MS *æfer*; emendation from all Cotton MSS.
69a. If in addition to *bēc*, it may imply oral as distinct from written tradition; but it is probably in apposition.
72. **Wealas**—MS *weellas*; emendation from all Cotton MSS.

14. The Battle of Maldon

Although *The Battle of Maldon* is that rarity in Old English literature, a narrative written near the time (991) of the event which it describes, little in the poem shows it. The story is reduced to a series of vignettes, many of them dialogue, not action. Unlike *The Battle of Brunanburh*, *Maldon* suggests nothing of the national significance of the battle, and not much of the military significance.

Instead, the poet concerns himself with a code for which the battle was, by an accident of history, a testing-place. It is the code of the *comitatus* in which fealty is given in return for a lord's generosity and protection. These obligations of prosperity extend themselves in time by a civilized paradox to any subsequent adversity, and to sustain the extension the warrior relies on speech: his boasts in the mead-hall, his later renewals of them, his exhortations to his comrades in adversity, his concern for his good name in a later time of peace. So it is that the vocabulary of oath, speech and reputation is as dense in the poem as that of warfare, and that the climax of the poem is the rhetorical statement of its basic paradox: '*Hige sceal þē heardra, heorte þē cēnre, / mōd sceal þē māre, þē ūre mægen lȳtlað.*'

The 11th-century MS, BM Cotton Otho A.xii, incomplete at both ends, perished in the fire of 1731; modern editions depend on the early 18th-century copy by John Elphinston (printed by Hearne, 1726), despite its relative unreliability.

MS: Bodleian, Rawlinson B.203 Dialect: Late West Saxon

brocen wurde.
Hēt þā hyssa hwæne hors forlǣtan,
feor āfȳsan and forð gangan,
hicgan tō handum and tō hige gōdum.
5 Þā þæt Offan mǣg ǣrest onfunde,
þæt se eorl nolde yrhðo geþolian,
hē lēt him þā of handon lēofne flēogan
hafoc wið þæs holtes and tō þǣre hilde stōp.
Be þām man mihte oncnāwan þæt se cniht nolde
10 wācian æt þām wīge þā hē tō wǣpnum fēng.
Ēac him wolde Ēadric his ealdre gelǣstan,

4. **tō hige**—MS *t hige*.
5. **Þā**—MS *Þ*.
5–7. **Þā . . . þā**—correlative.
7. **handon**—dt. pl., like *lēodon*, line 23, etc. **lēofne**—MS perhaps *leofre*.
10. **wīge**—MS *w . . . ge* (for *wigge*, where *-ig-* = *-ī-*?).
11. **Ēac**—prp., if not an error for *ac* following the negative in line 9, which would make *Ēadric* the *Offan mǣg* of line 5 (cf. 22/76 note).

frēan tō gefeohte; ongan þā forð beran
gār tō gūþe. Hē hæfde gōd geþanc
þā hwīle þe hē mid handum healdan mihte
15 bord and brād swurd; bēot hē gelǣste,
þā hē ætforan his frēan feohtan sceolde.
Ðā þǣr Byrhtnōð ongan beornas trymian,
rād and rǣdde, rincum tǣhte
hū hī sceoldon standan and þone stede healdan,
20 and bæd þæt hyra randas rihte hēoldon
fæste mid folman and ne forhtedon nā.
Þā hē hæfde þæt folc fægere getrymmed,
hē lihte þā mid lēodon þǣr him lēofost wæs,
þǣr hē his heorðwerod holdost wiste.
25 Þā stōd on stæðe, stīðlīce clypode
wīcinga ār, wordum mǣlde
sē on bēot ābēad brimlīþendra
ǣrænde tō þām eorle þǣr hē on ōfre stōd:
'Mē sendon tō þē sǣmen snelle.
30 Hēton ðē secgan þæt þū mōst sendan raðe
bēagas wið gebeorge and ēow betere is
þæt gē þisne gārrǣs mid gafole forgyldon
þonne wē swā hearde hilde dǣlon.
Ne þurfe wē ūs spillan gif gē spēdaþ tō þām;
35 wē willað wið þām golde grið fæstnian.
Gyf þū þæt gerǣdest þe hēr rīcost eart,
þæt þū þīne lēoda lȳsan wille,
syllan sǣmannum on hyra sylfra dōm
feoh wið frēode and niman frið æt ūs,
40 wē willaþ mid þām sceattum ūs tō scype gangan,

17ff. Much of Byrhtnōð's army is civilian recruits called up to meet the invaders.
20. **randas**—MS *randan* (correctly for a late weak form?).
23b. Either 'he was dearest to them' (without change of subject from the foregoing or following clause) or impersonal.
30–31. **ðē . . . ēow**—change in grammatical number.
33. **þonne**—MS *þon* (for *þoñ*?). **hearde**—construe with *hilde*; cf. the contrasting *sōfte*, line 59. **hilde**—MS . . *ulde*.
34. **þurfe wē**—sg. vb. preceding a pl. sbt.; cf. line 59a.
36. **þæt**—MS *þat*.
38. **on hyra sylfra dōm**—'a sum decided by them', lit. 'in their own judgement'.
40. **ūs**—refl. with *gangan*.

on flot fēran, and ēow friþes healdan.'
Byrhtnōð maþelode, bord hafenode,
wand wācne æsc, wordum mǣlde
yrre and ānrǣd, āgeaf him andsware:
45 'Gehȳrst þū sǣlida hwæt þis folc segeð?
Hī willað ēow tō gafole gāras syllan,
ǣttrynne ord and ealde swurd,
þā heregeatu þe ēow æt hilde ne dēah.
Brimmanna boda, ābēod eft ongēan,
50 sege þīnum lēodum miccle lāþre spell,
þæt hēr stynt unforcūð eorl mid his werode
þe wile gealgean ēþel þysne,
Æþelrēdes eard, ealdres mīnes
folc and foldan. Feallan sceolon
55 hǣþene æt hilde. Tō hēanlīc mē þinceð
þæt gē mid ūrum sceattum tō scype gangon
unbefohtene, nū gē þus feor hider
on ūrne eard in becōmon.
Ne sceole gē swā sōfte sinc gegangan;
60 ūs sceal ord and ecg ǣr gesēman,
grim gūðplega, ǣr wē gofol syllon.'
Hēt þā bord beran, beornas gangan
þæt hī on þām ēasteðe ealle stōdon.
Ne mihte þǣr for wætere werod tō þām ōðrum:
65 þǣr cōm flōwende flōd æfter ebban,
lucon lagustrēamas. Tō lang hit him þūhte,
hwænne hī tōgædere gāras bēron.
Hī þǣr Pantan strēam mid prasse bestōdon,
Ēastseaxena ord and se æschere.

45. Head-stave on the fourth lift, as in lines 75 and 288.
48. **heregeatu**—a feudal debt of military equipment; here an ironic term for the 'tribute' the English will pay to the invaders.
52. **gealgean**—i.e., *ealgian* with an initial [j] probably, to judge by the alliteration, not in the original; cf. line 288, note.
61. **wē**—MS *þe* (confusion of *thorn* and *wynn*).
64ff. The vikings are on Northey island in the middle of the Blackwater (*Panta*) estuary near Maldon, Essex, where access to the mainland over a narrow causeway (*bricg*) is available only at low tide; at high tide the sea water flows around the island and rejoins at its inland end.
68. **prasse**—known otherwise only from the OE homilies (cf. BT s.v.) where it seems to mean 'pomp, array'.
69. 'The phalanx of the Eastsaxons and the ash(-ship) army'.

70 Ne mihte hyra ǣnig ōþrum derian,
būton hwā þurh flānes flyht fyl genāme.
Se flōd ūt gewāt. Þā flotan stōdon gearowe,
wīcinga fela wīges georne.
Hēt þā hæleða hlēo healdan þā bricge
75 wigan wīgheardne sē wæs hāten Wulfstān,
cāfne mid his cynne; þæt wæs Cēolan sunu
þe ðone forman man mid his francan ofscēat
þe þǣr baldlīcost on þā bricge stōp.
Þǣr stōdon mid Wulfstāne wigan unforhte,
80 Ælfere and Maccus, mōdige twēgen
þā noldon æt þām forda flēam gewyrcan,
ac hī fæstlīce wið ðā fȳnd weredon
þā hwīle þe hī wǣpna wealdan mōston.
Þā hī þæt ongēaton and georne gesāwon
85 þæt hī þǣr bricgweardas bitere fundon,
ongunnon lytegian þā lāðe gystas,
bǣdon þæt hī ūpgang āgan mōston,
ofer þone ford faran, fēþan lǣdan.
Ðā se eorl ongan for his ofermōde
90 ālȳfan landes tō fela lāþere ðēode;
ongan ceallian þā ofer cald wæter
Byrhtelmes bearn (beornas gehlyston):
'Nū ēow is gerȳmed, gāð ricene tō ūs
guman tō gūþe. God āna wāt
95 hwā þǣre wælstōwe wealdan mōte.'
Wōdon þā wælwulfas, for wætere ne murnon
wīcinga werod, west ofer Pantan
ofer scīr wæter scyldas wēgon,
lidmen tō lande linde bǣron.

74. **hæleða hlēo**—a traditional phrase with special connotations here in view of what follows.
76a. 'brave by heritage'.
77. **francan**—a spear of Frankish design or manufacture; cf. ***sūþerne gār***, line 134, and modern 'bayonet'.
86. **lāðe**—MS perhaps *luðe*.
87. **upgang**—MS *upgangan* (infl. by *āgan*, or possibly a late weak form).
91. **cald**—probably figurative; cf. 28/15.
92. i.e., Byrhtnōð.
97. **west**—MS *pest* (confusion of *p* and *wynn*).

100 Þǣr ongēan gramum gearowe stōdon
Byrhtnōð mid beornum. Hē mid bordum hēt
wyrcan þone wīhagan and þæt werod healdan
fæste wið fēondum. Þā wæs feohte nēh,
tīr æt getohte; wæs sēo tīd cumen
105 þæt þǣr fǣge men feallen sceoldon.
Þǣr wearð hrēam āhafen, hremmas wundon,
earn ǣses georn; wæs on eorþan cyrm.
Hī lēton þā of folman fēolhearde speru,
grimme gegrundene gāras flēogan;
110 bogan wǣron bysige, bord ord onfēng.
Biter wæs se beadurǣs, beornas fēollon
on gehwæðere hand, hyssas lāgon.
Wund wearð Wulfmǣr, wælræste gecēas
Byrhtnōðes mǣg; hē mid billum wearð,
115 his swustersunu, swīðe forhēawen.
Þǣr wearð wīcingum wiþerlēan āgyfen;
gehȳrde ic þæt Ēadweard ānne slōge
swīðe mid his swurde, swenges ne wyrnde,
þæt him æt fōtum fēoll fǣge cempa.
120 Þæs him his ðēoden þanc gesǣde,
þām būrþēne þā hē byre hæfde.
Swā stemnetton stīðhicgende
hysas æt hilde, hogodon georne
hwā þǣr mid orde ǣrost mihte
125 on fǣgean men feorh gewinnan,
wigan mid wǣpnum. Wæl fēol on eorðan.
Stōdon stædefæste, stihte hī Byrhtnōð,
bæd þæt hyssa gehwylc hogode tō wīge
þe on Denon wolde dōm gefeohtan.
130 Wōd þā wīges heard, wǣpen ūp āhōf,
bord tō gebeorge, and wið þæs beornes stōp.
Ēode swā ānrǣd eorl tō þām ceorle;

102. **wīhagan**—a line of men in close formation where the front rank hold their shields before them and the second rank theirs overhead; cf. lines 242, 277.
103. **feohte**—MS *fohte*.
109. **grimme**—not in MS; cf. 23/14, note.
113. **wearð**—MS *weard*; 116 **wearð**—MS *wærd*.
122. **stemnetton**—either 'cried aloud' or 'stood fast' or 'took their turn' from *stefn, stemn* 'voice', 'period of time', 'root, stock'.

ǣgþer hyra ōðrum yfeles hogode.
Sende ðā se sǣrinc sūþerne gār
135 þæt gewundod wearð wigena hlāford.
Hē scēaf þā mid ðām scylde þæt se sceaft tōbærst
and þæt spere sprengde þæt hit sprang ongēan.
Gegremod wearð se gūðrinc: hē mid gāre stang
wlancne wīcing þe him þā wunde forgeaf.
140 Frōd wæs se fyrdrinc, hē lēt his francan wadan
þurh ðæs hysses hals, hand wīsode
þæt hē on þām fǣrsceaðan feorh gerǣhte.
Ðā hē ōþerne ofstlīce scēat
þæt sēo byrne tōbærst; hē wæs on brēostum wund
145 þurh ðā hringlocan, him æt heortan stōd
ǣtterne ord. Se eorl wæs þē blīþra,
hlōh þā mōdi man, sǣde Metode þanc
ðæs dægweorces þe him Drihten forgeaf.
Forlēt þā drenga sum daroð of handa
150 flēogan of folman þæt sē tō forð gewāt
þurh ðone æþelan Æþelrēdes þegen.
Him be healfe stōd hyse unweaxen,
cniht on gecampe, sē full cāflīce
brǣd of þām beorne blōdigne gār,
155 Wulfstānes bearn, Wulfmǣr se geonga,
forlēt forheardne faran eft ongēan;
ord in gewōd þæt sē on eorþan læg
þe his þēoden ǣr þearle gerǣhte.
Ēode þā gesyrwed secg tō þām eorle,
160 hē wolde þæs beornes bēagas gefecgan,
rēaf and hringas and gerēnod swurd.
Þā Byrhtnōð brǣd bill of scēðe
brād and brūneccg and on þā byrnan slōh.
Tō raþe hine gelette lidmanna sum
165 þā hē þæs eorles earm āmyrde;
fēoll þā tō foldan fealohilte swurd,
ne mihte hē gehealdan heardne mēce,
wǣpnes wealdan. Þā gӯt þæt word gecwæð
hār hilderinc, hyssas bylde,

136. **Hē**—i.e. Byrhtnōð.
150. **tō forð**—'too far'.
169. **hār hilderinc**—cf. 13/39.

170 bæd gangan forð gōde gefēran;
ne mihte þā on fōtum leng fæste gestandan,
hē tō heofenum wlāt:
'Ic geþancie þē, ðēoda Waldend,
ealra þǣra wynna þe ic on worulde gebād.
175 Nū ic āh, milde Metod, mǣste þearfe
þæt þū mīnum gāste gōdes geunne,
þæt mīn sāwul tō Đē sīðian mōte
on þīn geweald, þēoden engla,
mid friþe ferian; ic eom frymdi tō þē
180 þæt hī helsceaðan hȳnan ne mōton.'
Đā hine hēowon hǣðene scealcas,
and bēgen þā beornas þe him big stōdon,
Ælfnōð and Wulmǣr bēgen lāgon,
ðā onemn hyra frēan feorh gesealdon.
185 Hī bugon þā fram beaduwe þe þǣr bēon noldon:
þǣr wurdon Oddan bearn ǣrest on flēame,
Godric fram gūþe, and þone gōdan forlēt
þe him mænigne oft mēar gesealde.
Hē gehlēop þone eoh þe āhte his hlāford,
190 on þām gerǣdum þe hit riht ne wæs,
and his brōðru mid him bēgen ǣrndon,
Godwine and Godwīg gūþe ne gȳmdon,
ac wendon fram þām wīge and þone wudu sōhton,
flugon on þæt fæsten and hyra fēore burgon,
195 and manna mā þonne hit ǣnig mǣð wǣre
gyf hī þā geearnunga ealle gemundon
þe hē him tō duguþe gedōn hæfde.
Swā him Offa on dæg ǣr āsǣde,
on þām meþelstede þā hē gemōt hæfde,
200 þæt þǣr mōdelīce manega sprǣcon
þe eft æt þearfe þolian noldon.
Þā wearð āfeallen þæs folces ealdor,

171. **gestandan**—MS *ge stundan.*
173. **Ic geþancie**—MS *ge þance* (*ic* omitted).
183. This line lacks alliteration; perhaps *bēgen* has been copied from line 182 in place of the word which had the head-stave.
191. **ǣrndon**—MS *ærdon.*
192. **Godwine**—MS *godrine.*
201. **þearfe**—MS *þære.*

Æþelrēdes eorl. Ealle gesāwon
heorðgenēatas þæt hyra heorra læg.
205 Þā ðǣr wendon forð wlance þegenas,
unearge men efston georne:
hī woldon þā ealle ōðer twēga,
līf forlǣtan oððe lēofne gewrecan.
Swā hī bylde forð bearn Ælfrices,
210 wiga wintrum geong wordum mǣlde,
Ælfwine þā cwæð, hē on ellen spræc:
'Gemunaþ þāra mǣla þe wē oft æt meodo sprǣcon
þonne wē on bence bēot āhōfon,
hæleð on healle ymbe heard gewinn;
215 nū mæg cunnian hwā cēne sȳ.
Ic wylle mīne æþelo eallum gecȳþan,
þæt ic wæs on Myrcon miccles cynnes;
wæs mīn ealdafæder Ealhelm hāten,
wīs ealdorman woruldgesǣlig.
220 Ne sceolon mē on þǣre þēode þegenas ætwītan,
þæt ic of ðisse fyrde fēran wille,
eard gesēcan, nū mīn ealdor ligeð
forhēawen æt hilde. Mē is þæt hearma mǣst;
hē wæs ǣgðer mīn mǣg and mīn hlāford.'
225 Þā hē forð ēode, fǣhðe gemunde,
þæt hē mid orde ānne gerǣhte
flotan on þām folce, þæt sē on foldan læg
forwegen mid his wǣpne. Ongan þā winas manian,
frȳnd and gefēran, þæt hī forð ēodon.
230 Offa gemǣlde, æscholt āscēoc:
'Hwæt þū Ælfwine, hafast ealle gemanode
þegenas tō þearfe; nū ūre þēoden līð
eorl on eorðan, ūs is eallum þearf
þæt ūre ǣghwylc ōþerne bylde
235 wigan tō wīge þā hwīle þe hē wǣpen mæge
habban and healdan, heardne mēce,

207. **ōðer twēga**—cf. 21/68, and *Beowulf* 1873–1874. A common OE (and Germanic) phrase to describe the place in the design of *wyrd* which a man's decisions have selected for him.

208. **forlǣtan**—MS *for lætun.*

212. **Gemunaþ þāra**—MS *ge munu þa.*

224. **ǣgðer**—MS *ægder.*

gār and gōd swurd. Ūs Godric hæfð,
earh Oddan bearn, ealle beswicene.
Wēnde þæs formoni man þā hē on mēare rād,
240 on wlancan þām wicge, þæt wǣre hit ūre hlāford;
forþan wearð hēr on felda folc tōtwǣmed,
scyldburh tōbrocen. Ābrēoðe his angin,
þæt hē hēr swā manigne man āflȳmde.'
Lēofsunu gemǣlde and his linde āhōf,
245 bord tō gebeorge, hē þām beorne oncwæð:
'Ic þæt gehāte, þæt ic heonan nelle
flēon fōtes trym, ac wille furðor gān,
wrecan on gewinne mīnne winedryhten.
Ne þurfon mē embe Stūrmere stedefæste hælæð
250 wordum ætwītan, nū mīn wine gecranc,
þæt ic hlāfordlēas hām sīðie,
wende fram wīge, ac mē sceal wǣpen niman,
ord and īren.' Hē ful yrre wōd,
feaht fæstlīce, flēam hē forhogode.
255 Dunnere þā cwæð, daroð ācwehte,
unorne ceorl ofer eall clypode,
bæd þæt beorna gehwylc Byrhtnōð wrǣce:
'Ne mæg nā wandian sē þe wrecan þenceð
frēan on folce, ne for fēore murnan.'
260 Þā hī forð ēodon, fēores hī ne rōhton;
ongunnon þā hīredmen heardlīce feohtan,
grame gārberend, and God bǣdon
þæt hī mōston gewrecan hyra winedryhten
and on hyra fēondum fyl gewyrcan.
265 Him se gȳsel ongan geornlīce fylstan;
hē wæs on Norðhymbron heardes cynnes,
Ecglāfes bearn, him wæs Æscferð nama.
Hē ne wandode nā æt þām wīgplegan,
ac hē fȳsde forð flān genehe.
270 Hwīlon hē on bord scēat, hwīlon beorn tǣsde,
ǣfre embe stunde hē sealde sume wunde
þā hwīle ðe hē wǣpna wealdan mōste.

240a. i.e., *on þām wlancan wicge.*
242. **Ābrēoðe**—hortative sbv.
265. Nothing is known about this hostage, but it is traditional that he should fight alongside his captors.

Þā gȳt on orde stōd Ēadweard se langa
gearo and geornful; gylpwordum spræc
275 þæt hē nolde flēogan fōtmǣl landes,
ofer bæc būgan, þā his betera leg.
Hē bræc þone bordweall and wið þā beornas feaht
oð þæt hē his sincgyfan on þām sǣmannum
wurðlīce wrec, ǣr hē on wæle lǣge.
280 Swā dyde Æþeric æþele gefēra
fūs and forðgeorn feaht eornoste,
Sībyrhtes brōðor and swīðe mænig ōþer
clufon cellod bord, cēne hī weredon.
Bærst bordes lǣrig and sēo byrne sang
285 gryrelēoða sum. Þā æt gūðe slōh
Offa þone sǣlidan þæt hē on eorðan fēoll,
and ðǣr Gaddes mǣg grund gesōhte:
hraðe wearð æt hilde Offa forhēawen.
Hē hæfde ðēah geforþod þæt hē his frēan gehēt,
290 swā hē bēotode ǣr wið his bēahgifan,
þæt hī sceoldon bēgen on burh rīdan
hāle tō hāme oððe on here crincgan,
on wælstōwe wundum sweltan.
Hē læg ðegenlīce ðēodne gehende.
295 Ðā wearð borda gebræc; brimmen wōdon
gūðe gegremode, gār oft þurhwōd
fǣges feorhhūs. Forð ðā ēode Wīstān,
Þurstānes suna wið þās secgas feaht.
Hē wæs on geþrang hyra þrēora bana
300 ǣr him Wīgelmes bearn on þām wæle lǣge.
Þǣr wæs stīð gemōt. Stōdon fæste
wigan on gewinne, wīgend cruncon

273–279. The narrative technique of the poet is illustrated in this passage where, as in lines 295–300, the hypotaxis is mainly in temporal relation. In lines 285–299 it is in relation of manner or result; in lines 300–308 there is principally parataxis.

283. **cellod**—otherwise unknown, except for *Finnsburh* 29, *celæs borð*.

288. **hraðe**—MS *raðe*, which is possible, but leaves the alliteration incomplete.

292. **crincgan**—MS *crintgan*.

297. **forð ðā**—MS *forða* (haplography).

297–300. The patronymics in this passage cause some problems. *Þurstānes suna* is certainly Wīstān, who, by his name, could also be Wīgelm's son, although it has been suggested that the latter is Offa. Conceivably *suna* means a relationship —grandson, or nephew—other than 'son'.

300. **Wīgelmes**—MS *wigelines*.

wundum wērige, wæl fēol on eorþan.
Ōswold and Eadwold ealle hwīle,
305 bēgen þā gebrōþru beornas trymedon,
hyra winemāgas wordon bǣdon
þæt hī þǣr æt ðearfe þolian sceoldon,
unwāclīce wǣpna nēotan.
Byrhtwold maþelode, bord hafenode
310 (sē wæs eald genēat), æsc ācwehte,
hē ful baldlīce beornas lǣrde:
'Hige sceal þē heardra, heorte þē cēnre,
mōd sceal þē māre, þē ūre mægen lȳtlað.
Hēr līð ūre ealdor eall forhēawen,
315 gōd on grēote; ā mæg gnornian
sē ðe nū fram þis wīgplegan wendan þenceð.
Ic eom frōd fēores; fram ic ne wille,
ac ic mē be healfe mīnum hlāforde,
be swā lēofan men licgan þence.'
320 Swā hī Æþelgāres bearn ealle bylde,
Godric tō gūþe; oft hē gār forlēt,
wælspere windan on þā wīcingas
swā hē on þām folce fyrmest ēode,
hēow and hȳnde, oð þæt hē on hilde gecranc.
325 Næs þæt nā se Godric þe ðā gūðe forbēah.

22. **windan**—a verb borrowed from the circling flight of birds; cf. *hremmas wundon*, line 106, and 7/184.
324. **oð**—MS *od*.
325. **gūðe**—MS *gude*.

15. Bede: St. Oswald

This passage is taken from the 'Alfredian' Bede (see no. 1), III.i, translating *HE* III.i–ii. MS BM, Cotton Tiberius C.ii of the Latin original similarly runs the two chapters together.

MSS: CCCO 279 Dialect: Late West Saxon
Bodleian, Tanner 10

Ðā Ēadwine þā wæs on þām gefeohte ofslegen, þā fēng tō Dēra
rīce his fæderan sunu Ælfrīces, Ōsric wæs hāten, forþon of þǣre
mǣgþe hē Ēadwine hæfde cnēorisse ond rīces fruman. Se Ōsric
þurh Sancte Paulīnes lāre þæs bisceopes mid þām gerȳnum Crīstes
5 gelēafan gelǣred wæs. Þonne fēng tō Beornica rīce Æþelfriþes sunu,
Ēanfrið wæs hāten, forþon hē wæs þāre mǣgþe cyningcynnes. In þās
twā mægþa Norþanhymbra ðēod iū gēara tōdǣled wæs. Ond eallre
þǣre tīde þe Ēadwine cyning wæs, þæt hē se Ēanfrið Æþelfriþes sunu
mid micelre æþelinga gegoðe ge mid Scottum ge mid Pehtum wracodon;
10 ond þǣr þurh Scotta lāre Crīstes gelēafan onfēngon, ond gefullade
wǣron. Ond sona þæs þe Ēadwine ofslegen wæs hiora fēond, þā
hwurfan hī hām tō hiora ēðle, ond se Ēanfrið fēng tō Beornica rīce.
Ono hwæt ǣghwæþer þāra cyninga, syðþan hī rīce hæfdon, forlētan
þā gerȳno þæs heofonlīcan rīces mid þām hī gehālgede wǣron, ond
15 eft hwurfan tō þām ealdan unsȳfernessum dēofolgylda. Ond hī sylfe
þurh þæt forluran.

Ond sōna būtan yldincge ǣghwæþerne Cadwalla Bretta cyning mid
ārlēasre hond, ac hwæðre mid rihte wrace, hēo kwealde. Ond ǣrest
þȳ nēahstan sumera in Mūnicep þǣre byrig on ungearone þone
20 Ōsric mid his fyrd becwōm, ond hine mid ealle his weorode ādīlgade.
Æfter þon hē eall gēr onwalg Norþanhymbra mǣgðe āhte, nāles swā
swā sigefæst cyning, ac swā swā lēodhata, þæt hē grimsigende forlēas
ond hēo on gelīcnesse þæs traiscan wæles wundade. Þā æt nȳhstan
cwōm Ēanfrið būton geþeahte, his weotena twelfa sum, tō him,
25 þæt hē wolde sibbe ond friðes wilnian. Þone hē ðā gelīce hlēte geniðrade

2, 3. **Ōsric**—MS *Osfrið*.
18. **hond**—end of CCCO 279, beginning of Tanner 10.
19. **Mūnicep**—assumed by the translator to be a proper name.
24. **twelfa sum**—'along with eleven others', but cf. Latin.

ond ofslōg. Þis ungesǣlige gēar ond þæt godlēase gēn tō dæge lāðe wunað, ge fore flēame cyninga from Crīstes gelēafan—ond eft tō dēofolgyldum cerdon—ge for wēdenheortnisse þæs lēodhatan Bretta cyninges. Forðon þæt þā eallum gemǣnelīce līcade, þe ðāra cyninga tiide
30 teledon, þæt hēo onweg ādyde þā gemynd þāra trēowlēasra cyninga; ond þæt ilce gēr tō þæs æfterfylgendan cyninges rīce teledon, þæt is, Gode þæs lēofan weres Ōswaldes. Þā wæs æfter Ēanfriðes slege his broðor, þæt hē cwōm Ōswald mid medmicle weorode ac mid Crīstes gelēafan getrymede, þæt hē þone mānfullan Bretta cyning mid his
35 unmǣtum weorode, þǣm hē gealp, þæt him nōwiht wiðstandan meahte, ofslōg ond ācwealde in þǣre stōwe, þe Ongle nemnað Denīses burna.

Is sēo stōw gēn tō dæge ætēawed ond is in micelre ārwyrðnesse hæfd, þǣr se Ōswald tō þissum gefeohte cwōm, ond þǣr þæt hālige tācn Crīstes rōde ārǣrde ond his cnēo bēgde ond God wæs biddende, þæt Hē
40 in swā micelre nēdþearfnisse his bīgengum mid heofonlīce fultome gehulpe. Is þæt sægd, þæt hē þæt Crīstæs mǣl hraðe weorce geworhte ond sēað ādulfe in þǣm hit stondan scolde. Ond hē se cyning seolf wæs wallende in his gelēafan, ond þæt Crīstes mǣl genōm ond in þone sēað sette ond mid his hondum bǣm hit hēold ond hæfde oð þæt his
45 þegnas mid moldan hit bestrȳðed hæfdon ond gefæstnadan. Ond þā hit ārǣred wæs, þæt hē his stefne ūp āhōf ond cleopode tō him eallum þǣm weorode ond cwæð: 'Uton ealle bēgan ūsser cnēo ond gemǣnelīce biddan þone ælmihtigan God þone lifiendan ond þone sōðan, þæt Hē ūs ēac from þǣm oferhygdigan fēonde ond þǣm rēðan mid His
50 miltsunge gescylde; forðon Hē wāt þæt wē rihtlīce winnað for hǣlo ūsse þēode.' Þā dydon hēo ealle swā hē hēht. Ond sōna on morne, swā hit dagian ongan, þæt hē fōr on þone here þe him tōgēgnes gesomnad wæs, ond æfter geearnunge his gelēafan þæt hēo heora fēond oferswīðdon ond sige āhton. In þǣre gebedstōwe æfter þon monig
55 mægen ond hǣlo tācen gefremed wǣron tō tācnunge ond tō gemynde þæs cyninges gelēafan. Ond monige gēn tō dæge of þǣm trēo þæs hālgan Crīstes mǣles spōnas ond scefþon neomað, ond þā in wæter sendað, ond þæt wæter on ādlige men oðþe on nēat stregdað oðþe drincan syllað, ond hēo sōna hǣlo onfōð. Is sēo stōw on Englisc
60 genemned Heofenfeld. Wæs gēo gēara swā nemned fore tācnunge þǣra tōweardan wundra, forðon þe þǣr þæt heofonlīce sigebēacen

40. **heofonlīce**—MS *heofonlic.*
43. **genōm**—MS *genome.*
50. **gescylde**—MS *gescyldan.*
61. **þǣra**—MS *þære.*

ārǣred bēon scolde, ond þǣr heofonlīc sige þām cinge seald wæs, ond þǣr gēn tō dæge heofonlīc wundor mǣrsode bēoð.

Nis forðon ungerīsne, þæt wē aan mægen ond aan wundor of
65 monegum āsecgan, þe æt þissum hālgan Crīstes mǣle geworden wæs. Wæs sum Godes þēow of þǣm brōðrum þǣre cirican æt Agostaldes ēa, þæs noma wæs Bōthelm. Þā ēode hē sume neahte on īse unwærlīce, þā gefēoll hē semninga on his earm ufan, ond þone swīðe geðrǣste ond gebræc; ond mid þā hefignesse þæs gebrocenan
70 earmes swīðe geswenced wæs, swā þæt hē for þȳ sāre ne meahte furðon his hond tō mūðe gedōn. Ðā gehȳrde hē sumne þāra brōðra sprecan, þæt hē wolde fēran tō þǣm hālgan Crīstes mǣle, þā bæd hē hine þæt hē him þæs ārwyrðan trēos hwylcnehwego dǣl brohte, þonne hē eft hām cōme; cwæð þæt hē gelȳfde, þæt hē þurh þæt meahte
75 hǣlo onfōn þurh Drihtnes gife. Þā ēode se brōðor, swā swā hē hine bæd, ond cwōm eft on ǣfenne hām. Þā brōðor æt bēode sǣton. Þā brōhte him sumne dǣl ealdes mēoses, þe on þām hālgan trēo āweaxen wæs. Þā sæt hē æt bēode, næfde þā æt honda hwǣr þæt brōhte lāc gehealdan scolde; sende þā in his bōsm. Þā hē tō reste ēode, þā forget
80 hē þæt hē in ōðere stōwe þæt gehēolde; lēt forð in his bōsme āwunian. Þā wæs æt middre neahte, þā hē wæccende wæs, þā ne wiste hē hwæt hē gefēlde cealdes æt his sīdan licgan; cunnode þā mid his hond ond sōhte, hwæt þæt wǣre. Þā gemētte hē his earm ond his hond swā hāle ond swā gesunde, swā him nǣfre bryce ne daro gedōn wǣre.

82. **cunnode**—MS *cunnoða.*

16. *Ælfric: St. Oswald*

This selection from Ælfric's *Saints' Lives* was written late in the period 992–1002 (see no. 6) as ch. 26, for August 5, the feast of St. Oswald. Freely based on Bede's *HE* III. i–ii, it differs from some of the author's homilies (nos. 6, 19) in its use of rhythm and alliteration approximating those of OE poetry. Some editors have printed it as verse:

Æfter ðan ðe Augustīnus   tō Englalande becōm,
wæs sum æðele cyning,   Ōswold gehāten,
on Norðhymbra lande,   gelȳfed swȳþe on God.

MS: BM, Cotton Julius E.vii   Dialect: Late West Saxon

Æfter ðan ðe Augustīnus tō Englalande becōm, wæs sum æðele cyning, Ōswold gehāten, on Norðhymbra lande, gelȳfed swȳþe on God. Sē fērde on his iugoðe fram his frēondum and māgum tō Scotlande on sǣ and þǣr sōna wearð gefullod and his gefēran samod þe mid him
5 sīþedon. Betwux þām wearð ofslagen Ēadwine his ēam, Norðhymbra cynincg, on Crīst gelȳfed, fram Brytta cyninge, Cedwalla gecīged, and twēgen his æftergengan binnan twām gēarum; and se Cedwalla slōh and tō sceame tūcode þā Norðhymbran lēode æfter heora hlāfordes fylle, oð þæt Ōswold se ēadiga his yfelnysse ādwǣscte. Ōswold him
10 cōm tō and him cēnlīce wið feaht mid lȳtlum werode, ac his gelēafa hine getrymde, and Crīst him gefylste tō his fēonda slege.

4. **gefullod**—*ge* added by corrector.

At interfecto in pugna Æduino, suscepit pro illo regnum Deirorum, de qua prouincia ille generis prosapiam et primordia regni habuerat, filius patrui eius Aelfrici, uocabulo Osric, qui ad praedicationem Paulini fidei erat sacramentis inbutus. Porro regnum Berniciorum, nam in has duas prouincias gens Nordanhymbrorum antiquitus diuisa erat, suscepit filius Aedilfridi, qui de illa prouincia generis et regni originem duxerat, nomine Eanfrid. Siquidem tempore toto, quo regnauit Æduini, filii praefati regis Aedilfridi, qui ante illum regnauerat, cum magna nobilium iuuentute apud Scottos siue Pictos exulabant, ibique ad doctrinam Scottorum cathecizati, et baptismatis sunt gratia recreati. Qui ut, mortuo rege inimico, patriam sunt redire permissi, accepit primus eorum, quem diximus, Eanfrid regnum Berniciorum. Qui uterque rex, ut terreni regni infulas sortitus est, sacramenta regni caelestis, quibus initiatus erat, anathematizando prodidit, ac se priscis idolatriæ sordibus polluendum perdendumque restituit.

Nec mora, utrumque rex Brettonum Ceadualla impia manu, sed iusta ultione peremit. Et primo quidem proxima aestate Osricum, dum se in oppido municipio temerarie obsedisset, erumpens subito cum suis omnibus inparatum cum toto exercitu deleuit. Dein cum anno integro prouincias Nordanhymbrorum, non ut rex uictor possideret, sed quasi tyrannus saeuiens disperderet, ac tragica caede dilaceraret, tandem Eanfridum inconsulte ad se cum XII lectis militibus postulandae pacis gratia uenientem, simili

Ōswold þā ārǣrde āne rōde sōna Gode tō wurðmynte, ǣr þan þe hē tō ðām gewinne cōme and clypode tō his gefērum: 'Uton feallan tō ðǣre rōde and þone Ælmihtigan biddan, þæt Hē ūs āhredde wið 15 þone mōdigan fēond þe ūs āfyllan wile. God sylf wāt geare, þæt wē winnað rihtlīce wið þysne rēðan cyning tō āhreddenne ūre lēode.' Hī fēollon þā ealle mid Ōswolde cyninge on gebedum, and syþþan on ōðerne mergen ēodon tō þām gefeohte and gewunnon þǣr sige, swā swā se Eallwealdend him ūðe for Ōswoldes gelēafan; and ālēdon heora 20 fȳnd, þone mōdigan Cedwallan mid his micclan werode, þe wēnde þæt him ne mihte nān werod wiðstandan.

17. **cyninge**—added by corrector.
19. **Eallwealdend**—*eall* added by corrector.

sorte damnauit. Infaustus ille annus, et omnibus bonis exosus usque hodie permanet, tam propter apostasiam regum Anglorum, qua se fidei sacramentis exuerant, quam propter uaesaniam Brettonici regis tyrannidem. Unde cunctis placuit regum tempora computantibus, ut, ablata de medio regum perfidorum memoria, idem annus sequentis regis, id est Osualdi, uiri Deo dilecti, regno adsignaretur; quo, post occisionem fratris Eanfridi, superueniente cum paruo exercitu, sed fide Cristi munito, infandus Brettonum dux cum inmensis illis copis, quibus nihil resistere posse iactabat, interemtus est in loco, qui lingua Anglorum Denisesburna, id est riuus Denisi, uocatur.

[ch. ii] Ostenditur autem usque hodie, et in magna ueneratione habetur locus ille, ubi uenturus ad hanc pugnam Osuald signum sanctæ crucis erexit, ac flexis genibus Dominum deprecatus est, ut in tanta rerum necessitate suis cultoribus caelesti succurreret auxilio. Denique fertur, quia facta citato opere cruce, ac fouea praeparata in qua statui deberet, ipse fide feruens hanc arripuerit, ac foueae inposuerit, atque utraque manu erectam tenerit, donec adgesto a militibus puluere terrae figeretur; et hoc facto, elata in altum uoce cuncto exercitui proclamauerit: 'Flectamus omnes genua, et Dominum omnipotentem, uiuum, ac uerum in commune deprecemur, ut nos ab hoste superbo ac feroce sua miseratione defendat; scit enim ipse, quia iusta pro salute gentis nostræ bella suscepimus.' Fecerunt omnes, ut iusserat, et sic incipiente diluculo in hostem progressi, iuxta meritum suæ fidei uictoria potiti sunt. In cuius loco orationis innumeræ uirtutes sanitatum noscuntur esse patratæ, ad indicium uidelicet ac memoriam regis. Nam et usque hodie multi de ipso ligno sacrosanctae crucis astulas excidere solent, quas cum in acquas miserint, eisque languentes homines aut pecudes potauerint, siue asperserint, mox sanitati restituuntur.

Uocatur locus ille lingua Anglorum Hefenfelth, quod dici potest latine caelestis campus, quod certo utique praesagio futurorum antiquitus nomen accepit; significans

Sēo ylce rōd siððan, þe Ōswold þǣr ārǣrde, on wurðmynte þǣr stōd. And wurdon fela gehǣlde untrumra manna and ēac swilce nȳtena þurh ðā ylcan rōde, swā swā ūs rehte Bēda. Sum man fēoll on īse, þæt his
25 earm tōbærst, and læg þā on bedde gebrocod forðearle, oð þæt man him fette of ðǣre foresǣdan rōde sumne dǣl þæs mēoses þe hēo mid beweaxen wæs, and se ādliga sōna on slǣpe wearð gehǣled on ðǣre ylcan nihte þurh Ōswoldes geearnungum.

Sēo stōw is gehāten 'Heofonfeld' on Englisc wið ðone langan weall,
30 þe þā Rōmāniscan worhtan, þǣr þǣr Ōswold oferwann þone wælhrēowan cynincg. And þǣr wearð siþþan ārǣred swīðe mǣre cyrce Gode tō wurðmynte, þe wunað ā on ēcnysse.

30. **oferwann**—second *n* added by corrector.

nimirum, quod ibidem caeleste erigendum tropaeum, caelestis inchoanda uictoria, caelestia usque hodie forent miracula celebranda. Est autem locus iuxta murum illum ad aquilonem, quo Romani quondam ob arcendos barbarorum impetus totam a mari ad mare praecinxere Brittaniam, ut supra docuimus. In quo uidelicet loco consuetudinem multo iam tempore fecerant fratres Hagustaldensis ecclesie, quae non longe abest, aduenientes omni anno pridie quam postea idem rex Osuald occisus est, uigilias pro salute animae eius facere, plurimaque psalmorum laude celebrata, uictimam pro eo mane sacræ oblationis offerre. Qui etiam crescente bona consuetudine, nuper ibidem ecclesia constructa, sacrationem et cunctis honorabiliorem omnibus locum fecere. Nec inmerito, quia nullum, ut conperimus, fidei Cristianæ signum nulla ecclesia, nullum altare in tota Berniciorum gente erectum est, priusquam hoc sacrae crucis uexillum nouus militiæ ductor, dictante fidei deuotione, contra hostem inmanissimum pugnaturus statueret.

Nam ab re est unum e pluribus, quae ad hanc crucem patrata sunt, uirtutis miraculum enarrare. Quidam de fratribus Hagustaldensis ecclesiæ, nomine Bothelm qui nunc usque superest, ante paucos annos, dum incautius forte noctu in glaciæ incederet, repente conruit, brachium contriuit, ac grauissima fracturae ipsius coepit molestia fatigari; ita ut ne ad os quidem adducere ipsum brachium ullatenus dolore arcente ualeret. Qui cum die quadam mane audiret unum de fratribus ad locum eiusdem sanctae crucis ascendere dispossuisse, rogauit, ut aliquam sibi partem de illo ligno uenerabili rediens adferret, credere se dicens, quia per hoc, donante salutem Domino, posset consequi. Fecit ille, ut rogatus est, et reuersus ad uesperam, sedentibus iam ad mensam fratribus, obtulit ei aliquid de ueteri musco, quo superficies ligni erat obsita. Qui cum sedens ad mensam non haberet ad manum, ubi oblatum sibi munus reponeret, misit hoc in sinum sibi. Et dum iret cubitum, oblitus hoc alicubi deponere, permisit suo in sinu permanere. At medio noctis tempore, cum euigilaret, sensit nescio quid frigidi suo lateri adiacere, admotaque manu requirere quid esset, ita sanum brachium manumque repperit, ac si nihil umquam tanti langoris habuisset. [MS Univ. Lib., Cambridge, Kk.5.16]

17. The Death of Guthlac

The Latin life of St. Guthlac (†714) was written in the mid-eighth century by a monk named Felix and translated anonymously before about 1000. Two MSS of the translation survive, but one—in the Vercelli Book—is only an extract that does not include the present passage from Felix's ch. 50. Other vernacular adaptations of the Latin prose life are the poems in OE (see no. 18) and ME; there is as well an extensive Latin literature about Guthlac.

The OE prose translation seeks to be faithful, although it makes some omissions and perhaps a few errors: *si umquam in colloquium eius tibi venire contigerit, qui solus haec sic fuisse cognosceret* is rendered *gif þæt gelimpe þæt þū wið hine gesprece.* This difficult and digressive clause is omitted entirely from the poetic version, which depends largely on stylistic rather than narrative detail.

MS: BM, Cotton Vespasian D.xxi — Dialect: Late West Saxon

Mid þan se seofoða dæg cōm þǣre his mettrumnysse, þā cōm se foresprecena brōðor on þǣre sixtan tīde þæs dæges þæt hē hine genēosian wolde. Þā gemētte hē hine hlēonian on þām hale his cyrcan wið þām wēofode, þā hwæþere hē ne mihte wið hine sprecan, forþon 5 hē geseah þæt his untrumnysse hine swȳþe swencte. Þā þēahhwæþere hē hine æfter þon bæd þæt hē his word tō him forlēte ǣr þon þe hē swulte. Hē þā se ēadiga wer Gūþlāc hwæthwego fram þām wāge þā wērigan limu āhōf, cwæð þā þus tō him: 'Mīn bearn, nū ys þǣre tīde swīþe nēah, ac behealt þū mīn þā ȳtemestan bebodu æfter þon þe mīn 10 sāwl of þām līchaman fēre. Þonne far þū tō mīnre swustor and hyre secge þæt ic forþon hēr on middanearde hire ansȳne flēah and hī gesēon nolde, þæt wyt eft on heofonum beforan Godes ansȳne unc eft gesāwon. And hī bidde þæt hēo mīnne līchaman on þā þrūh gesette, and mid þǣre scȳtan bewinde, þe mē Ecgburh onsende. Nolde ic, þā

1. **se seofoða**—MS *þe seofoða.*

Denique cum septimus dies infirmitatis ipsius deuenisset, præfatus frater illum circa horam sextam uisitauit, inuenitque eum recumbentem in angulo oratorii sui contra altare; nec tamen tunc cum eo loquebatur, quia pondus infirmitatis facultatem loquendi exemit. Denique, illo poscente, ut dicta sua secum dimitteret, antequam moreretur, uir Dei, cum parumper a pariete fessos humeros leuaret, suspirans aiebat: 'Fili mi, quia tempus nunc propinquat, ultima mandata mea intende. Postquam spiritus hoc corpusculum deseruerit, perge ad sororem meam Pegian, et dicas illi, quia ideo aspectum ipsius in hoc sæculo uitaui, ut in æternum coram Patre nostro in gaudio sempiterno ad inuicem uideamus nos. Dicas quoque, ut illa corpus meum inponat in sarcofago et in sindone inuoluat, quam mihi Ecgburg mittebat. Nolui quidem uiuens ullo lineo tegmine

15 hwīle þe ic leofode, mid līnenum hrægle gegyred bēon; ac nū for lufan þǣre Crīstes fǣmnan þā gife þe hēo mē sende ic wylle tō þon dōn, þe ic hēold. Þonne sēo līchama and sēo sāwul hī tōdǣleð, þæt man þone līchaman mid þām hrægle bewinde and on þā þrūh gelecge.'

Ðā se foresprecena brōðor þās þing gehӯrde, hē þā wæs þus sprecende: 20 'Ic þē hālsige, mīn se lēofa fæder, nū ic þīne untrumnysse gesēo and ongite, and ic gehӯre þæt þū þās woruld scealt forlǣtan, þæt þū mē secge be þǣre wīsan þe ic nǣfre ǣr næs gedyrstig þē tō āxianne. Of þǣre tīde þe ic ǣrest mid þē on þisum wēstene eardode, ic þē gehӯrde sprecan on ǣfenne and on ǣrenmergen, ic nāt mid hwæne. Forþon ic 25 þē bidde and hālsige þæt þū mē nǣfre behydigne and sorhfulne be þisse wīsan ne lǣte æfter þīnre forðfōre.'

Hē þā, se Godes wer, mid langre sworetunge þæt orð of þām brēostum tēah, andswarode him þā and cwǣð: 'Mīn bearn, nelt þū bēon gemyndig. Þās þing þe ic ǣr nolde nǣnigum woruldmen secgan, 30 þā hwīle þe ic lifigende wǣre, ic hit þē wylle nū onwrēon and gecӯþan. Ðan æfteran gēare þe ic þis wēsten eardode, þæt on ǣfen and on ǣrenmergen God sylfa þone engcel mīnre frōfre tō mē sende, sē mē þā heofonlīcan gerӯno openode, þā nānegum men ne ālӯfað tō secganne; and þā heardnysse mīnes gewinnes mid heofonlīcan engellīcum 35 sprǣcum ealle gehihte, sē mē æfweardan gecӯdde and geopenode swā þā andweardan. And nū mīn bearn þæt lēofe, gehealð þū mīn word and þū hī nǣnigum ōþrum men ne secge būton Pege mīnre swustor and Ecgberhte þām ancran, gif þæt gelimpe þæt þū wið hine gesprece.'

16–17. 'I shall put on, what I kept aside.'
17. **þæt man**—governed by *þæt*, line 13.
31. Understand an impersonal beginning: 'It was from . . . that . . .'
32. **ǣrenmergen**—MS *ærnemergen*.
35. **sē mē**—MS *þe me*.
36. **andweardan**—MS *andweardum*.

corpus meum tegere, sed pro amore dilectæ Cristi uirginis, quæ hæc munera mihi mittebat, ad uoluendum corpus meum reseruare curaui.' Audiens autem hæc præfatus frater exorsus inquit: 'Obsecro pater mi, quia infirmitatem tuam intellego, et moriturum te audio, ut dicas mihi unum, de quo olim te interrogare non ausus diu sollicitabar. Nam ab eo tempore, quo tecum, domine, habitare coeperam, te loquentem uespere et mane audiebam, nescio cum quo. Propterea adiuro te, ne me sollicitum [*glossed* curiosum] de hac re post obitum tuum dimittas.' Tunc uir Dei post temporis interuallum anhelans ait: 'Fili mi, de hac re sollicitari [*glossed* curare] noli, quod enim uiuens ulli hominum indicare nolui, nunc tibi manifestabo. A secundo etiam anno, quo heremum habitare coeperam, mane uespereque semper angelum consolationis meæ ad meum colloquium Dominus mittebat, qui mihi mysteria, quæ non licet homini narrare, monstrabat, qui duritiam laboris mei cælestibus oraculis subleuauit, qui absentia mihi monstrando ut præsentia præsentabat. O fili, hæc dicta mea conserua, nullique alio nuntiaueris, nisi Pegiæ aut Ecgberhto anachoritæ, si umquam in colloquium eius tibi uenire contigerit,

Þā hē þās word spræc, hē þā his hēafod tō þām wāge onhylde, and
40 mid langre sworetunge þæt orð of þām brēostum tēah. Mid þȳ hē eft
gewyrpte and þām orð onfēng, þā cōm sēo swētnys of þām mūðe swā
þǣra wynsumesta blōstman stenc, and þā þǣre æfterfylgendan nihte
mid þan þe se foresprecena brōðor nihtlīcum gebedum befēall, þā
geseah hē eall þæt hūs ūtan mid mycelre beorhtnesse ymbseald, and
45 sēo beorhtnys þǣr āwunode oð dæg. Þā hit on mergen dæg wæs, hē þā,
se Godes wer, eft styrede hwæthwego and þā wēregan leomu ūp āhōf.
Þā cwæð hē tō him þus: 'Mīn bearn, gearwa þē and þū on þone sīð
fēre þe ic þē gehēt, forþon nū ys sēo tīd þæt se gāst sceal forlǣtan þā
wēregan limo and tō þām ungeendodan gefēan wyle geferan, tō heofona
50 rīce.' Ðā hē þā þās þinge spræc, hē þā his handa āþenede tō þām wēo-
fode and hine getrymede mid þām heofonlīcan mete, Crīstes līchaman
and His blōd, and þā æfter þon his ēagan tō heofonum āhōf and his
earmas āþenede; and þā se gāst mid gefēan and blisse tō þām ēcum
gefēan fērde þæs heofonlīcan rīces. Betwux þā þingc se foresprecena
55 brōðor geseah eall þæt hūs mid heofonlīcre bryhto geondgoten, and
hē þǣr geseah fȳrene torr ūp of þǣre eorþan tō heofones hēannysse,
þæs beorhtnys wæs eallum ōþrum ungelīc. And for his fægernysse
þæt sēo sunne sylf æt middum dæge eall hire scīma wæs on blæco
gecyrred; and engcellīce sangas geond þǣre lyfte faco hē gehȳrde, and
60 eall þæt īgland mid mycelre swētnysse wunderlīces stences ormǣdum
wæs gefylled.

53. **se gāst**—MS *þone gast*, as though *fēran* were *ferian*.
56. **torr**—MS *topp*.
58. **þæt**—omit in translation. **hire**—MS *hira*.

qui solus hæc sic fuisse cognoscet.' Dixerat haec, et ceruicem parieti flectens longa suspiria imo de pectore traxit, refocilatoque rursus spiritu, cum parumper anhelaret, uelut melliflui floris odoratus de ore ipsius procedisse sentiebatur, ita ut totam domum, qua sederet, nectarius odor inflaret. Nocte uero sequenti, cum præfatus frater nocturnis uigiliis incumberet, igneo candore a medio noctis spatio usque in auroram totam domum circumsplendescere uidebat. Oriente autem sole, uir Dei, subleuatis parumper membris, uelut exsurgens, cum supramemorato fratre loqui coepit dicens: 'Fili mi, præpara te in iter tuum pergere, nam me nunc tempus cogit ab his membris dissolui, et decursis huius uitæ terminis ad infinita gaudia spiritus transferri malit [*glossed* magis vult]. Dixit hæc, et extendens manus ad altare, muniuit se communione corporis et sanguinis Cristi, atque eleuatis oculis ad cælum extensisque in altum manibus, animam ad gaudia perpetuæ exultationis emisit. Inter hæc præfatus frater subito cælestis luminis splendore domum repleri turremque uelut igneam e terra in cælum erectam prospicit, in cuius splendoris conparatione, cum tunc sol in medio cælo steterit, uelut lucerna in die pallescere uidebatur. Cantibus quoque angelicis spatium totius aeris detonari audiebatur, insulam etiam illam diuersorum aromatum odoriferis spiraminibus inflari cerneres. [MS CCCC 389]

18. Guthlac B

Two *Guthlac* poems, usually designated *A* and *B*, appear side by side in the MS. The conclusion of the second is missing, so the suggestion that Cynewulf was its author cannot be proved or disproved, but—whoever he was—the poet was probably not the same one who wrote the first. The two poems differ markedly in style, subject and origin, although they complement each other in telling the story of the saint's life. Part *A* is a straightforward account, gathered from untraced sources, of the hermit's encounters with demonic temptation; part *B* employs a more ornate style in describing Guthlac's illness, death and glorification, which it takes directly from the Latin prose life by Felix. By no means a verse translation, it nevertheless follows the structure of the original closely.

MS: The Exeter Book   Dialect: Late West Saxon

Cōm se seofeða dæg
ældum ondweard þæs þe him in gesonc,
hāt heortan nēah, hildescūrum
flacor flānþracu, feorhhord onlēac,
5 searocǣgum gesōht. Ongan ðā snottor hæle,
ār onbehtþegn, æþeles nēosan
tō þām hālgan hofe; fond þā hlingendne
fūsne on forðsīþ frēan unwēnne,
gǣsthāligne in Godes temple
10 soden sārwylmum. Wæs þā sihste tīd
on midne dæg, wæs his mondryhtne
endedōgor ætryhte þā;
nearwum genǣged nȳdcostingum,
āwrecen wælpīlum, wlō ne meahte
15 oroð ūp getēon, ellensprǣce

1. Line numbering of this text is influenced by a passage of 29 lines between *Christ* and *Guthlac A* which may be a part of either or neither poem. If it is a part of *Guthlac*, and *A* and *B* are numbered continuously, this selection begins on line 1141b.
3. **hildescūrum**—MS *hilde scurun* (minim error).
4a. Cf. 27/237.
5. **snottor hæle**—Beccelm, Guthlac's companion and amanuensis.
5–7. **ðā . . . þā**—correlative, 'then . . . when', a frequent construction in this poem: cf. lines 10–12, 57–59, 129–130, 138–142.
8. **unwēnne**—This is the only appearance of the word in OE; it probably means 'without hope of recovery' from *wēnan*, but may be a minim error for *unwemme*, 'blameless'.

hlēoþor āhebban. Ongon ðā hygegēomor,
frēorig ond ferðwērig fūsne grētan,
mēðne mōdglædne, bæd hine þurh mihta Scyppend
gif hē his wordcwida wealdan meahte,
20 sprǣce ahebban, þæt him on spellum gecȳðde,
onwrige worda gongum hū hē his wīsna trūwade,
drohtes on ðǣre dimman ādle, ǣrðon hine dēað onsægde.
Him se ēadga wer āgeaf ondsware,
lēof mon lēofum, þēah hē late meahte,
25 eorl ellenheard, oreþe gebrēdan:
'Mīn þæt swǣse bearn, nis nū swīþe feor
þām ȳtemestan endedōgor
nȳdgedāles, þæt ðū þā nȳhstan scealt
in woruldlīfe worda mīnra,
30 nǣfre lēana biloren, lāre gehȳran,
nōht longe ofer þis. Lǣst ealle well
wǣre ond winescype, word þā wit sprǣcon,
lēofast manna. Nǣfre ic lufan sibbe
þēoden æt þearfe þīne forlǣte
35 āsānian. Bēo þū on sīð gearu,
siþþan līc ond leomu on þes līfes gǣst
āsundrien somwist hyra
þurh feorggedāl. Fȳs æfter þon
þæt þū gesecge sweostor mīnre
40 þǣre lēofestan, on longne weg
tō þām fægran gefēan forðsīð mīnne,
on ēcne eard, ond hyre ēac gecȳð
wordum mīnum, þæt ic mē warnade
hyre onsȳne ealle þrāge
45 in woruldlīfe, for ðȳ ic wilnode

18. **mēðne mōdglædne**—the former in body, the latter in spirit.
24a. Cf. lines 147a, 185a.
26b–27. Impersonal
33ff. Some editors begin a speech by Beccelm at 33a or 33b up through 35a, assuming *þēoden* to be vocative, not nm. in apposition to *ic*.
38. **fȳs**—MS *fyr*; *s* and *r* are very similar in this hand.
39ff. I.e., *gesecge sweostor mīnre þǣre lēofestan forðsīð mīnne on longne weg tō þām fægran gefēan on ēcne eard. . . .*
43bff. Probably a reference to the attempt by the devil, disguised as Guthlac's sister, to tempt the hermit to break his fast. To prevent a recurrence of the ruse, Guthlac barred further visits from his sister. The incident, however, is narrated in no extant materials in the Guthlac legend before the thirteenth century.

þæt wit unc eft in þām ēcan gefēan
on sweglwuldre gesēon mōstun
fore onsȳne ēces Dēman
leahtra lēase. Þǣr sceal lufu uncer
50 wǣrfæst wunian þǣr wit wilna ā
in ðǣre beorhtan byrig brūcan mōtun,
ēades mid englum. Ðū hyre ēac saga
þæt hēo þis bānfæt beorge bifæste,
lāme bilūce, līc orsāwle
55 in þēostorcofan þǣr hit þrāge sceal
in sondhofe siþþan wunian.'
Ðā wearð mōdgeþanc miclum gebisgad,
þrēam forþrycced þurh þæs þēodnes word,
ombehtþegne, þā hē ǣdre oncnēow
60 frēan feorhgedāl, þæt hit feor ne wæs,
endedōgor. Ongon þā ofostlīce
tō his winedryhtne wordum mæðlan:
'Ic þec hālsige, hæleþa lēofost
gumena cynnes, þurh gǣsta Weard,
65 þæt þū hygesorge heortan mīnre
geēþe, eorla wyn. Nis þē ende feor
þæs þe ic on galdrum ongieten hæbbe.
Oft mec gēomor sefa gēhþa gemanode
hāt æt heortan, hyge gnornende
70 nihtes nearwe, ond ic nǣfre þē,
fæder, frōfor mīn, frignan dorste.
Symle ic gehȳrde, þonne heofones gim,
wyncondel wera west onhylde,
sweglbeorht sunne setlgonges fūs
75 on ǣfentīd, ōþerne mid þec
þegn æt geþeahte. Ic þæs þēodnes word,
āres uncūþes oft nēosendes
dægwōman bitwēon ond þǣre deorcan niht,
meþelcwide mæcges, ond on morgne swā
80 ongeat gēomormōd, gǣstes sprǣce,

75. **on ǣfentīd**—MS *onhæfen tid.*
76b–81a. The core of the sentence is *ic oft ongeat þæs þēodnes word*; construe temporal adverbial phrases with *oft*, m. gn. sgs. with *þēodnes*, *meþelcwide* and *sprǣce* with *word*, and *gēomormōd* with *ic*. The sentence is a superb display of the resources of an inflected language.

glēawes in geardum. Hūru ic gīet ne wāt
ǣr þū mē, frēa mīn, furþor cȳðe
þurh cwide þīnne hwonan his cyme sindon.'
Ðā se ēadga wer āgeaf ondsware
85 lēofum æfter longre hwīle, swā hē late meahte,
elnes oncȳðig, oreþe gewealdan:
'Hwæt þū mē, wine mīn, wordum nǣgest,
fūsne frignest þæs þe ic furþum ǣr
ǣfre on ealdre ǣngum ne wolde
90 monna ofer moldan melda weorðan,
þegne on þēode, būtan þē nū ðā,
þȳ lǣs þæt wundredan weras ond idesa
ond on gēað gutan, gieddum mǣnden
bī mē lifgendum. Hūru ic nolde sylf
95 þurh gielpcwide gǣstes mīnes
frōfre gelettan, ne Fæder mīnes
ǣfre geæfnan, ǣbylg Godes.
Symle mē onsende Sigedryhten mīn,
folca Feorhgiefa, siþþan ic furþum ongon
100 on þone æfteran ānseld būgan
gēargemearces, gǣst hāligne,
engel ufancundne sē mec ēfna gehwām,
meahtig Meotudes þegn, ond on morgne eft,
sigorfæst gesōhte ond mē sāra gehwylc
105 gehǣlde hygesorge ond mē in hreþre bilēac
wuldres wilboda wīsdōmes giefe
micle monigfealdran þonne ǣnig mon wite
in līfe hēr, þe mē ālȳfed nis
tō gecȳþenne cwicra ǣngum
110 on foldwege fīra cynnes,
þæt mē ne meahte monna ǣnig
bidēaglian hwæt hē dearninga
on hyge hogde heortan geþoncum
siþþan hē mē fore ēagum onsȳne wearð.

94. The line lacks alliteration, almost certainly a sign of textual corruption in a poem of such high technical accomplishment; yet the text is otherwise relatively free from difficulties.

100. **æfteran**—Guthlac made a brief return to his monastery after first setting up a hermitage.

108. **līfe**—MS *lifes*.

115 Ā ic on mōde māð monna gehwylcne
þēodnes þrymcyme oð þisne dæg.
Lēofast monna, nū ic for lufan þīnre
ond gefērscype þæt wit fyrn mid unc
longe lǣstan, nelle ic lǣtan þē
120 ǣfre unrōtne æfter ealdorlege
mēðne mōdsēocne mīnre geweorðan,
soden sorgwælmum. Ā ic sibbe wiþ þē
healdan wille. Nū of hreþerlocan
tō þām sōþan gefēan sāwel fundað.
125 Nis sēo tīd latu, tȳdrað þis bānfæt,
grēothord gnornað, gǣst hine fȳseð
on ēcne geard, ūtsīþes georn
on sēllan gesetu. Nū ic swīðe eom
weorce gewērgad.' Ðā tō þām wāge gesāg,
130 heafelan onhylde, hyrde þā gēna
ellen on innan. Oroð stundum tēah
mægne mōdig, him of mūðe cwōm
swecca swētast. Swylce on sumeres tīd
stincað on stōwum staþelum fæste
135 wynnum æfter wongum wyrta geblōwene,
hunigflōwende, swā þæs hālgan wæs
ondlongne dæg oþ ǣfen forð
oroð ūp hlæden. Þā se æþela glǣm
setlgong sōhte, swearc norðrodor
140 won under wolcnum, woruld miste ofertēah,
þȳstrum biþeahte, þrong niht ofer tiht
londes frætwa; ðā cwōm lēohta mǣst,
hālig of heofonum hǣdre scīnan,
beorhte ofer burgsalu. Bād sē þe sceolde
145 ēadig on elne endedōgor,
āwrecen wælstrǣlum. Wuldres scīma
æþele ymb æþelne ondlonge niht
scān scīrwered. Scadu sweþredon
tōlȳsed under lyfte. Wæs se lēohta glǣm
150 ymb þæt hālge hūs, heofonlīc condel,
from ǣfenglōme oþþæt ēastan cwōm

141. **tiht**—The basic meaning of the word is 'motion', but it has been suggested that, like Latin *tractus*, the word came also to mean 'the space occupied by anything'.

ofer dēop gelād dægredwōma,
wedertācen wearm. Ārās se wuldormago,
ēadig elnes gemyndig, spræc tō his onbehtþegne,
155 torht tō his trēowum gesīþe: 'Tīd is þæt þū fēre
ond þā ǣrendu eal biþence,
ofestum lǣde, swā ic þē ǣr bibēad,
lāc tō lēofre. Nū of līce is
Goddrēama georn gǣst swīðe fūs.'
160 Āhōf þā his honda hūsle gereorded,
ēaðmōd þȳ æþelan gyfle, swylce hē his ēagan ontȳnde,
hālge hēafdes gimmas, biseah þā tō heofona rīce,
glædmōd tō geofona lēanum ond þā his gǣst onsende
weorcum wlitigne in wuldres drēam.
165 Ðā wæs Gūðlāces gǣst gelǣded
ēadig on ūpweg, englas feredun
tō þām longan gefēan, līc cōlode
belifd under lyfte; ðā þǣr lēoht āscān,
bēama beorhtast. Eal þæt bēacen wæs
170 ymb þæt hālge hūs, heofonlīc lēoma
from foldan ūp swylce fȳren tor
ryht ārǣred oð rodera hrōf
gesewen under swegle, sunnan beorhtra,
æþeltungla wlite. Engla þrēatas
175 sigelēoð sungon, swēg wæs on lyfte
gehȳred under heofonum, hāligra drēam.
Swā se burgstede wæs blissum gefylled,
swētum stencum ond sweglwundrum,
ēadges yrfestōl, engla hlēoðres
180 eal innanweard, þǣr wæs ǣnlīcra
ond wynsumra þonne hit in worulde mæge
stefn āreccan, hū se stenc ond se swēg,
heofonlīc hlēoþor ond se hālga song
gehȳred wæs, hēahþrym Godes,
185 breahtem æfter breahtme.

177ff. Correlative (with zero *þæt*): 'The house was so filled with joys . . . (that) it was more precious', etc.

19. Ælfric: Sermon on Midlent Sunday

Ælfric's *Catholic Homily* I. xii on *John* 6.9ff is a characteristic interpretation of the kind through which the exegetical method of the Latin Church as it was practised by Bede and others became part of the vernacular tradition. This method was based on allegorical interpretation of the Bible, not only of the parables, but also of the 'historical' passages where the literal and symbolic meanings exist side by side. In this sermon Ælfric is concerned with interpretation in general and in particular: he discusses both the method and its application to his text. Notable are the equation of the sea with the life of this world, because both are mutable; the mixture of levels of interpretation (lines 53–63); the figurative explanation of figurative language (64–73); the representation of the Old Testament as a symbolic foreshadowing of the New (74ff); the treatment of special difficulties of interpretation (79, 125–133); and the *concordia* of texts (110–111).

MS: Cambridge University Library, Gg.3.28 Dialect: Late West Saxon

'Abiit Iesus trans mare Galileae: et reliqua. Se Hǣlend fērde ofer ðā Galilēiscan sǣ, þe is gehāten Tȳberiadis, and Him filigde micel menigu, forðon þe hī behēoldon ðā tācna þe Hē worhte ofer ðā untruman men. Þā āstāh se Hǣlend ūp on āne dūne, and þǣr sæt mid
5 His leorningcnihtum, and wæs ðā swīðe gehende sēo hālige Ēastertīd. Þā beseah se Hǣlend ūp, and geseah þæt ðǣr wæs mycel mennisc tōweard, and cwæð tō ānum His leorningcnihta, se wæs gehāten Philippus, "Mid hwām mage wē bicgan hlāf ðisum folce?" Þis Hē cwæð tō fandunge þæs leorningcnihtes: Hē sylf wiste hwæt Hē dōn
10 wolde. Ðā andwyrde Philippus, "Þeah hēr wǣron gebohte twā hund peningwurð hlāfes, ne mihte furðon hyra ǣlc ānne bitan of ðām gelæccan." Þā cwæð ān His leorningcnihta, se hātte Andreas, Pētres

1. In the Latin introduction to his *Catholic Homilies*, Ælfric wrote 'We have not always translated word for word, but sense for sense [cf. 8/63], taking the greatest care to avoid deceitful errors, lest we find ourselves seduced by some heresy or blinded by a fallacy. In this commentary we have followed these authors: Augustine of Hippo, Jerome, Bede, Gregory, Smaragdus, and sometimes Haymo'. The sermon is, commencing at line 29, an adaptation of Bede's *Homelia ii in Quadragesima* (*CC* 122, 193ff), except for the passage lines 47–84, adapted from Augustine's *Tractatus xxiv* (*PL* 35, 1592ff, esp. paras. 1–2). At line 85 in the MS appears the Latin note, 'The other evangelists report that the Lord distributed the loaves and fishes to the disciples, and it was the disciples who gave them to the multitude', a quotation from Bede which Ælfric probably noted in the margin of his holograph; cf. also *discipuli* for *leorningcnihtas*, line 50.

brōðor, "Hēr byrð ān cnapa fīf berene hlāfas, and twēgen fixas, ac tō hwan mæg þæt tō swā micclum werode?" Þa cwæð se Hǣlend, "Dōð
15 þæt þæt folc sitte." And ðǣr wæs micel gærs on ðǣre stōwe myrige on tō sittenne, and hī ðā ealle sǣton, swā swā mihte bēon fīf ðūsend wera. Ðā genām se Hǣlend þā fīf hlāfas, and bletsode, and tōbræc, and tōdǣlde betwux ðām sittendum. Swā gelīce ēac þā fixas tōdǣlde; and hī ealle genōh hæfdon. Þā ðā hī ealle fulle wǣron, ðā cwæð se Hǣlend
20 tō His leorningcnihtum, "Gaderiað þā lāfe, þæt hī ne losion." And hī ðā gegaderodon ðā bricas, and gefyldon twelf wilian mid ðǣre lāfe. Þæt folc, ðā ðe ðis tācen geseah, cwæð þæt Crīst wǣre sōð wītega, sē ðe wæs tōweard tō ðisum middangearde.'

Sēo sǣ þe se Hǣlend oferfērde getācnað þās andweardan woruld.
25 Tō ðǣre cōm Crīst and oferfērde; þæt is, Hē cōm tō ðisre worulde on menniscnysse, and ðis līf oferferde; Hē cōm tō dēaðe, and of dēaðe ārās; and āstāh ūp on āne dūne, and þǣr sæt mid His leorningcnihtum, forðon ðe Hē āstāh ūp tō heofenum, and þǣr sitt nū ðā mid His hālgum. Rihtlīce is sēo sǣ wiðmeten þisre worulde, forðon ðe hēo is
30 hwīltīdum smylte and myrige on tō rōwenne, hwīlon ēac swīðe hrēoh and egeful on tō bēonne. Swā is þēos woruld; hwīltīdum hēo is gesundful and myrige on tō wunigenne, hwīlon hēo is ēac swīðe styrnlīc, and mid mislīcum þingum gemenged, swā þæt hēo foroft bið swīðe unwynsum on tō eardigenne. Hwīlon wē bēoð hāle, hwīlon
35 untrume; nū blīðe, and eft on micelre unblisse. Forðȳ is þis līf, swā wē ǣr cwǣdon, þǣre sǣ wiðmeten.

Þā se Hǣlend gesæt ūp on ðǣre dūne, ðā āhōf Hē ūp His ēagan, and geseh þæt ðǣr wæs micel mennisc tōweard. Ealle þā ðe Him tō cumað, þæt is ðā ðe būgað tō rihtum gelēafan, þā gesihð se Hǣlend, and þām
40 Hē gemiltsað, and hyra mōd onliht mid His gife, þæt hī magon Him tō cuman būtan gedwylde. And ðām Hē forgifð ðone gāstlīcan fōdan, þæt hī ne ātēorian be wege. Þā ðā Hē āxode Philippum, hwanon hī mihton hlāf ðām folce gebicgan, ðā geswutelode Hē Philippes nytennysse. Wel wiste Crīst hwæt Hē dōn wolde, and Hē wiste þæt Philippus þæt
45 nyste. Ðā cwæð Andreas, þæt ān cnapa þǣr bǣre fīf berene hlāfas and twēgen fixas. Þā cwæð se Hǣlend, 'Dōð þæt þæt folc sitte,' and swā forðon swā wē ēow ǣr rehton. Se Hǣlend geseh þæt hungrige folc, and Hē hī mildheortlīce fēdde, ǣgðer ge þurh His gōdnysse ge ðurh His mihte. Hwæt mihte sēo gōdnys āna, būton ðǣr wǣre miht mid þǣre
50 gōdnysse? His discipuli woldon ēac þæt folc fēdan, ac hī næfdon mid hwām. Se Hǣlend hæfde þone gōdan willan tō ðām fōstre, and þā mihte tō ðǣre fremminge.

Fela wundra worhte God, and dæghwāmlīce wyrcð; ac ðā wundra sind swīðe āwācode on manna gesihðe, forðon ðe hī sind swīðe
55 gewunelīce. Māre wundor is þæt God Ælmihtig ǣlce dæg fēt ealne middangeard, and gewissað þā gōdan, þonne þæt wundor wǣre, þæt Hē ðā gefylde fīf ðūsend manna mid fīf hlāfum; ac ðæs wundredon men, nā forðī þæt hit māre wundor wǣre, ac forðī þæt hit wæs ungewunelīc. Hwā sylð nū wæstm ūrum æcerum, and gemenigfylt þæt
60 gerip of fēawum cornum, būton Sē ðe ðā gemænigfilde ðā fīf hlāfas? Sēo miht wæs ðā on Crīstes handum, and þā fīf hlāfas wǣron swylce hit sǣd wǣre, nā on eorðan besāwen, ac gemenigfyld fram Ðām ðe eorðan geworhte.

Þis wundor is swīðe micel, and dēop on getācnungum. Oft gehwā
65 gesihð fægre stafas āwritene, þonne herað hē ðone wrītere and þā stafas, and nāt hwæt hī mǣnað. Sē ðe cann ðǣra stafa gescēad, hē herað heora fægernysse, and rǣd þā stafas, and understent hwæt hī gemǣnað. On ōðre wīsan wē scēawiað mētinge, and on ōðre wīsan stafas. Ne gǣð nā māre tō mētinge būton þæt þū hit gesēo and herige.
70 Nis nā genōh þæt þū stafas scēawige, būton ðū hī ēac rǣde, and þæt andgit understande. Swā is ēac on ðām wundre þe God worhte mid þām fīf hlāfum: ne bið nā genōh þæt wē þæs tācnes wundrian, oþþe þurh þæt God herian, būton wē ēac þæt gāstlīce andgit understandon.

Þā fīf hlāfas ðe se cnapa bær getācniað þā fīf bēc ðe Moyses se
75 heretoga sette on ðǣre ealdan ǣ. Se cnapa ðe hī bær, and heora ne onbyrigde, wæs þæt Iudēisce folc, ðe ðā fīf bēc rǣddon, and ne cūðe þǣron nān gāstlīc andgit, ǣrðan ðe Crīst cōm, and þā bēc geopenode, and hyra gāstlīce andgit onwrēah His leorningcnihtum, and hī siððan eallum Crīstenum folce. Wē ne magon nū ealle þā fīf bēc āreccan, ac
80 wē secgað ēow þæt God sylf hī dihte, and Moyses hī āwrāt, tō stēore and tō lāre ðām ealdan folce Israhēl, and ēac ūs on gāstlīcum andgite. Þā bēc wǣron āwritene be Crīste, ac þæt gāstlīce andgit wæs þām folce dīgle, oð þæt Crīst sylf cōm tō mannum, and geopenede þǣra bōca dīgelnysse, æfter gāstlīcum andgite.

85 Hē tōbræc ðā fīf hlāfas and sealde His leorningcnihtum, and hēt beran ðām folce, forðon þe Hē tǣhte him ðā gāstlīcan lāre; and hī fērdon geond ealne middangeard and bodedon, swā swā him Crīst sylf tǣhte. Mid þām ðe Hē tōbræc ðā hlāfas, þā wǣron hī gemenigfylde, and wēoxon him on handum; forðon ðe ðā fīf bēc wurdon gāstlīce
90 āsmēade, and wīse lārēowas hī trahtnodon, and setton of ðām bōcum

68. **ōðre . . . ōðre**—correlative: 'one . . . the other'.

manega ōðre bēc; and wē mid þǣra bōca lāre bēoð dæghwōmlīce gāstlīce gereordode.

Þā hlāfas wǣron berene. Bere is swīðe earfoðe tō gearcigenne, and þēahhwæðere fēt ðone mann þonne hē gearo bið. Swā wæs sēo ealde
95 ǣ swīðe earfoðe and dīgle tō understandenne; ac ðēahhwæðere, þonne wē cumað tō ðām smedman, þæt is tō ðǣre getācnunge, þonne gereordað hēo ūre mōd, and gestrangað mid þǣre dīglan lāre. Fīf hlāfas ðǣr wǣron, and fīf ðūsend manna þǣr wǣron gereordode, forðan ðe þæt Iudēisce folc wæs underðēodd Godes ǣ, ðe stōd on fīf bōcum
100 āwriten. Þā ðā Crīst āxode Philippum, and Hē his āfandode, swā swā wē ǣr rǣddon, þā getācnode Hē mid þǣre ācsunge þæs folces nytennysse, þe wæs under ðǣre ǣ, and ne cūðe þæt gāstlīce andgit, ðe on ðǣre ǣ bedīglod wæs.

Ðā twēgen fixas getācnodon sealm-sang and ðǣra wītegena
105 cwydas. Ān ðǣra gecȳdde and bodode Crīstes tōcyme mid sealmsange, and ōðer mid wītegunge. Nū sind þā twā gesetnyssa, þæt is sealm-sang and wītegung, swylce hī syflinge wǣron tō ðām fīf berenum hlāfum, þæt is, tō ðām fīf ǣlīcum bōcum. Þæt folc, þe ðǣr gereordode, sæt ūp on ðām gærse. Þæt gærs getācnode flǣsclīce gewilnunge, swā
110 swā se wītega cwæð, 'Ǣlc flǣsc is gærs, and þæs flǣsces wuldor is swilce wyrta blōstm.' Nū sceal gehwā, sē ðe wile sittan æt Godes gereorde and brūcan þǣre gāstlīcan lāre, oftredan þæt gærs and ofsittan, þæt is, þæt hē sceal ðā flǣsclīcan lustas gewyldan and his līchaman tō Godes þēowdōme symle gebīgan.
115 Þǣr wǣron getealde æt ðām gereorde fīf ðūsend wera, forðon þe ðā menn, þe tō ðām gāstlīcan gereorde belimpað, sceolon bēon werlīce geworhte, swā swā se apostol cwæð. Hē cwæð, 'Bēoð wacole, and standað on gelēafan, and onginnað werlīce, and bēoð gehyrte.' Ðēah gif wīfmann bið werlīce geworht, and strang tō Godes willan,
120 hēo bið þonne geteald tō ðām werum þe æt Godes mȳsan sittað. Þūsend getel bið fulfremed, and ne āstīhð nān getel ofer þæt. Mid þām getele bið getācnod sēo fulfremednys ðǣra manna ðe gereordiað heora sāwla mid Godes lāre.

'Se Hǣlend hēt þā gegadrian þa lāfe, þæt hī losian ne sceoldon.
125 And hī ðā gefyldon twelf wilion mid þām bricum.' Ðā lāfe ðæs gereordes, þæt sind ðā dēopnyssa ðǣre lāre þe woroldmen understandan ne magon, þā sceolon ðā lārēowas gegaderian, þæt hī ne losian,

110. Cf. *Isa.* 40.6.
117. Cf. *I Cor.* 16.13.

and healdan on heora fǣtelsum, þæt is, on heora heortan, and habban ǣfre gearo, tō tēonne forð þone wīsdōm and ðā lāre ǣgðer ge ðǣre
130 ealdan ǣ ge ðǣre nīwan. Hī ðā gegaderodon twelf wilian fulle mid þām bricum. Þæt twelffealde getel getācnode þā twelf apostolas, forðan þe hī underfēngon þā dīgelnyssa þǣre lāre, ðe þæt lǣwede folc undergitan ne mihte.

'Þæt folc, ðā þe þæt wundor geseah, cwǣdon be Crīste, þæt Hē
135 wǣre sōð wītega, ðe tōweard wæs.' Sōð hī sǣdon, sumera ðinga: wītega Hē wæs, forðan ðe Hē wiste ealle tōwearde þing, and ēac fela ðing wītegode, þe bēoð gefyllede būtan twȳn. Hē is wītega, and Hē is ealra wītegana wītegung, forðan ðe ealle wītegan be Him wītegodon, and Crīst gefylde heora ealra wītegunga. Þæt folc geseah
140 ðā þæt wundor, and hī ðæs swīðe wundredon; þæt wundor is āwriten, and wē hit gehȳrdon. Þæt ðe on him heora ēagan gedydon, þæt dēð ūre gelēafa on ūs. Hī hit gesāwon, and wē his gelȳfað þe hit ne gesāwon; and wē sind forðī beteran getealde, swā swā se Hǣlend be ūs on ōðre stōwe cwæð, 'Ēadige bēoð þā þe mē ne gesēoð, and hī
145 hwæðere gelȳfað on mē, and mīne wundra mǣrsiað.'

Þæt folc cwæð ðā be Crīste, þæt Hē wǣre sōð wītega; nū cweðe wē be Crīste, þæt Hē is ðæs lifigendan Godes Sunu, sē ðe wæs tōweard tō ālȳsenne ealne middangeard fram dēofles anwealde, and fram helle wīte. Þæt folc ne cūðe ðǣra goda, þæt hī cwǣdon þæt Hē
150 God wǣre, ac sǣdon þæt Hē wītega wǣre. Wē cweðað nū, mid fullum gelēafan, þæt Crīst is sōð wītega, and ealra wītegena wītega, and þæt Hē is sōðlīce ðæs ælmihtigan Godes Sunu, ealswā mihtig swā His Fæder, mid Ðām Hē leofað and rīxað on ānnysse ðæs Halgan Gāstes, ā būtan ende on ēcnysse. Āmēn.

144. Cf. *John* 22.29.

20. The Wanderer

The Wanderer is often coupled with *The Seafarer* (no. 21), which follows it by four folios in the MS, because of striking similarities of theme, structure, and language. In both poems the concern is with the seaborne exile; in both it moves from the depiction of physical hardships and isolation to a consideration of the moral life, and finally to an exhortation to seek the heavenly home. Within this structure the language is similar, more, perhaps, than similarity of theme alone can easily explain: compare *Wanderer* 105 / *Seafarer* 31; 2–5 / 14–16; 102 / 32; 108–110 / 65–67; 78–79 / 86; 22–23, 83–84 / 97–99; 64–65 / 69; 65–69 / 94–96; 41–57 / 58–64a; 101 / 23. But whatever the relationship of the poems, they have so far not assisted materially in the interpretation of each other (see G. V. Smithers, *MÆ* 26, 137ff), and the problems of *Wanderer* remain considerable; they may be summed up as the problem of getting from *Oft him ānhaga āre gebīdeð* (line 1) to *Wel bið þām þe him āre sēceð, / frōfre tō Fæder in heofonum* (lines 114–115) within a coherent poem.

MS: The Exeter Book

Dialect: Late West Saxon

Oft him ānhaga   āre gebīdeð,
Metudes miltse,   þēah þe hē mōdcearig
geond lagulāde   longe sceolde
hrēran mid hondum   hrīmcealde sǣ,
5 wadan wræclāstas.   Wyrd bið ful ārǣd.
Swā cwæð eardstapa   earfeþa gemyndig,
wrāþra wælsleahta,   winemǣga hryre:
'Oft ic sceolde āna   ūhtna gehwylce
mīne ceare cwīþan.   Nis nū cwicra nān
10 þe ic him mōdsefan   mīnne durre
sweotule āsecgan.   Ic tō sōþe wāt
þæt biþ in eorle   indryhten þēaw,
þæt hē his ferðlocan   fæste binde,
healde his hordcofan;   hycge swā hē wille,
15 ne mæg wērig mōd   wyrde wiðstondan,
ne se hrēo hyge   helpe gefremman.

6. **Swā cwæð**—cf. lines 91, 111. The placing of quotation marks throughout the poem is uncertain; perhaps *sē þe*-type constructions (lines 29, 37, 56, 88, 112, 114) should never, first-person passages always, be within quotes.

14. **healde his hordcofan**—in apposition to *his ferðlocan . . . binde*; but MS *healdne* may be right: 'his downcast mind', in apposition to *ferðlocan* alone. For the syntax of the latter version cf 14/240.

Forðon dōmgeorne drēorigne oft
in hyra brēostcofan bindað fæste;
swā ic mōdsefan mīnne sceolde,
20 oft earmcearig, ēðle bidæled,
frēomǣgum feor feterum sǣlan,
siþþan gēara iū goldwine mīnne
hrūsan heolstre biwrāh ond ic hēan þonan
wōd wintercearig ofer waþema gebind,
25 sōhte sele drēorig sinces bryttan,
hwǣr ic feor oþþe nēah findan meahte
þone þe in meoduhealle mīn mine wisse
oþþe mec frēondlēasne frēfran wolde,
wēman mid wynnum.' Wāt sē þe cunnað
30 hū slīþen bið sorg tō gefēran
þām þe him lȳt hafað lēofra geholena.
Warað hine wræclāst, nāles wunden gold;
ferðloca frēorig, nālæs foldan blǣd.
Gemon hē selesecgas ond sincþege,
35 hū hine on geoguðe his goldwine
wenede tō wiste. Wyn eal gedrēas.
Forþon wāt sē þe sceal his winedryhtnes
lēofes lārcwidum longe forþolian,
ðonne sorg ond slǣp somod ætgædre
40 earmne ānhogan oft gebindað.
Þinceð him on mōde þæt hē his mondryhten
clyppe ond cysse ond on cnēo lecge
honda ond hēafod, swā hē hwīlum ǣr
in gēardagum giefstōlas brēac.
45 Ðonne onwæcneð eft winelēas guma,
gesihð him biforan fealwe wēgas,
baþian brimfuglas, brǣdan feþra,
hrēosan hrīm ond snāw hagle gemenged.

17–19. **Forðon . . . swā**—*Forðon* is always followed by *swā* in this poem, and here, as in 58–62, it appears to be correlative: 'because . . . therefore' and ' therefore . . . because'. It is less clear in 37–43 and 64–75.
22. **mīnne**—MS *mine* (from *miñe*?).
24. **waþema**—MS *waþena* (minim error).
27. **mīn mine**—MS *mine* (haplography).
28. **frēondlēasne**—MS *freond lease*.
44. **giefstōlas**—either ac. pl. with *brūcan*, which usually governs the gn., or—more probably—gn. sg. in *-as*.

Þonne bēoð þȳ hefigran   heortan benne,
50 sāre æfter swǣsne. Sorg bið genīwad
þonne māga gemynd   mōd geondhweorfeð;
grēteð glīwstafum,   georne geondscēawað
secga geseldan. Swimmað oft on weg;
flēotendra ferð   nō þǣr fela bringeð
55 cūðra cwidegiedda. Cearo bið genīwad
þām þe sendan sceal   swīþe geneahhe
ofer waþema gebind   wērigne sefan.
'Forþon ic geþencan ne mæg   geond þās woruld
for hwan mōd sefan   mīn ne gesweorce
60 þonne ic eorla līf   eal geondþence,
hū hī fǣrlīce   flet ofgēafon,
mōdge maguþegnas;   swā þes middangeard
ealra dōgra gehwām   drēoseð ond fealleþ.'
Forþon ne mæg wearþan wīs   wer ǣr he āge
65 wintra dǣl in woruldrīce. Wita sceal geþyldig,
ne sceal nō tō hātheort   ne tō hrædwyrde
ne tō wāc wiga   ne tō wanhȳdig
ne tō forht ne tō fægen   ne tō feohgīfre
ne nǣfre gielpes tō georn   ǣr hē geare cunne.
70 Beorn sceal gebīdan   þonne hē bēot spriceð
oþþæt collenferð   cunne gearwe
hwider hreþra gehygd   hweorfan wille.
Ongietan sceal glēaw hæle   hū gǣstlīc bið
þonne eall þisse worulde wela   wēste stondeð,
75 swā nū missenlīce   geond þisne middangeard
winde biwāune   weallas stondaþ,
hrīme bihrorene,   hrȳðge þā ederas.
Wōriað þā wīnsalo,   waldend licgað
drēame bidrorene,   duguþ eal gecrong,
80 wlonc bī wealle. Sume wīg fornōm,
ferede in forðwege,   sumne fugel oþbær
ofer hēanne holm,   sumne se hāra wulf

49–53. The punctuation in this passage is more than usually uncertain, as also lines 99–107.

53. **oft**—frequently emended *eft*, with change in meaning.

59. **mōd sefan**—'my thought of heart', that is, deepest thought; but frequently emended *modsefa*, which gives better metre.

74. **eall**—MS *ealle*; sometimes emended *ealre* to agree with *worulde* instead of *wela*.

dēaðe gedǣlde, sumne drēorighlēor
in eorðscræfe eorl gehȳdde.
85 Ȳþde swā þisne eardgeard ælda Scyppend
oþþæt burgwara breahtma lēase
eald enta geweorc īdlu stōdon.
Sē þonne þisne wealsteal wīse geþōhte
ond þis deorce līf dēope geondþenceð,
90 frōd in ferðe, feor oft gemon
wælsleahta worn ond þās word ācwið:
'Hwǣr cwōm mearg? Hwǣr cwōm mago? Hwǣr cwōm māþþumgyfa?
Hwǣr cwōm symbla gesetu? Hwǣr sindon seledrēamas?
Ēalā beorht būne! Ēalā byrnwiga!
95 Ēalā þēodnes þrym! Hū sēo þrāg gewāt,
genāp under nihthelm swā hēo nō wǣre.
Stondeð nū on lāste lēofre duguþe
weal wundrum hēah wyrmlīcum fāh.
Eorlas fornōman asca þrȳþe,
100 wǣpen wælgīfru, wyrd sēo mǣre,
ond þās stanhleoþu stormas cnyssað,
hrīð hrēosende hrūsan bindeð,
wintres wōma, þonne won cymeð,
nīpeð nihtscūa, norþan onsendeð
105 hrēo hæglfare hæleþum on andan:
eall is earfoðlīc eorþan rīce.
Onwendeð wyrda gesceaft weoruld under heofonum;
hēr bið feoh lǣne, hēr bið frēond lǣne,
hēr bið mon lǣne, hēr bið mǣg lǣne,
110 eal þis eorþan gesteal īdel weorþeð.'
Swā cwæð snottor on mōde, gesæt him sundor æt rūne.
Til biþ sē þe his trēowe gehealdeþ; ne sceal nǣfre his torn tō rycene
beorn of his brēostum ācȳþan nemþe hē ǣr þā bōte cunne,
eorl mid elne gefremman. Wel bið þām þe him āre sēceð,
115 frōfre tō Fæder on heofonum, þǣr ūs eal sēo fæstnung stondeð.

88–89. Change of tense.
89. **deorce**—MS *deornce.*
93. **cwōm . . . gesetu**—sg. vb. with pl. sbt., as sometimes in OE where the sbt. is postponed; cf. 14/34, 60.
102. **hrūsan**—MS *hruse*; the nm. can be preserved only by emending elsewhere (e.g. to *wōman*) and repunctuating.

21. *The Seafarer*

The difficulties of interpreting this poem stem both from the state of the text, which—while without physical gaps—is certainly defective in a number of places, and from the obscurities of its structure and meaning. Two approaches have been made to a solution for the contradictions in viewpoint expressed in the first half of the poem, for the problem of the frankly homiletic second half, and for the question of the meaning of *forþon* throughout. One approach imposes a new form on the MS text, either by rendering the first half as a dialogue between an embittered old sailor and an enthusiastic youth, or by dismissing anything up to sixty of the later lines as an interpolation. More recently the other approach, preserving the integrity of the MS text, has sought to interpret the first half as a symbolic or typical depiction of the lessons of the second half. In this interpretation *forþon* may be adversative up through line 58 and causative thereafter.

MS: The Exeter Book — Dialect: Late West Saxon

Mæg ic be mē sylfum   sōðgied wrecan,
sīþas secgan,   hū ic geswincdagum
earfoðhwīle   oft þrōwade,
bitre brēostceare   gebiden hæbbe,
5 gecunnad in cēole   cearselda fela,
atol ӯþa gewealc,   þǣr mec oft bigeat
nearo nihtwaco   æt nacan stefnan
þonne hē be clifum cnossað.   Calde geþrungen
wǣron mīne fēt,   forste gebunden
10 caldum clommum,   þǣr þā ceare seofedun
hāt ymb heortan;   hungor innan slāt
merewērges mōd.   Þæt se mon ne wāt
þe him on foldan   fægrost limpeð,
hū ic earmcearig   īscealdne sǣ
15 winter wunade   wræccan lāstum,
winemǣgum bidroren,
bihongen hrīmgicelum;   hægl scūrum flēag.
Þǣr ic ne gehӯrde   būtan hlimman sǣ,
īscaldne wǣg;   hwīlum ylfete song

1–3. Cf. 10/1–3.
11. **hāt**—i.e., *hāte* with elision of *e*, perhaps because before a vowel, but perhaps because formulaic, as in 27/61, 100.
16. A half-line seems to have been lost here.

20 dyde ic mē tō gomene, ganetes hlēoþor
ond huilpan swēg fore hleahtor wera,
mǣw singende fore medodrince.
Stormas þǣr stānclifu bēotan þǣr him stearn oncwæð
īsigfeþera; ful oft þæt earn bigeal
25 ūrigfeþra; nǣnig hlēomǣga
fēasceaftig ferð ferian meahte.
Forþon him gelȳfeð lȳt, sē þe āh līfes wyn
gebiden in burgum, bealosīþa hwōn
wlonc ond wīngāl, hū ic wērig oft
30 in brimlāde bīdan sceolde.
Nāp nihtscua, norþan snīwde,
hrīm hrūsan bond, hægl fēol on eorþan,
corna caldast. Forþon cnyssað nū
heortan geþōhtas þæt ic hēan strēamas,
35 sealtȳþa gelāc sylf cunnige;
monað mōdes lust mǣla gehwylce
ferð tō fēran þæt ic feor heonan
elþēodigra eard gesēce.
Forþon nis þæs mōdwlonc mon ofer eorþan
40 ne his gifena þæs gōd ne in geoguþe tō þæs hwæt
ne in his dǣdum tō þæs dēor ne him his dryhten tō þæs hold
þæt hē ā his sǣfōre sorge næbbe,
tō hwon hine Dryhten gedōn wille.
Ne biþ him tō hearpan hyge ne tō hringþege
45 ne tō wīfe wyn ne tō worulde hyht
ne ymbe ōwiht elles nefne ymb ȳða gewealc,
ac ā hafað longunge sē þe on lagu fundað.
Bearwas blōstmum nimað, byrig fægriað,
wongas wlitigað, woruld ōnetteð;
50 ealle þā gemoniað mōdes fūsne
sefan tō sīþe þām þe swā þenceð

23. The on-verse has three strong beats; cf. lines 106–109.
24. As *earn* is m., *þæt* must be the ob. of *bigeal*, perhaps the cry of the tern.
25. The line lacks alliteration; the simplest way of restoring it is to read *nǣnig* as *ne ǣnig*.
26. **ferian**—MS *feran*, usually emended to *frēfran*; but cf. 5/46, 22/20, 27/79, *Andreas* 292–295.
29. Cf. 23/34.
34. **hēan**—cf. Latin *altum*, 'the (deep) sea'.
38. **elþēodigra eard**—'the home of foreigners', perhaps both a foreign land and the (heavenly) home of the Christian who is an exile in this world.

on flōdwegas   feor gewītan.
Swylce gēac monað   gēomran reorde,
singeð sumeres weard,   sorge bēodeð
55 bitter in brēosthord.   Þæt se beorn ne wāt,
eftēadig secg,   hwæt þā sume drēogað
þe þā wræclāstas   wīdost lecgað.
Forþon nū mīn hyge hweorfeð   ofer hreþerlocan,
mīn mōdsefa   mid mereflōde
60 ofer hwæles ēþel   hweorfeð wīde
eorþan scēatas,   cymeð eft tō mē
gīfre ond grǣdig;   gielleð ānfloga,
hweteð on hwælweg   hreþer unwearnum
ofer holma gelagu.   Forþon mē hātran sind
65 Dryhtnes drēamas   þonne þis dēade līf
lǣne on londe;   ic gelȳfe nō
þæt him eorðwelan   ēce stondað.
Simle þrēora sum   þinga gehwylce
ǣr his tīdege   tō twēon weorþeð:
70 ādl oþþe yldo   oþþe ecghete
fǣgum fromweardum   feorh oðþringeð.
Forþon þæt eorla gehwām   æftercweþendra
lof lifgendra   lāstworda betst,
þæt hē gewyrce   ǣr hē on weg scyle
75 fremman on foldan   wið fēonda nīþ,
dēorum dǣdum   dēofle tōgēanes,
þæt hine ælda bearn   æfter hergen
ond his lof siþþan   lifge mid englum

52. **gewītan**—MS *gewitað*. An alternative emendation would be *gewīteð*, with change of syntax; cf. line 67, note.

56. **eftēadig**—often emended to *estēadig* ('blessed with bounty') or *seftēadig* ('blessed with comfort'); the MS form would mean 'repeatedly blessed'. None of the words is recorded elsewhere in OE, but cf. *seftlīc*, *estig*, *eftmyndig*.

63. **hwælweg**—MS *wælweg*, perhaps correctly.

67. **stondað**—MS *stondeð*.

69. **tīdege**—MS *tide ge*. This solution (= *tīddæge*) involves the minimum rearrangement of the text. Others are *tīd āga*, or the omission of *ge*.

72. **þæt**—often emended *biþ*, which can, however, be understood, giving 'that (is) the best of reputations for every man, the praise of the living who speak of him afterwards'.

75. **fremman**—often emended to *fremum*, which is certainly its meaning, in apposition to *dǣdum*, but the MS form may be an allowable variant; cf. dt. pl. *wurman*, 24/1.

āwa tō ealdre, ēcan līfes blǣd,
80 drēam mid dugeþum. Dagas sind gewitene,
ealle onmēdlan eorþan rīces;
nǣron nū cyningas ne cāseras
ne goldgiefan swylce iū wǣron,
þonne hī mǣst mid him mǣrþa gefremedon
85 ond on dryhtlīcestum dōme lifdon.
Gedroren is þēos duguð eal, drēamas sind gewitene,
wuniað þā wācran ond þās woruld healdaþ,
brūcað þurh bisgo. Blǣd is gehnǣged,
eorþan indryhto ealdað ond sēarað
90 swā nū monna gehwylc geond middangeard.
Yldo him on fareð, onsȳn blācað,
gomelfeax gnornað, wāt his iūwine,
æþelinga bearn, eorþan forgiefene.
Ne mæg him þonne se flǣschoma þonne him þæt feorg losað
95 ne swēte forswelgan ne sār gefēlan
ne hond onhrēran ne mid hyge þencan.
Þēah þe græf wille golde strēgan
brōþor his geborenum, byrgan be dēadum
māþmum mislīcum þæt hine mid wille,
100 ne mæg þǣre sāwle þe biþ synna ful
gold tō gēoce for Godes egsan,
þonne hē hit ǣr hȳdeð þenden hē hēr leofað.
Micel biþ se Meotudes egsa forþon hī sēo molde oncyrreð;
sē gestaþelade stīþe grundas,
105 eorþan scēatas ond ūprodor.
Dol biþ sē þe him his Dryhten ne ondrǣdeþ; cymeð him se dēað unþinged.
Ēadig bið sē þe ēaþmōd leofaþ; cymeð him sēo ār of heofonum.
Meotod him þæt mōd gestaþelað forþon hē in His meahte gelȳfeð.

79. **blǣd**—MS *blæð*.
97–102. The difficulties of this passage have caused emendation, but the MS form is translatable: 'Although a brother wishes to strew a grave with gold for his kinsman, to bury (him) amongst the dead with various treasures that he wishes (to go) with him, gold will not (act) as an aid for the soul full of sin before the terror of God, when he hides it previously while he lives here.' The awkward sequence of tenses is not unusual in OE. *Þonne* may be concessive (cf. BT s.v. *þanne*, B.III) but would probabiy govern the sbv. in that use.
106. Cf. *Maxims*, I.i.35, *Dol biþ sē þe his Dryhten nāt, tō þæs oft cymeð dēað unþinged.*

Stīeran mon sceal strongum mōde   ond þæt on staþelum healdan
110 ond gewis werum,   wīsum clǣne.
Scyle monna gehwylc   mid gemete healdan
wiþ lēofne ond wið lāþne   būtan leahtorbealo.
Þēah þe hē hine fȳres   fulne wille
oþþe on bǣle   forbærnedne
115 his geworhtne wine,   wyrd biþ swīþre,
Meotud meahtigra,   þonne ǣnges monnes gehygd.
Uton wē hycgan   hwǣr wē hām āgen
ond þonne geþencan   hū wē þider cumen
ond wē þonne ēac tilien   þæt wē tō mōten
120 in þā ēcan   ēadignesse
þǣr is līf gelong   in lufan Dryhtnes,
hyht in heofonum.   Þæs sȳ þām Hālgan þonc
þæt Hē ūsic geweorþade,   wuldres Ealdor,
ēce Dryhten,   in ealle tīd.   Āmēn.

109. **mon**—MS *mod*; cf. *Maxims* I.i.50, *Stȳran sceal mon strongum mōde.*

112–115. Sense and alliteration are defective in this passage:'. . . *wiþ leofne ond wið laþne bealo·þeah þe he hine wille fyres fulne oþþe on bæle forbærnedne his geworhtne wine* . . .' The present arrangement adds two words, moves a third, and understands a fourth (e.g. *sēon*): 'Although he [the enemy ?] wishes (to see) him [the virtuous man or his friend ?] full of fire or his true friend cremated on the pyre. . . .' But the relevance of this is obscure, unless the fire includes an allusion to eternal perdition, and this minimum restoration may well not make up for all that has been lost or misplaced.

115. **swīþre**—MS *swire.*

117b. **wē**—MS *se.*

22. The Rhyming Poem

The subject of this poem is that of *The Wanderer* and *The Seafarer*: the transformation of human joy to human misery, exemplified in the life of the speaker and generalized to include the world. *The Rhyming Poem*, however, goes further in extending the vision of disorder to nature itself—*sumurhāt cōlað*—and the grave the speaker digs is his own.

The form has been called 'the first resolute metrical experiment in English literature'. Even the alliterative system is tightened, so that double consonants must, with few exceptions, alliterate in groups: *glæd wæs ic glīwum, glenged hīwum.* The minimum rhyme is the first half-line with the second, but the poet often adds internal rhyme, or builds up sequences of rhyming lines which—at least in the early part of the poem—give a stanza-like pattern.

The rhyme and the sense have both been distorted in the transmission of the poem. Some words and even a half-line are missing, although there are no holes in the MS, and some rhymes have been deformed by 'translation' from Anglian into West Saxon (see line 38, note). Much of the obscurity of the poem may arise from the phrases which the unaccustomed form forced on the poet, but much too stems from his subjective view of a world in which 'things fall apart'.

MS: The Exeter Book — Dialect: Late West Saxon

Mē līfes onlāh   sē þis lēoht onwrāh
ond þæt torhte geteoh   tillīce onwrāh.
Glæd wæs ic glīwum,   glenged hīwum,
blissa blēoum,   blōstma hīwum.
5 Secgas mec sēgon,   symbel ne ālēgon,
feorhgiefe gefēgon;   frætwed wǣgon
wicg ofer wongum   wennan gongum,
lisse mid longum   leoma getongum.
Þā wæs wæstmum āweaht,   world onspreht,
10 under roderum āreaht,   rǣdmægne oferþeaht.
Giestas gengdon,   gerscype mengdon,
lisse lengdon,   lustum glengdon.
Scrifen scrād glād   þurh gescād in brād,
wæs on lagustrēame lād   þǣr mē leoþu ne biglād.
15 Hæfde ic hēanne hād   ne wæs mē in healle gād

4. **blissa**—The word is used twice to describe former joys (here and line 35), once to mark their decline (line 53), and finally to describe the life to come (82); see also *sibb*.

6. **wægon**—MS *wægum*, a 'reverse' spelling influenced by dt. pl. in *-on*, e.g. *feondon*, line 20.

7. **wicg**—MS *wic*.

þæt þǣr rōf weord rād. Oft þǣr rinc gebād
þæt hē in sele sǣge sincgewǣge
þegnum geþyhte. Þenden wæs ic mægen,
horsce mec heredon, hilde generedon,
20 fægre feredon, fēondon biweredon.
Swā mec hyhtgiefu hēold, hȳgedryht befēold,
staþolǣhtum stēold, stepegongum wēold
swylce eorþe ōl, āhte ic ealdorstōl,
galdorwordum gōl. Gomel sibb ne ofōll
25 ac wæs gefest gēar, gellende snēr,
wuniendo wǣr wīlbec bescær.
Scealcas wǣron scearpe, scyl wæs hearpe,
hlūde hlynede, hlēoþor dynede,
sweglrād swinsade, swīþe ne minsade.
30 Burgsele beofode, beorht hlīfade,
ellen ēacnade, ēad bēacnade,
frēaum frōdade, fromum gōdade,
mōd mægnade, mine fægnade,
trēow telgade, tīr welgade,
35 blǣd blissade,
gold gearwade, gim hwearfade,
sinc searwade, sib nearwade.
From ic wæs in frætwum, frēolīc in geatwum;
wæs mīn drēam dryhtlīc, drohtað hyhtlīc.
40 Foldan ic freoþode, folcum ic leoþode,
līf wæs mīn longe lēodum in gemonge,
tīrum getonge, teala gehonge.
Nū mīn hreþer is hrēoh, hēowsīþum scēoh,
nȳdbysgum nēah. Gewīteð nihtes in flēah
45 sē ǣr in dæge wæs dȳre. Scrīþeð nū dēop in feore
brondhord geblōwen brēostum in forgrōwen,
flyhtum tōflōwen. Flāh is geblōwen
miclum in gemynde; mōdes gecynde

18. **ic**—often emended *me*, but translate 'then I was a power'.
22. **stēold**—MS *steald.*
24. **sibb**—MS *sibbe.*
35. A defective line.
38. Anglian *frætwum* / *gætwum*, where palatalized *g-* did not cause *æ*>*ea*; cf. line 70.
45. **in feore**—MS *feor*, sometimes emended *ond feor.*
46b. i.e., *in brēostum.*

grēteð ungrynde grorn efenpynde,
50 bealofūs byrneð, bittre tōyrneð.
Wērig winneð, wīdsīð onginneð,
sār ne sinniþ, sorgum cinnið,
blǣd his blinnið, blisse linnið,
listum linneð, lustum ne tinneð.
55 Drēamas swā hēr gedrēosað, dryhtscype gehrēosað,
līf hēr men forlēosað, leahtras oft gecēosað.
Trēowþrāg is tō trāg; sēo untrume genāg,
stēapum eatole misþāh ond eal stund genāg.
Swā nū world wendeþ, wyrde sendeþ
60 ond hetes henteð, hæleþe scyndeð.
Wercyn gewīteð, wælgār slīteð,
flāhmāh flīteþ, flān mon hwīteð,
burgsorg bīteð, bald ald þwīteþ,
wræcfæc wrīþað, wrāþ āð smīteþ,
65 singryn sīdað, searofearo glīdeþ,
gromtorn græfeþ, græft hafað,
searohwīt sōlaþ, sumurhāt cōlað,
foldwela fealleð, fēondscipe wealleð,
eorðmægen ealdaþ, ellen cōlað.
70 Mē þæt wyrd gewæf ond gewyrht forgeaf
þæt ic grōfe græf, ond þæt grimme græf
flēan flǣsce ne mæg, þonne flānhred dæg
nȳdgrāpum nimeþ, þonne sēo neaht becymeð
sēo mē ēðles onfonn ond mec hēr heardes onconn.
75 Þonne līchoma ligeð, lima wyrm friteþ,
ac him wenne gewigeð ond þā wist geþygeð
oþþæt bēoþ þā bān ān

53. **linnið**—MS *linnað.*
61. **wercyn**—MS *wen cyn.* Scribal errors in this poem are chiefly concentrated in lines 61–82.
62. **mon**—or *mōn*, 'sin'.
63. **burgsorg**—usually emended *borgsorg* 'sorrow occasioned by a pledge' to sustain the sequence of internal rhymes.
65. **singryn**—MS *singrynd*; **searofearo**—MS *sæcra fearo.*
66b. A word seems to be missing.
70. **gewyrht**—MS *gehwyrt.*
73. **neaht**—MS *neah.*
74. Often emended *ofonn . . . eardes.*
75. **friteþ**—the rhyme suggests *frigeþ*, although difficult in sense and palæography.
76. **ac**—usually follows a neg. in OE, and is always adversative; an easier reading is *ēac.*
77b. A defective half-line.

ond æt nȳhstan nān   nefne se nēda tān
balawun hēr gehloten.   Ne biþ se hlīsa ādroren;
80 ǣr þæt ēadig geþenceð,   hē hine þe oftor swenceð,
byrgeð him þā bitran synne,   hogaþ tō þǣre betran wynne,
gemon morþa lisse   þǣr sindon miltsa blisse
hyhtlīce in heofona rīce.   Uton nū hālgum gelīce
scyldum biscyrede   scyndan generede,
85 wommun biwerede,   wuldre generede,
þǣr moncyn mōt   for Meotude rōt
sōðne God gesēon   ond aa in sibbe gefēan.

79. **gehloten**—MS *gehlotene*.
80. **ǣr . . . oftor**—correlative, 'the sooner . . . the more often'.
82. **þǣr**—MS *her*.

23. The Ruin

This poem about vanished human glory differs from *The Wanderer* and *The Seafarer* in being by an observer, not a victim, of the fall, and in describing a specific situation rather than a general condition. The details are consequently numerous enough (despite the appropriately ruinous state of the MS) to have encouraged identification of the site as the ruins of Roman Bath, seen in the eighth century. Some aspects of this identification are still open to question, but it is certain enough to permit the archaeology of Bath to serve as a gloss on portions of the poem.

Like the *Seafarer* (line 70), the poet sees *ādl* (*wōldagas*, line 25), *yldo* (*ældo*, line 6) and *ecghete* (*grimme gegrunden . . .*, line 14) as the forces that have overcome the *hwætrēd in hringas* which *hygerōf gebond / weallwalan wīrum wundrum tōgædre*. But there is no explicit judgement of the proud, departed inhabitants (the missing word after *burg* appears to have been the last in the poem). The poet's feelings amid the steaming carnage are those of awe.

MS: The Exeter Book Dialect: Late West Saxon

Wrǣtlīc is þes wealstān, wyrde gebrǣcon;
burgstede burston, brosnað enta geweorc.
Hrōfas sind gehrorene, hrēorge torras,
hrungeat berofen, hrīm on līme,
5 scearde scūrbeorge scorene gedrorene,
ældo undereotone. Eorðgrāp hafað
waldendwyrhtan forweorone geleorene,
heard gripe hrūsan, oþ hund cnēa
werþēoda gewītan. Oft þæs wāg gebād
10 ræghār ond rēadfāh rīce æfter ōþrum,
ofstonden under stormum; stēap gēap gedrēas.
Wōrað gīet se( )rum gehēawen,
fēlon ( )
grimme gegrunden( )

1–2. Cf. Cotton *Maxims* lines 2–3: *orðanc enta geweorc þā þe on þysse eorðan syndon / wrǣtlīc weallstāna geweorc*, and 20/87.
3b–6a. The appropriate form of *wesan* must be supplied in each half-line.
4a. **hrungeat berofen**—MS *hrim geat torras.*
4b. Rhyme, as elsewhere in the poem.
5b. Omission of *ond* (asyndetic parataxis); cf. lines 7, 11, 35, 36.
9a. Understand *sculan.*
12. **gehēawen**—MS *geheapen*; *p* and *w* are similar in this hand.
14. **grimme gegrunden**—Cf. ME *Pearl* line 654, *grymly grounde*; *Sir Isumbras* line 452, *grymly growndyne*; and OE 14/109a.

15 ( )rd scān heo( )
( )g orþonc ǣrsceaft ( )
( )g lāmrindum bēag
mōd monade, myne swiftne gebrægd;
hwætrēd in hringas, hygerōf gebond
20 weallwalan wīrum wundrum tōgædre.
Beorht wǣron burgræced, burnsele monige,
hēah horngestrēon, hereswēg micel,
meodoheall monig .ᛗ.drēama full
oþþæt þæt onwende wyrd sēo swīþe.
25 Crungon walo wīde, cwōman wōldagas,
swylt eall fornōm secgrōfra wera;
wurdon hyra wīgsteal wēstenstaþolas,
brosnade burgsteall, bētend crungon,
hergas tō hrūsan. Forþon þās hofu drēorgiað
30 ond þæs tēaforgēapa tigelum scēadeð
hrōstbēages hrōf. Hryre wong gecrong
gebrocen tō beorgum þǣr iū beorn monig
glædmōd ond goldbeorht, gleoma gefrætwed,
wlonc ond wīngāl, wīghyrstum scān;
35 seah on sinc, on sylfor, on searogimmas,
on ēad, on ǣht, on eorcanstān,
on þās beorhtan burg brādan rīces.
Stānhofu stōdan, strēam hāte wearp
wīdan wylme; weal eall befēng
40 beorhtan bōsme þǣr þā baþu wǣron,
hāt on hreþre. Þæt wæs hyðelīc.
Lēton þonne gēotan ( )
ofer hārne stān hāte strēamas
un( )

18. **monade**—MS *mo*( ).
23. Rune: M (*monn*, 'man'): *mondrēama*, gn. pl. 'human joys'.
26. **secgrōfra**—MS *secgrof*, just possibly correctly, construed w. *swylt*.
30a–31a. Translate: 'and the red curved roof of the vault parts from the tiles', describing the disintegration of a vaulted or barrel roof.
31a. **hrōf**—MS *rof.*
31b. **wong gecrong**—'fell to the ground'.
33. **gefrætwed**—MS *gefrætweð.*
38–39. **hāte . . . widan wylme**—the instr. dr. ob. of *wearp*.
39. **weal**—perhaps *wēal*, i.e. *wǣl*, 'well, pool'.
41b. A metrically short half-line.

45 oþ þæt hringmere hāte ( )
( ) þǣr þā baþu wǣron.
Þonne is ( )
( )re. Þæt is cynelīc þing
hū se ( ) burg ( ).

24. Deor

Along with *Wulf and Eadwacer* one of the two surviving stanzaic poems in OE, *Deor* uses the form to rehearse episodes from the heroic past of Germanic literature. In each, despair is followed by triumph, and in each the scope grows wider: Welund's individual misery, the distress of Beadohild for her unborn child, the sorrowful love of Mǣðhild and the Geat, the oppression of the city of the Mærings and the nation of the Goths. The poet proceeds to generalization (*geond þās woruld*) and comes at last to his own case, where the meaning of the refrain changes from 'that evil time passed, and so may this one' to 'as that good time passed, so may this evil one', with its implicit change from a heathen to a Christian vision prepared for by lines 28–34.

MS: The Exeter Book — Dialect: Late West Saxon

Wēlund him be wurman wræces cunnade,
ānhȳdig eorl earfoþa drēag,
hæfde him tō gesīþþe sorge ond longaþ,
wintercealde wræce, wēan oft onfond
5 siþþan hine Nīðhād on nēde legde,
swoncre seonobende on sȳllan monn.
Þæs oferēode, þisses swā mæg.

Beadohilde ne wæs hyre brōþra dēaþ
on sefan swā sār swā hyre sylfre þing,
10 þæt hēo gearolīce ongieten hæfde
þæt hēo ēacen wæs; ǣfre ne meahte
þrīste geþencan, hū ymb þæt sceolde.
Þæs oferēode, þisses swā mæg.

1. **wurman**—dt. pl. The reference is obscure and the word has been variously emended; *wurm* may be a heiti for 'sword' and so either the instrument of Welund's maiming or the weapons which surrounded him in the smithy.
4. **wintercealde**—a generalized term for adversity or foreboding; cf. 14/91 and esp. 27/412.
5. Read *Nīðhād legde nēde on hine.*
6. **swoncre seonobende**—in explanatory apposition to *nēde*; the term may be an ironic paraphrase (like *wurm*?) for the hamstringing of Welund.
7. Gn. of regard, impersonal vb.; cf. line 26.
12. Understand some verb like *weorþan.*

Wē þæt Mǣðhilde monge gefrugnon
15 wurdon grundlēase Gēates frīge,
þæt hī sēo sorglufu slǣp ealle binōm.
Þæs oferēode, þisses swā mæg.

Ðēodric āhte þrītig wintra
Mǣringa burg; þæt wæs monegum cūþ.
20 Þæs oferēode, þisses swā mæg.

Wē geāscodon Eormanrīces
wylfenne geþōht; āhte wīde folc
Gotena rīces. Þæt wæs grim cyning.
Sæt secg monig sorgum gebunden,
25 wēan on wēnan, wȳscte geneahhe
þæt þæs cynerīces ofercumen wǣre.
Þæs oferēode, þisses swā mæg.

Siteð sorgcearig, sǣlum bidǣled,
on sefan sweorceð, sylfum þinceð
30 þæt sȳ endelēas earfoða dǣl.
Mæg þonne geþencan þæt geond þās woruld
wītig Dryhten wendeþ geneahhe,
eorle monegum āre gescēawað,
wislīcne blǣd, sumum wēana dǣl.
35 Þæt ic bī mē sylfum secgan wille,
þæt ic hwīle wæs Heodeninga scop,
dryhtne dȳre. Mē wæs Dēor noma.
Āhte ic fela wintra folgað tilne,
holdne hlāford, oþþæt Heorrenda nū,
40 lēoðcræftig monn, londryht geþāh
þæt mē eorla hlēo ǣr gesealde.
Þæs oferēode, þisses swā mæg.

14. **Wē . . . gefrugnon**—like *wē geāscodon* (line 21), a formula for commencing epic recital, conventional here with the subject but not with the form.
14–15. A notorious crux. A possible version is 'we learned that, in the company of Mǣðhild, the love of the Geat grew boundless'. The story hinted at is not known.
30. **earfoða**—MS *earfoda*.
35. Cf. 10/1 and 21/1.

25. *The Dream of the Rood*

The implications of the dream-vision genre, popular in the Middle Ages from the pseudo-Ciceronian *Somnium Scipionis* to Chaucer, are realized in this poem. For the personified Cross to have speech, men must lose it, and so the poet *secgan wylle* the dream he had when *reordberend reste wunedon*. The Cross has made open the way of life to *reordberendum*, and it enjoins the dreamer *secge mannum, / onwrēoh wordum* the vision, for at Doomsday all must fear *for þām worde þe se Wealdend cwyð*; sinners will ponder *hwæt hīe tō Crīste cweðan onginnen*. This verbal contrast is repeated in several others: earthly death, sleep, is *wunian*, as is eternal life, death; the victory of the young Hero is submission, which the *comitatus* vocabulary—the disciples are *hilderincas*—serves to emphasize; and the fluctuation of glory and ugliness in the Cross extends in time the simultaneous adoration and horror of the instrument of the Redemption, frequent in medieval writing.

The dreamer mirrors the Cross. He begins *forwundod mid wommun* and *mid sorgum gedrēfed*, just as the Cross is *mid strǣlum gedrefed*; both end their experiences *ēaðmōd*—or *blīðe mōde*—*elne mycle*. Like Christ Himself, the Cross is both a way and an example to the faithful.

Two earlier inscriptions preserve portions of the poem, one of a few words on the Brussels Cross (reliquary), and one in runes on the large stone Ruthwell Cross, which may have included much of lines 39–64 or more of the manuscript poem.

MS: The Vercelli Book — Dialect: Late West Saxon

Hwæt ic swefna cyst secgan wylle,
hwæt mē gemǣtte tō midre nihte
syðþan reordberend reste wunedon.
Þūhte mē þæt ic gesāwe syllīcre trēow
5 on lyft lǣdan lēohte bewunden,
bēama beorhtost. Eall þæt bēacen wæs
begoten mid golde, gimmas stōdon
fægere æt foldan scēatum, swylce þǣr fīfe wǣron
uppe on þām eaxlegespanne. Behēoldon þǣr engel Dryhtnes ealle,
10 fægere þurh forðgesceaft. Ne wæs ðǣr hūru fracodes gealga,

2. **hwæt**—MS *hæt*.
3. **reste**—either dt. (vb. int.) or ac. (vb. tra.).
4. **syllīcre**—absolute comparative.
8. **foldan scēatum**—'at the surface(s) of the earth' gives inferior sense to 'toward the corners of the earth'; cf. lines 37a, 43a.
9b. Frequently emended; as it stands, 'all there beheld the angel of the Lord'.
10. **forðgesceaft**—*forð* is ambiguous, either 'earlier' or 'to come'; perhaps 'previous decree'.

ac hine þǣr behēoldon hālige gāstas,
men ofer moldan, ond eall þēos mǣre gesceaft.
Syllīc wæs se sigebēam ond ic synnum fāh,
forwunded mid wommum. Geseah ic wuldres trēow
15 wǣdum geweorðode wynnum scīnan,
gegyred mid golde; gimmas hæfdon
bewrigene weorðlīce Wealdendes trēow.
Hwæðre ic þurh þæt gold ongytan meahte
earmra ǣrgewin, þæt hit ǣrest ongan
20 swǣtan on þā swīðran healfe. Eall ic wæs mid sorgum gedrēfed,
forht ic wæs for þǣre fægran gesyhðe, geseah ic þæt fūse bēacen
wendan wǣdum ond blēom: hwīlum hit wæs mid wǣtan bestēmed,
beswyled mid swātes gange, hwīlum mid since gegyrwed.
Hwæðre ic þǣr licgende lange hwīle
25 behēold hrēowcearig Hǣlendes trēow
oððæt ic gehȳrde þæt hit hlēoðrode,
ongan þā word sprecan wudu sēlesta:
'Þæt wæs gēara iū (ic þæt gȳta geman)
þæt ic wæs āhēawen holtes on ende,
30 āstyred of stefne mīnum. Genāman mē ðǣr strange fēondas,
geworhton him þǣr tō wǣfersȳne, hēton mē heora wergas hebban.
Bǣron mē ðǣr beornas on eaxlum oððæt hīe mē on beorg āsetton,
gefæstnodon mē þǣr fēondas genōge. Geseah ic þā Frēan mancynnes
efstan elne mycle þæt Hē mē wolde on gestīgan.
35 Þǣr ic þā ne dorste ofer Dryhtnes word
būgan oððe berstan, þā ic bifian geseah
eorðan scēatas. Ealle ic mihte
fēondas gefyllan, hwæðre ic fæste stōd.
Ongyrede Hine þā geong Hæleð (þæt wæs God ælmihtig)

12. Cf. line 82.
15. **geweorðode**—past part.
17. **Wealdendes**—MS *wealdes.*
19. **þæt**—'in that', 'when'; cf. lines 26, 34.
20. **sorgum**—MS *surgum*; cf. line 59 and note.
24. **Hwæðre**—not, as sometimes contended, a 'loose connective', but rather—as always in this poem—concessive, governed by line 21a. Cf. lines 18, 38, 42, 57, 59, 70, 75, 101.
28b. Perhaps 'but' implied.
31a. **him**—ethic dt. pl., *mē* understood.
31b. Ambiguous: is *mē* the dr. ob. of *hēton* and *wergas* of *hebban*, or vice-versa? The latter suits the chronology better.
34. **elne mycle**—perhaps a simple intensitive; cf. lines 60, 123.
35–36. **þā . . . þā**—correlative; cf. lines 39–41.

40 strang ond stīðmōd, gestāh Hē on gealgan hēanne,
mōdig on manigra gesyhðe, þā Hē wolde mancyn lӯsan.
Bifode ic þā mē se Beorn ymbclypte; ne dorste ic hwæðre būgan tō eorðan,
feallan tō foldan scēatum, ac ic sceolde fæste standan:
rōd wæs ic ārǣred, āhōf ic rīcne Cyning,
45 heofona Hlāford, hyldan mē ne dorste.
Þurhdrifan hī mē mid deorcan næglum. On mē syndon þā dolg gesīene,
opene inwidhlemmas. Ne dorste ic hira nǣnigum sceððan.
Bysmeredon hīe unc būtu ætgædere; eall ic wæs mid blōde bestēmed
begoten of þæs Guman sīdan siððan Hē hæfde His gāst onsended.
50 Feala ic on þām beorge gebiden hæbbe
wrāðra wyrda. Geseah ic weruda God
þearle þenian. Þӯstro hæfdon
bewrigen mid wolcnum Wealdendes hrǣw,
scīrne scīman; sceadu forðēode
55 wann under wolcnum, wēop eal gesceaft,
cwīðdon Cyninges fyll: Crīst wæs on rōde.
Hwæðere þǣr fūse feorran cwōman
tō þām Æðelinge. Ic þæt eall behēold.
Sāre ic wæs mid sorgum gedrēfed, hnāg ic hwæðre þām secgum tō handa,
60 ēaðmōd elne mycle. Genāmon hīe þǣr ælmihtigne God,
āhōfon Hine of ðām hefian wīte. Forlēton mē þā hilderincas
standan stēame bedrifenne. Eall ic wæs mid strǣlum forwundod.
Ālēdon hīe ðǣr limwērigne, gestōdon Him æt His līces hēafdum,
behēoldon hīe ðǣr heofenes Dryhten, ond Hē Hine ðǣr hwīle reste
65 mēðe æfter ðām miclan gewinne. Ongunnon Him þā moldern wyrcan

46. **deorcan**—the meaning of OIrish *derg*, 'red, bloody', is more appropriate than OE 'dark'.
47. **nǣnigum**—often emended *ǣnigum* without change of meaning, to restore alliteration; cf. line 70, note.
52. **þenian**—passive in meaning after *geseah*, unless the willing submission of Christ (to fulfil Old Testament prophecies) be understood; cf. *wolde*, line 34.
56. **cwīðdon**—change of grammatical number.
57. **fūse**—'the hastening ones'.
59. **sorgum**—not in the MS; supplied from the Ruthwell Cross and by analogy with line 20.
62. **strǣlum**—an iconographical detail. Cf. *Ps.* 37.3, 27/320–326, and Vercelli Homily IV, *þā strǣla bīoð swā manigra cynna, swā swā mannes synna bīoð.*

beornas on banan gesyhðe, curfon hīe ðæt of beorhtan stāne,
gesetton hīe ðǣron sigora Wealdend. Ongunnon Him þā sorhlēoð galan
earme on þā ǣfentīde. Þā hīe woldon eft sīðian
mēðe fram þām mǣran Þēodne. Reste Hē ðǣr mǣte weorode.
70 Hwæðere wē ðǣr rēotende gōde hwīle
stōdon on staðole syððan stefn ūp gewāt
hilderinca. Hrǣw cōlode,
fæger feorgbold. Þā ūs man fyllan ongan
ealle tō eorðan; þæt wæs egeslīc wyrd.
75 Bedealf ūs man on dēopan sēaþe. Hwæðre mē þǣr Dryhtnes þegnas,
frēondas gefrūnon,
gyredon mē golde ond seolfre.
Nū ðū miht gehȳran, hæleð mīn se lēofa,
þæt ic bealuwara weorc gebiden hæbbe,
80 sārra sorga. Is nū sǣl cumen
þæt mē weorðiað wīde ond sīde
menn ofer moldan ond eall þēos mǣre gesceaft,
gebiddaþ him tō þyssum bēacne. On mē Bearn Godes
þrōwode hwīle. Forþan ic þrymfæst nū
85 hlīfige under heofenum ond ic hǣlan mæg
ǣghwylcne ānra þāra þe him bið egesa tō mē.
Iū ic wæs geworden wīta heardost,
lēodum lāðost ǣr þan ic him līfes weg
rihtne gerȳmde, reordberendum.
90 Hwæt mē þā geweorðode wuldres Ealdor
ofer holmwudu, heofonrīces Weard,
swylce swā Hē His mōdor ēac, Marian sylfe,
ælmihtig God for ealle menn
geweorðode ofer eall wīfa cynn.

66. **banan**—probably a late gn. pl., like *guman*, line 146: 'of the instruments of death'.
69. **mǣte weorode**—probably litotes for 'alone', as in line 124; cf. 13/34, 27/139.
70. **rēotende**—often emended *grēotende* without change of meaning, to restore the alliteration.
71. **stefn**—not in the MS.
76. A defective line.
78. Probably, in effect, 'now that I am famous in the world, you may hear my story anywhere'.
87. A common medieval paradox: the instrument of death has opened the way of life.
91. **holmwudu**—often emended *holtwudu*.

95 Nū ic þē hāte, hæleð mīn se lēofa,
þæt ðū þās gesyhðe secge mannum,
onwrēoh wordum þæt hit is wuldres bēam
sē ðe ælmihtig God on þrōwode
for mancynnes manegum synnum
100 ond Ādōmes ealdgewyrhtum.
Dēað Hē þǣr byrigde; hwæðere eft Dryhten ārās
mid His miclan mihte mannum tō helpe.
Hē ðā on heofenas āstāg. Hider eft fundaþ
on þysne middangeard mancynn sēcan
105 on dōmdæge Dryhten sylfa,
ælmihtig God, ond His englas mid,
þæt Hē þonne wile dēman, sē āh dōmes geweald,
ānra gehwylcum swā hē him ǣrur hēr
on þyssum lǣnum līfe geearnaþ.
110 Ne mæg þǣr ǣnig unforht wesan
for þām worde þe se Wealdend cwyð.
Frineð Hē for þǣre mænige hwǣr se man sīe
sē ðe for Dryhtnes naman dēaðes wolde
biteres onbyrigan, swā Hē ǣr on ðām bēame dyde.
115 Ac hīe þonne forhtiað ond fēa þencaþ
hwæt hīe tō Crīste cweðan onginnen.
Ne þearf ðǣr þonne ǣnig unforht wesan
þe him ǣr in brēostum bereð bēacna sēlest,
ac ðurh ðā rōde sceal rīce gesēcan
120 of eorðwege ǣghwylc sāwl
sēo þe mid Wealdende wunian þenceð.'
Gebæd ic mē þā tō þān bēame blīðe mōde,
elne mycle, þǣr ic āna wæs
mǣte werede. Wæs mōdsefa
125 āfȳsed on forðwege, feala ealra gebād
langunghwīla. Is mē nū līfes hyht
þæt ic þone sigebēam sēcan mōte
āna oftor þonne ealle men,
well weorþian. Mē is willa tō ðām

108. **ǣrur**—implies a notional future perfect in *geearnaþ*, line 109; cf. *ǣr*, line 118.
115. **fēa**—perhaps the rare av. 'a little', with litotes; but perhaps rather 'few will (be able to) think. . . .'
117. **unforht**—sometimes emended **anforht**, but probably intensive *un-* as distinct from neg. *un-*, line 110.

130 mycel on mōde   ond mīn mundbyrd is
geriht tō þǣre rōde.   Nāh ic rīcra feala
frēonda on foldan,   ac hīe forð heonon
gewiton of worulde drēamum,   sōhton him wuldres Cyning,
lifiaþ nū on heofenum   mid Hēahfædere,
135 wuniaþ on wuldre,   ond ic wēne mē
daga gehwylce   hwænne mē Dryhtnes rōd
þe ic hēr on eorðan   ǣr scēawode
on þysson lǣnan   līfe gefetige
ond mē þonne gebringe   þǣr ic blis mycel,
140 drēam on heofonum   þǣr is Dryhtnes folc
geseted tō symle   þǣr is singal blis,
ond mē þonne āsette   þǣr ic syþþan mōt
wunian on wuldre,   well mid þām hālgum
drēames brūcan.   Sī mē Dryhten frēond,
145 sē ðe hēr on eorþan   ǣr þrōwode
on þām gealgtrēowe   for guman synnum.
Hē ūs onlȳsde   ond ūs līf forgeaf,
heofonlīcne hām.   Hiht wæs genīwad
mid blēdum ond mid blisse   þām þe þǣr bryne þolodan.
150 Se Sunu wæs sigorfæst   on þām sīðfate,
mihtig ond spēdig,   þā Hē mid manigeo cōm,
gāsta weorode,   on Godes rīce,
Anwealda ælmihtig,   englum tō blisse
ond eallum ðām hālgum   þām þe on heofonum ǣr
155 wunedon on wuldre   þā heora Wealdend cwōm,
ælmihtig God,   þǣr His ēðel wæs.

134. **Hēahfædere**—usually in OE 'patriarch' (direct translation), but here sg. and so probably 'the high Father', 'God'; see line 154, note.

135a. Cf. lines 143a, 155a.

142. **mē**—MS *he* (correctly?).

154. A reference to those few, especially the patriarchs, who did not have to await the Redemption in hell.

26. *Blickling Homily*

The MS of the Blickling Homilies (named after its former home) was written ca. 1000, near the time of Ælfric and Wulfstan, and the style—even though perhaps purposely archaic—is already well advanced over the Alfredian stage. The real subjects of this Easter sermon are the Harrowing of Hell on Holy Saturday (translated from a pseudo-Augustinian sermon, *PL* 39, 2060ff) and the end of the world (taken from the Latin Apocalypse of Thomas; cf. *Anglia* 73, 6) which the episode of the Resurrection merely serves to connect. The extensive non-scriptural material in the new form includes much dialogue, so that both content and treatment prepare the way for vernacular liturgical drama, on one hand, and on the other for poems where the homiletic tradition combines with the Germanic convention of epic speech.

MS: John H. Scheide Library, Princeton — Dialect: Late West Saxon

Men þā lēofestan, þis Ēastorlīce gerȳno ūs ætēoweð þæs ēcean līfes sweotole bysene, swā wē nū gehȳran magon forþ reccean ond secggean, þæt nǣnigne twēogean ne þearf þæt sēo wyrd on þās ondweardan tīd geweorþan sceal, þæt se ilca Scyppend gesittan wile on His dōmsetle.
5 Him biþ beforan andweard eal engla cynn ond manna cynn ond ēac swylce wērigra gāsta, ond þǣr bēoð āsmēade ǣghwylces mannes dǣda. Ond sē þe nū biþ ēaþmōd ond gemyndig Drihtnes þrowunge ond His ǣriste ealle mōde, sē sceal heofonlīcre mēde onfōn; ond sē þe nū forhogaþ þæt hē Godes bebodu healde, oþþe ǣnig gemynd hæbbe
10 Drihtnes ēaþmōdnesse, sē þǣr sceal heardne dōm gehȳran, ond seoþþan on ēcum wītum wunian, þāra nǣfre ende ne cymeþ. Þonne is þēos tīd ealra tīda hēhst ond hālgost, ond on þās tīd wē sceolan habban godcunde blisse ond ēac worldcunde, forþon þe Drihten of dēaþe ārās mancynne tō bysene æfter His þrowunga, ond æfter þǣm bendum
15 His dēaþes, ond æfter þǣm clammum helle þēostra; ond þæt wīte ond þæt ēce wræc āsette on þone aldor dēofla, ond mancyn frēolsode. Swā se wītga Dauid be þisse tīde wītgade, ond þus cwæþ: 'Ure Drihten ūs gefrēolsode.' Ond Hē geendode þæt Hē lange tō þǣm āwergdum gāstum gebēotod hæfde, ond Hē mannum gecȳþde on þās ondweardan

4. **ilca**—MS *ilc-*.
10. **sē**—not in MS.
13. **dēaþe**—MS *de-*.
14. **þrowunga**—MS *-wunga*.
17. Cf. *Ps.* 39.14.

20 tīd ealle þā þing þe ǣfre ǣr from wītgum gewītgode wǣron be His þrowunga ond be His ǣriste, ond be His hergunga on helle, ond be His wundra manegum þe ǣr gesægde wǣron—eall Hē þæt gefylde.

Uuton nū gehȳran ond geþencean hwæt Hē dyde, ond mid hwȳ Hē ūs frēo gedyde. Næs Hē mid nǣnigum nēde gebǣded, ac Hē mid 25 His sylfes willan tō eorþan āstāg ond hēr manige sētunga ond searwa ādrēag æt Iūdēum, æt þǣm unlǣdum bōcerum; ond þā æt nēhstan Hē lēt His līchoman on rōde mid næglum gefæstnian, ond dēaþ He geþrōwode for ūs, forþon þe Hē wolde ūs þæt ēce līf forgifan. Ond Hē þā onsende His þone wuldorfæstan gāst tō helle grunde, ond þǣr 30 þone ealdor ealra þēostra ond þæs ēcean dēaþes geband ond gehȳnde, ond ealne his gefērscipe swȳþe gedrēfde, ond helle geatu ond hire þā ǣrenan scyttelas Hē ealle tōbræc, ond ealle His þā gecorenan Hē þonon ālǣdde, ond þāra dēofla þēostro Hē oforgēat mid His þǣm scīnendan lēohte. Hīe þā, swīþe forhte ond ābrēgde, þus cwǣdon: 35 'Hwonon is þēs þus strang, ond þus beorht, ond þus egesfull? Se middangeard þe ūs wæs lange ǣr underþēoded, ond ūs dēaþ mycel gafol geald; ne gelomp hit nā ǣr þæt ūs swylc dēaþ geendod wǣre, ne ūs nǣfre swylc ege ne wearþ ǣr tō helle geendebyrded. Ēalā nū, hwæt is þēs þe þus unforht gǣþ on ūre gemǣro? Ond nis nō þæt ān þæt Hē 40 Him ūre wītu ondrǣde, ac Hē wile ēac ōþre of ūrum bendum ālēsan. Wēne wē sȳ þis sē þe wē wēndon þæt þurh His dēaþ ūs sceolde bēon eall middangeard underþēoded? Gehȳrstu ūre aldor? Þis is se ilca þe þū longe for His dēaþe plegodest, ond þū ūs æt endestæfe mycel hererēaf gehēte. Ac hwæt wilt þū His nū dōn? Ond hwæt miht þū His onwendan? 45 Nū Hē hafaþ ealle þīne þēostro mid His beorhtnesse geflēmed, ond eal þīn carcern Hē hafaþ tōbrocen, ond þā þe þū ǣr on hæftnēde hæfdest, ealle þā Hē hæfþ onlȳsde, ond heora līf Hē hæfþ tō gefēan gecyrred; ond þā ūs nū bysmriaþ þā þe ǣr on ūrum bendum sworettan. Tō hwon lǣddest þū hider þēosne þe on His cyme ealle His gecorene 50 Hē hafaþ tō þǣre ǣrran blisse gecyrrede? Þēah hīe ǣr þæs ēcan līfes

29. **His þone**—translate simply 'His', as also line 33, etc.

36. **þe**—omit in translation; Latin *mundus ille qui nobis subditus fuit, semperque nostris usibus mortis tributa persolvit, nunquam nobis talem misit. . . .* **dēaþ**—subject of *geald.*

41. **Wēne wē sȳ þis sē þe**—'Are we to think that this is He through whose death. . . .' Latin *An forte ipse est ille de quo princeps noster paulo ante dicebat, quod per ejus mortem, totius mundi acciperet potestatem?*

44. **His nū dōn**—gn. of regard; **His onwendan**—verb governs gn. instead of dt. Latin *Quid est quod egisti? Quid est quod facere voluisti?*

50. **gecyrrede**—MS *gecorene* (from previous).

orwēne wǣron, hīe synt nū swīþe blīþe. Nis hēr nū nǣnig wōp ne nǣnig hēaf gehȳred, swā hit ǣr gewunelīc wæs on þisse wīte stōwe. Ēalā nū, þū ūre aldor, þā þīne welan þe þū on fruman begeate æt þæs ǣrestan mannes egelēasnesse ond unhȳrsumnesse, ond æt neorxna-
55 wanges ānforlǣtnesse, ealle þā Hē hafaþ nū on þē genumene, ond þurh Crīstes rōde is eal þīn blis tō unrōtnesse geworden. Þonne þū wȳsctest þæt þū wistest Crīst on rōde āhangenne, nystest þū nō hū monige earfoþa ūs eallum æt His dēaþe becuman sceoldan. Þū woldest symle þone besmītan þe þū nān wiht yfles on nystest. Tōhwon lǣddest þū
60 þēosne frēone ond unscyldigne hider? Nū Hē hafaþ on His hidercyme ealle scyldige fordēmde ond gehȳnde. . . .

Mid þon þe Drihten þā þā herehȳhþ þe on helle genumen hæfde, raþe Hē lifgende ūt ēode of His byrgenne mid His āgenre mihte āweht, ond eft mid His unwemmum līchoman Hine gegyrede, ond
65 Hē Hine his gingrum ætēowde forþon þe Hē wolde ǣlcne twēon of heora heortum ādōn. Ond Hē ēac ætēowde þā wunda ond þāra nægla dolh þǣm ungelēaffullum mannum, forþon þe Hē nolde þæt ǣnig ortrȳwnes wǣre emb His ǣriste. Ond þā æfter þon on manigra manna gesyhþe Hē āstāg on heofenas, ond Hē gesæt Godfæder on þā swīþran
70 healfe, þonon Hē nǣfre næs þurh His godcundnesse, ac Hē symle þǣr gestaþelod wæs. Forþon hyhton nū ond blissian eall gelēaffull folc, forþon þe for ūs Crīstes blōd wæs āgoten.

Uton wē ealle wynsumian on Drihten wē þe His ǣriste mǣrsiaþ, forþon þe Hē His godcundnesse nān wiht ne gewanode þā Hē þone
75 menniscan līchoman onfēng ond ūs of dēofles anwalde ālēsde. Nū wē gehȳraþ, men þā lēofestan, hū manigfeald þing Drihten for ūs geþrōwode þā Hē ūs mid His blōde ābohte of helle hæftnēde. Uton wē forþon geþencean hwylc handlēan wē Him forþ tō berenne habban, þonne Hē eal þis recþ ond sægþ æt þisse ilcan tīde. Þonne Hē gesiteþ
80 on His dōmsetle, þonne sceolan wē mid ūre ānre sāule forgyldan ond gebētan ealle þā þing þe wē ǣr ofor His bebod gedydon, oþþe þæs āwǣgdon þe wē dōn sceoldan. Uton nū geþencean hū mycel egsa gelimpeþ eallum gesceaftum on þās ondweardan tīd, þonne se dōm nēalǣceþ ond sēo openung þæs dæges is swīþe egesfull eallum gesceaf-
85 tum.

On þǣm dæge gewīteþ heofon ond eorþe ond sǣ ond ealle þā þing þe on þǣm syndon, swā ēac for þǣre ilcan wyrde gewīteþ sunne ond

61. Omitted at this point are the prayers and release of Adam, Eve and the Patriarchs.
70. **nǣfre næs**—a double negative which (here) equals a positive.

mōna, ond eal tungla lēoht āspringeþ, ond sēo rōd ūres Drihtnes bið ārǣred on þæt gewrixle þāra tungla, sēo nū on middangearde āwergde
90 gāstas flēmeþ. Ond on þǣm dæge heofon biþ befealden swā swā bōc, ond on þǣm dæge eorþe biþ forbærned tō axan, ond on þǣm dæge sǣ ādrūgaþ, ond on þǣm dæge eall heofona mægen biþ onwended ond onhrēred; ond syx dagum ǣr þissum dæge gelimpeþ syllīce tācn ǣghwylce āne dæge. Þȳ ǣrestan dæge on midne dæg gelimpeþ mycel
95 gnornung ealra gesceafta, ond men gehȳraþ myccle stefne on heofenum swylce þǣr man fyrde trymme ond samnige. Þonne āstīgeþ blōdig wolcen mycel from norþdǣle ond oforþecþ ealne þysne heofon, ond æfter þǣm wolcne cymeþ lēgetu ond þunor ealne þone dæg; ond rīneþ blōdig regn æt ǣfen. On þǣm æfteran dæge biþ gehȳred mycel
100 stefn on heofenum fyrdweorodes getrymnesse, ond eorþe biþ onhrēred of hire stōwe, ond heofon biþ open on sumum ende on þǣm eastdǣle. Ond mycel mægen forþcymeþ þurh þone openan dǣl, ond þone heofon oforþecþ ond oforwrȳhþ æt ǣfen, ond blōdig regn ond fȳren fundiaþ þās eorþan tō forswylgenne ond tō forbærnenne; ond sēo
105 heofon biþ gefeallen æt þǣm fēower endum middangeardes, ond eall eorþe bið mid þēostrum oforþeaht æt þā endlyftan tīd þæs dæges. Ond þonne cweþ eall folc; 'Ārige ūs nū ond miltsige se Drihten þe on engla endebyrdnesse wæs gehered; þā Hē on Betleem wæs ācenned, þā cleopodan hīe ond þus cwǣdon: "Wuldor sȳ Gode on hēanessum
110 ond mannum on eorþan þām þe gōdes willan sȳn".' Þȳ þriddan dæge sēo eorþe on þǣm norþende ond on þām ēastende sprecaþ him betwēonum, ond þā nēolnessa grymetiaþ ond þā eorþan willaþ forswelgan. Þonne biþ eall eorþan mægen onwended, ond mycel eorþhrērnes bið on þǣm dæge geworden. Þȳ fēorþan dæge ofor
115 undern bēoþ myccle þuneras on heofnum, ond þonne gefeallaþ ealle dēofolgyld; ond þonne hit biþ æt sunnan setlgange, ond þēah hweþre nǣnig lēoht ne ætēoweþ, ond mōna biþ ādwǣsced, ond bēoþ þēostra forþ gewordene ofor ealle world, ond steorran yrnaþ wiþersynes ealne þone dæg, ond men hīe magan gesēon swā sutole swā on niht
120 þonne hit swīþe frēoseþ. Ond þonne on þǣm dæge hatigaþ þisse worlde welan ond þā þing þe hīe nū lufiaþ. Þȳ fīftan dæge æt underne

98. **ealne**—MS *ond ealne.* **ond rīneþ**—*ond* not in MS.
105. **gefeallen**—probably for *gefealden.*
109. Cf. *Luke* 2.14.
118. **wiþersynes**—the subject of some speculation: probably *wiþer* 'against' plus *sinn* 'sense, experience', unexampled as a noun, but cf. *sinnan* 'to have a thought for'. The present form is then a gn. sg. used adverbially. See NED s.v. withershins.

se heofon tōbyrst from þǣm eastdǣle oþ þone westdǣl, ond þonne eall engla cynn lōciaþ þurh þā ontȳnnesse on manna cynn. Þonne gesēoþ ealle menn þæt hit wile bēon æt þisse worlde ende, flēoþ þonne tō 125 muntum ond hīe hȳdað for þāra engla onsȳne, ond þonne cweþaþ tō þǣre eorþan, ond biddaþ þæt hēo hīe forswelge ond gehȳde, ond wȳscaþ þæt hīe nǣfre nǣron ācennede from fæder ne from mēder. Swā hit gēara be þon on Crīstes bōcum gewītgod wæs, ond þus cweþaþ: 'Ēadige syndon þā men þā þe wǣron unberende, ond ēadige 130 syndon þā innoþas þā þe nǣfre ne cendon, ond þā brēost þā þe nǣfre meolcgende nǣron'. Ond þonne hīe cweþaþ tō þǣm dūnum ond tō þǣm hyllum: 'Feallaþ ofor ūs, ond ūs bewrēoþ ond gehȳdað, þæt wē nē þurfon þysne ege leng þrōwian æt þyssum englum. Nū is eal gesȳne þæt wē ǣr behȳded hæfdon.' Þȳ syxtan dæge ǣr underne 135 þonne biþ from fēower endum þǣre eorþan eall middangeard mid āwergdum gāstum gefylled, þā fundiaþ þæt hīe willon genimon myccle herehȳþ manna sāula swā Antecrīst ǣr beforan dyde; ond þonne hē cymeþ, þonne bēotaþ hē þæt hē wile þā sāula sendan on ēce wītu þā þe him hēran nellaþ; ond þonne æt nēhstan biþ hē sylfa 140 on ēcne wēan bedrifen. Swā þonne þȳ dæge cymeþ Sanctus Michahēl mid heofonlīcum þrēate hāligra gāsta, ond þā þonne ofslēaþ ealle þā āwergdan, ond on helle grund bedrīfaþ for heora unhȳrsumnesse Godes beboda ond for heora māndǣdum. Þonne gesēoþ ealle gesceafta ūres Drihtnes mihte, þēah þe hīe nū mennisce men oncnāwan nellan 145 ne ongytan. Þonne æfter þēossum þingum biþ nēh þǣm seofoþan dæge, ond þonne hāteþ Sanctus Michahēl se hēahengl blāwan þā fēower bēman æt þissum fēower endum middangeardes, ond āwecceaþ ealle þā līchoman of dēaþe, þēah þe hīe ǣr eorþe bewrigen hæfde, oþþe on wætere ādruncan, oþþe wildēor ābiton, oþþe fuglas tōbǣron, 150 oþþe fixas tōslitan, oþþe on ǣnige wīsan of þisse worlde gewiton, ealle hīe sceolan þonne ārīsan ond forþgān tō þām dōme on swylcum hēowe swā hīe ǣr hīe sylfe gefrætwodan. Næs nā mid golde ne mid gōdwebbenum hræglum, ac mid gōdum dǣdum ond hālgum wē sceolan bēon gefrætwode, gif wē þonne willaþ bēon on þā swīþran 155 healfe Drihtnes Hǣlendes Crīstes mid sōþfæstum sāulum ond gecorenum, þā Hē sendeþ on ēce lēoht. Forþon wē sceolan nū geþencean, þā hwīle þe wē magan ond mōtan, ūre sāula þearfe, þē lǣs wē foryldon þās ālȳfdon tīd, ond þonne willon þonne wē ne magon.

129–131. Cf. *Luke* 23.29.
148–150. Cf. 20/80–83.
152–153. Cf. 21/97–101.

Uton bēon ēaþmōde ond mildheorte ond ælmesgeorne, fācen ond
160 lēasunga ond æfēste from ūrum heortum ādōn ond āfyrran, ond
bēon rihtwīse on ūrum mōde wiþ ōþre men; forþon þe God sylfa
þonne ne gȳmeþ nǣnges mannes hrēowe, ne þǣr nǣnige þingunga
ne bēoþ, ac biþ þonne rēþra ond þearlwīsra þonne ǣnig wilde dēor,
oþþe ǣfre ǣnig mōd, gewurde. Ond swā myccle swā þæs mannes miht
165 bēo māre, ond hē biþ weligra on þisse worlde, swā him þonne se
ūplīca Dēma māre tōsēcþ, þonne hē him sylfum rēþne dōm ond
heardne geearnaþ ond begyteþ, swā hit be þon gecweden is: 'Se mon
sē þe nū dēmeþ þǣm earmum būton mildheortnesse, þonne biþ þām
eft heard dōm getēod.' Uton nū, men þā lēofestan, þās þing geþencean
170 swīþe snotorlīce ond wīslīce, þæt wē þurh sōþfæste dǣda ond þurh
mildheortnesse weorc ūrne Dēman mildne gemēton, ond þurh
ēaþmōdnesse ond þurh þa sōþan lufan Godes ond manna ūs þā
ēcean ēadignesse geearnian mid ūrum Drihtne, þǣr Hē leofað ond
rīxaþ ā būton ende on ēcnesse. Āmēn.

163. **ond**—not in MS. **þonne...gewurde**—'than any wild animal, or ever any (angry mind, could be'.
167–169. Cf. *James* 2.13.

27. *Christ B*

Christ appears in three sections in the MS, of which the second is printed here. The first ends with 'Amen'; the second begins with an abrupt change in the form of discourse and has, towards the end, the runic signature of Cynewulf, which—in its three other appearances in Old English poetry—is always near the close; and the third begins once more with an abrupt change. The three sections may be regarded as three separate poems, and the Cynewulfian signature as belonging only to the second, or they may be divisions of a single poem.

The second section is based largely on the latter part of the Ascension sermon of Pope Gregory I (*PL* 76, 1218–1219) and on a Latin Ascension hymn attributed to Bede (*PL* 94, 624–626), but the subject ranges from the Old Testament prophets of the Incarnation to the Last Judgement. The modulations are rarely systematic and—as in *Doomsday*—show an ideational rather than a chronological structure. Within this structure Cynewulf develops a number of themes from his sources. The poem is thus a storehouse of medieval religious and symbolic traditions, and represents the kind of medium through which these traditions found their way from ecclesiastical Latin into the vernacular literatures.

MS: The Exeter Book Dialect: Late West Saxon

Nū ðū geornlīce gǣstgerȳnum,
mon se mǣra, mōdcræfte sēc
þurh sefan snyttro, þæt þū sōð wite
hū þæt geēode þā se Ælmihtiga
5 ācenned wearð þurh clǣnne hād
siþþan Hē Marian, mægða weolman,
mǣrre mēowlan, mundheals gecēas,
þæt þǣr in hwītum hræglum gewerede
englas ne oðēowdun þā se Æþeling cwōm
10 Beorn in Betlem. Bodan wǣron gearwe
þā þurh hlēoþorcwide hyrdum cȳðdon,
sægdon sōðne gefēan, þætte Sunu wǣre
in middangeard Meotudes ācenned

1. **gǣstgerȳnum**—The first of a number of allusions to spiritual mysteries, especially as revealed by typology and symbolism, and to the problems of perceiving them.
2. **mon se mǣra**—was the poem meant to be a sermon, like its source, and was the audience perhaps noble?
6–7. The Cynewulfian style is especially rich in appositive phrases.
9. **Æþeling**—Part of the extensive vocabulary of secular nobility and of the *comitatus* relationship which characterizes religious descriptions in this poem.

in Betleme. Hwæþre in bōcum ne cwið
15 þæt hȳ in hwītum þǣr hræglum oðȳwden
in þā æþelan tīd swā hīe eft dydon
ðā se Brega mǣra tō Bethania,
Þēoden þrymfæst, His þegna gedryht
gelaðade, lēof weorud. Hȳ þæs Lārēowes
20 on þām wildæge word ne gehyrwdon,
hyra Sincgiefan. Sōna wǣron gearwe
hæleð mid Hlāford tō þǣre hālgan byrg
þǣr him tācna fela, tīres Brytta,
onwrāh wuldres Helm wordgerȳnum
25 ǣr þon ūp stige āncenned Sunu,
efenēce Bearn āgnum Fæder
þæs ymb fēowertig þe Hē of foldan ǣr
from dēaðe ārās dagena rīmes.
Hæfde þā gefylled swā ǣr biforan sungon
30 wītgena word geond woruld innan
þurh His þrōwinga. Þegnas heredon,
lufedun lēofwendum līfes Āgend,
Fæder frumsceafta. Hē him fægre þæs
lēofum gesīþum lēan æfter geaf
35 ond þæt word ācwæð Waldend engla,
gefȳsed Frēa mihtig tō Fæder rīce:
'Gefēoð gē on ferððe. Nǣfre ic from hweorfe,
ac ic lufan symle lǣste wið ēowic
ond ēow meaht giefe ond mid wunige
40 āwo tō ealdre, þæt ēow ǣfre ne bið
þurh gife mīne gōdes onsīen.
Farað nū geond ealne yrmenne grund,
geond wīdwegas, weoredum cȳðað,
bodiað ond brēmað beorhtne gelēafan
45 ond fulwiað folc under roderum,
hweorfað tō heofonum. Hergas brēotaþ,
fyllað ond fēogað, fēondscype dwǣscað,
sibbe sāwað on sefan manna

14. First of numerous appeals to written authority; cf. also line 147.
27–28. I.e., *ymb fēowertig rīmes dagena þæs þe Hē. . . .*
33. **þæs**—'for that' (*lēan* w. gn. of thing, w. dt. of person).
37. **from**—adverbial. Cf. *Matt*. 28.19–20.
46. **heofonum**—sometimes emended *hǣþenum*, with repunctuation.

þurh meahta spēd. Ic ēow mid wunige
50 forð on frōfre ond ēow friðe healde
strengðu staþolfæstre on stōwa gehwāre.'
Đā wearð semninga swēg on lyfte
hlūd gehȳred. Heofonengla þrēat,
weorud wlitescȳne, wuldres āras,
55 cwōmun on corðre. Cyning ūre gewāt
þurh þæs temples hrōf þǣr hȳ tō sēgun
þā þe Lēofes þā gēn lāst weardedun
on þām þingstede, þegnas gecorene.
Gesēgon hī on hēahþu Hlāford stīgan,
60 Godbearn of grundum. Him wæs gēomor sefa
hāt æt heortan, hyge murnende
þæs þe hī swā Lēofne leng ne mōstun
gesēon under swegle. Song āhōfun
āras ufancunde, Æþeling heredun,
65 lofedun Līffruman, lēohte gefēgun
þe of þæs Hǣlendes heafelan līxte.
Gesēgon hȳ ælbeorhte englas twēgen
fægre ymb þæt Frumbearn frætwum blīcan,
cyninga Wuldor. Cleopedon of hēahþu
70 wordum wrǣtlīcum ofer wera mengu
beorhtan reorde: 'Hwæt bīdað gē
Galilēsce guman on hwearfte?
Nū gē sweotule gesēoð sōðne Dryhten
on swegl faran, sigores Āgend.
75 Wile ūp heonan eard gestīgan
æþelinga Ord mid þās engla gedryht,
ealra folca Fruma, Fæder ēþelstōll.
Wē mid þyslīce þrēate willað
ofer heofona gehlidu Hlāford fergan
80 tō þǣre beorhtan byrg mid þās blīðan gedryt,
ealra sigebearna þæt sēleste

52. **lyfte**—MS *lyste*; *s* in this hand is an uncrossed *f*.
57. **weardedun**—MS *weardedum* (minim error, or infl. by dt. pl.?). So also *heredun* line 64, MS *heredum*.
58. **þingstede**—*þing* is used only four times in OE poetry in the ON sense of 'parliament'; thrice in *Christ*, once in the Exeter *Maxims*.
62. **þæs**—causal gn.
71. Cf. *Acts* 1.11.

ond æþeleste, þe gē hēr on stariað
ond in frōfre gesēoð frætwum blīcan.
Wile eft swāþēah eorðan mǣgðe
85 sylfa gesēcan sīde herge
ond þonne gedēman dǣda gehwylce
þāra ðe gefremedon folc under roderum.'
Ðā wæs wuldres Weard wolcnum bifongen,
hēahengla Cyning, ofer hrōfas upp,
90 hāligra Helm. Hyht wæs genīwad,
blis in burgum, þurh þæs Beornes cyme.
Gesæt sigehrēmig on þā swīþran hand
ēce Ēadfruma āgnum Fæder.
Gewitan him þā gongan tō Hierusalem
95 hæleð hygerōfe in þā hālgan burg
gēomormōde þonan hȳ God nȳhst
ūp stīgende ēagum sēgun,
hyra Wilgifan. Þǣr wæs wōpes hring;
torne bitolden wæs sēo trēowlufu,
100 hāt æt heortan. Hreðer innan wēoll,
beorn brēostsefa. Bidon ealle þǣr
þegnas þrymfulle þēodnes gehāta
in þǣre torhtan byrig tȳn niht þā gēn
swā him sylf bibēad swegles Āgend
105 ǣr þon ūp stige ealles Waldend
on heofona gehyld. Hwīte cwōman
eorla Ēadgiefan englas tōgēanes.
Ðæt is wel cweden swā gewritu secgað
þæt Him ælbeorhte englas tōgēanes
110 in þā hālgan tīd hēapum cwōman,
sīgan on swegle. Þā wæs symbla mǣst
geworden in wuldre. Wel þæt gedafenað
þæt tō þǣre blisse beorhte gewerede

88. **bifongen**—MS *bifengun*.
90b. Cf. 25/148–156.
94. **Gewitan . . . gongan**—'they went'; cf. 10/9.
98. **wōpes hring**—*hring* in the sense of 'sound' appears in extant OE poetry only with *wōpes*, and only in poems signed by or in the manner of Cynewulf.
100. **hreðer**—MS *hreder*.
101. **beorn**—uninflected preterite, or change of tense, or an error infl. by *wēoll*; cf. *Beowulf* 1880, *beorn wið blōde*.

in þæs þēodnes burg þegnas cwōman,
115 weorud wlitescȳne. Gesēgon wilcuman
on hēahsetle heofones Waldend,
folca Feorhgiefan, frætwum ealles Waldend
middangeardes ond mægenþrymmes.
'Hafað nū se Hālga helle birēafod
120 ealles þæs gafoles þe hī gēardagum
in þæt orlege unryhte swealg.
Nū sind forcumene ond in cwicsūsle
gehȳnde ond gehæfte, in helle grund
duguþum bidǣled, dēofla cempan.
125 Ne meahtan wiþerbrōgan wīge spōwan,
wǣpna wyrpum, siþþan wuldres Cyning,
heofonrīces Helm, hilde gefremede
wiþ His ealdfēondum Ānes meahtum
þǣr Hē of hæfte āhlōd hūþa mǣste
130 of fēonda byrig, folces unrīm,
þisne ilcan þrēat þe gē hēr on stariað.
Wile nū gesēcan sāwla Nergend
gǣsta giefstōl Godes āgen Bearn,
æfter gūðplegan. Nū gē geare cunnon
135 hwæt se Hlāford is sē þisne here lǣdeð;
nū gē fromlīce frēondum tōgēanes
gongað glædmōde. Geatu ontȳnað!
Wile in tō ēow ealles Waldend,
Cyning on ceastre corðre ne lȳtle,
140 fyrnweorca Fruma, folc gelǣdan
in drēama drēam ðe Hē on dēoflum genōm
þurh His sylfes sygor. Sib sceal gemǣne
englum ond ældum ā forð heonan
wesan wīdeferh. Wǣr is ætsomne
145 Godes ond monna, gǣsthālig trēow,
lufu, līfes hyht, ond ealles lēohtes gefēa.'
Hwæt wē nū gehȳrdan hū þæt Hǣlubearn
þurh His hydercyme hāls eft forgeaf,
gefrēode ond gefreoþade folc under wolcnum,
150 mǣre Meotudes Sunu, þæt nū monna gehwylc

119. Direct discourse implied by change of tense and *gē*, line 131.
137. Cf. *Ps*. 24.7.

cwic þendan hēr wunað gecēosan mōt
swā helle hīenþu swā heofones mǣrþu,
swā þæt lēohte lēoht swā ðā lāþan niht,
swā þrymmes þræce swā þȳstra wræce,
155 swā mid Dryhten drēam swā mid dēoflum hrēam,
swā wīte mid wrāþum swā wuldor mid ārum,
swā līf swā dēað, swā him lēofre bið
tō gefremmanne þenden flǣsc ond gǣst
wuniað in worulde. Wuldor þæs āge
160 Þrȳnysse þrym, þonc būtan ende.
Ðæt is þæs wyrðe þætte werþēode
secgen Dryhtne þonc duguða gehwylcre
þe ūs sīð ond ǣr simle gefremede
þurh monigfealdra mægna gerȳno.
165 Hē ūs ǣt giefeð ond ǣhta spēd,
welan ofer wīdlond ond weder līþe
under swegles hlēo. Sunne ond mōna,
æþelast tungla eallum scīnað,
heofoncondelle, hæleþum on eorðan.
170 Drēoseð dēaw ond rēn, duguðe weccaþ
tō feorhnere fīra cynne,
īecað eorðwelan. Þæs wē ealles sculon
secgan þonc ond lof Þēodne ūssum,
ond hūru þǣre hǣlo þe Hē ūs tō hyhte forgeaf
175 ðā Hē þā yrmpðu eft oncyrde
æt His ūpstige þe wē ǣr drugon
ond geþingade þēodbūendum
wið Fæder swǣsne fǣhþa mǣste,
Cyning ānboren. Cwide eft onhwearf
180 sāulum tō sibbe sē þe ǣr sungen wæs
þurh yrne hyge ældum tō sorge:
'Ic þec ofer eorðan geworhte on þǣre þū scealt yrmþum lifgan,
wunian in gewinne ond wræce drēogan,

151. **wunað**—MS *wunat*.
151ff. Translate: '... while they dwell here alive may now choose as (readily) the ignominy of hell as the glory of heaven', etc. The *swā ... swā* correlation is supported by rhyme, lines 152–157. Cynewulf uses rhyme elsewhere, e.g. line 318 and *Elene*, lines 1236–1250.
176. **His**—MS *is*, perhaps representing an actual unstressed form.
180. **wæs**—not in MS.
182ff. Cf. *Gen*. 3.17–19.

fēondum tō hrōþor   fūslēoð galan
185 ond tō þǣre ilcan scealt   eft geweorþan,
wyrmum āweallen,   þonan wītes fȳr
of þǣre eorðan scealt   eft gesēcan.'
Hwæt ūs þis se Æþeling   ȳðre gefremede
þā Hē leomum onfēng   ond līchoman,
190 monnes magutūdre.   Siþþan Meotodes Sunu
engla ēþel   ūp gestīgan
wolde weoroda God,   ūs se willa bicwōm
hēanum tō helpe   on þā hālgan tīd.
Bī þon giedd āwræc   Iob swā hē cūðe,
195 herede Helm wera,   Hǣlend lofede
ond mid siblufan   Sunu Waldendes
frēonoman cende   ond Hine fugel nemde
þone Iudēas   ongietan ne meahtan
in ðǣre godcundan   gǣstes strengðu.
200 Wæs þæs fugles flyht   fēondum on eorþan
dyrne ond dēgol   þām þe deorc gewit
hæfdon on hreþre,   heortan stǣnne.
Noldan hī þā torhtan   tācen oncnāwan
þe him beforan fremede   Frēobearn Godes,
205 monig mislīcu,   geond middangeard.
Swā se fǣla fugel   flyges cunnode;
hwīlum engla eard   ūp gesōhte,
mōdig meahtum strang   þone māran hām,
hwīlum Hē tō eorþan   eft gestylde,
210 þurh Gǣstes giefe   grundscēat sōhte,
wende tō worulde.   Bī þon se wītga song:
'Hē wæs upp hafen   engla fæðmum
in His þā miclan   meahta spēde,
hēah ond hālig,   ofer heofona þrym.'
215 Ne meahtan þā þæs fugles   flyht gecnāwan
þe þæs ūpstiges   ondsæc fremedon
ond þæt ne gelȳfdon,   þætte Līffruma

192b–193a. Translate: 'a desire arose for the help of us the abject'.
194. Cf. *Job* 28.7.
197. Compare the allegory of the bird with the symbolism of the sun and moon, lines 255ff, and of the sea, lines 411ff, as well as with 19/24–36.
205. **mislīcu**—MS *mislic*.
211. Cf. *Ps*. 8.2.

in monnes hīw   ofer mægna þrym,
hālig from hrūsan,   āhafen wurde.
220 Ðā ūs geweorðade   sē þās world gescōp,
Godes Gǣstsunu,   ond ūs giefe sealde,
uppe mid englum   ēce staþelas,
ond ēac monigfealde   mōdes snyttru
sēow ond sette   geond sefan monna.
225 Sumum wordlaþe   wīse sendeð
on his mōdes gemynd   þurh his mūþes gǣst,
æðele ondgiet.   Sē mæg eal fela
singan ond secgan   þām bið snyttru cræft
bifolen on ferðe.   Sum mæg fingrum wel
230 hlūde fore hæleþum   hearpan stirgan,
glēobēam grētan.   Sum mæg godcunde
reccan ryhte ǣ.   Sum mæg ryne tungla
secgan, sīde gesceaft.   Sum mæg searolīce
wordcwide wrītan.   Sumum wīges spēd
235 giefeð æt gūþe,   þonne gārgetrum
ofer scildhrēadan   scēotend sendað,
flacor flāngeweorc.   Sum mæg fromlīce
ofer sealtne sǣ   sundwudu drīfan,
hrēran holmþræce.   Sum mæg hēanne bēam
240 stǣlgne gestīgan.   Sum mæg stȳled sweord,
wǣpen gewyrcan.   Sum con wonga bīgong,
wegas wīdgielle.   Swā se Waldend ūs,
Godbearn on grundum   His giefe bryttað.
Nyle Hē ǣngum ānum   ealle gesyllan
245 gǣstes snyttru   þȳ lǣs him gielp sceþþe
þurh his ānes cræft   ofer ōþre forð.
Ðus God meahtig   geofum unhnēawum,
Cyning alwihta,   cræftum weorðaþ
eorþan tūddor.   Swylce ēadgum blǣd
250 seleð on swegle,   sibbe rǣreþ

225ff. A similar passage appears in the Exeter Book *Gifts of Men* (lines 30–109) and *Fortunes of Men* (lines 10–92), and in 20/80–84.

239–240. **Stǣlg** is usually assumed to be from *stǣgel* by metathesis, and *gestīgan* to mean 'climb'. A considerable literature, not excluding emendations, exists on the suitability of tree-climbing to this list of talents. One suggestion makes *gestīgan* causative and the passage a reference to house-building. Another possibility is that the lines allude to martyrdom and then *hēah* and *stǣlg* have figurative connotations, 'holy' and 'painful', in addition to their literal meanings.

ēce tō ealdre engla ond monna.
Swā Hē His weorc weorþað. Bī þon se wītga cwæð
þæt āhæfen wǣren hālge gimmas,
hǣdre heofontungol, hēalīce upp,
255 sunne ond mōna. Hwæt sindan þā
gimmas swā scȳne būton God sylfa?
Hē is se sōðfæsta sunnan lēoma,
englum ond eorðwarum æþele scīma.
Ofer middangeard mōna līxeð,
260 gǣstlīc tungol, swā sēo Godes circe
þurh gesomninga sōðes ond ryhtes
beorhte blīceð. Swā hit on bōcum cwiþ,
siþþan of grundum Godbearn āstāg,
Cyning clǣnra gehwæs, þā sēo circe hēr
265 ǣfyllendra eahtnysse bād
under hǣþenra hyrda gewealdum.
Þǣr ðā synsceaðan sōþes ne gīemdon,
gǣstes þearfe, ac hī Godes tempel
brǣcan ond bærndon, blōdgyte worhtan,
270 fēodan ond fyldon. Hwæþre forð bicwōm
þurh gǣstes giefe Godes þegna blǣd
æfter ūpstige ēcan Dryhtnes.
Bī þon Salomon song, sunu Dauiþes,
giedda gearosnottor gǣstgerȳnum,
275 waldend werþēoda, ond þæt word ācwæð:
'Cūð þæt geweorðeð þætte Cyning engla,
Meotud meahtum swīð, munt gestylleð,
gehlēapeð hēa dūne, hyllas ond cnollas
bewrīð mid His wuldre, woruld ālȳseð,
280 ealle eorðbūend, þurh þone æþelan styll.'
Wæs se forma hlȳp þā Hē on fǣmnan āstāg,
mægeð unmǣle, ond þǣr mennisc hīw
onfēng būtan firenum þæt tō frōfre gewearð
eallum eorðwarum. Wæs se ōþer stiell
285 Bearnes gebyrda þā Hē in binne wæs
in cildes hīw clāþum bewunden,

252. Cf. *Hab.* 3.11.
259. **līxeð**—MS *lixed*; a reverse case is line 271, *blǣd* (MS *blæð*).
276ff. Cf. *Cant.* 2.8.

ealra þrymma Þrym. Wæs se þridda hlӯp
Rodorcyninges rǣs þā Hē on rōde āstāg,
Fæder, frōfre Gǣst. Wæs se fēorða stiell
290 in byrgenne þā Hē þone bēam ofgeaf,
foldærne fæst. Wæs se fīfta hlӯp
þā Hē hellwarena hēap forbӯgde
in cwicsūsle, cyning inne gebond,
fēonda foresprecan, fӯrnum tēagum,
295 gromhӯdigne, þǣr hē gēn ligeð
in carcerne clommum gefæstnad,
synnum gesǣled. Wæs se siexta hlӯp
Hāliges hyhtplega þā He tō heofonum āstāg
on His ealdcӯððe. Þā wæs engla þrēat
300 on þā hālgan tīd hleahtre blīþe
wynnum geworden. Gesāwan wuldres Þrym,
æþelinga Ord, ēðles nēosan,
beorhtra bolda. Þā wearð burgwarum
ēadgum ēce gefēa Æþelinges plega.
305 Þus hēr on grundum Godes ēce Bearn
ofer hēahhleoþu hlӯpum stylde
mōdig æfter muntum. Swā wē men sculon
heortan gehygdum hlӯpum styllan
of mægne in mægen, mǣrþum tilgan
310 þæt wē tō þām hӯhstan hrōfe gestīgan
hālgum weorcum þǣr is hyht ond blis,
geþungen þegnweorud. Is ūs þearf micel
þæt wē mid heortan hǣlo sēcen
þǣr wē mid gǣste georne gelӯfað
315 þæt þæt Hǣlobearn heonan ūp stige
mid ūsse līchoman, lifgende God.
Forþon wē ā sculon īdle lustas
synwunde forsēon, ond þæs sēllran gefēon.
Habbað wē ūs tō frōfre Fæder on roderum
320 ælmeahtigne. Hē His āras þonan,
hālig of hēahðu, hider onsendeð,
þa ūs gescildaþ wið sceþþendra
eglum earhfarum, þī lǣs unholdan

292. **hellwarena**—MS *hell werena.*
309. Cf. *Ps.* 84.7.
323. **eglum**—MS *englum,* perhaps better emended *engla.*

wunde gewyrcen, þonne wrōhtbora
325 in folc Godes forð onsendeð
of his brægdbogan biterne strǣl.
Forþon wē fæste sculon wið þām fǣrscyte
symle wærlīce wearde healdan
þȳ lǣs se āttres ord in gebūge,
330 biter bordgelāc under bānlocan,
fēonda fǣrsearo. Þæt bið frēcne wund,
blātast benna. Utan ūs beorgan þā
þenden wē on eorðan eard weardigen.
Utan ūs tō Fæder freoþa wilnian,
335 biddan Bearn Godes ond þone blīðan Gǣst
þæt Hē ūs gescilde wið sceaþan wǣpnum,
lāþra lygesearwum, se ūs līf forgeaf,
leomu līc ond gǣst. Sī Him lof symle
þurh woruld worulda, wuldor on heofnum.
340 Ne þearf him ondrǣdan dēofla strǣlas
ǣnig on eorðan ælda cynnes,
gromra gārfare, gif hine God scildeþ,
duguða Dryhten. Is þām dōme nēah
þæt wē gelīce sceolon lēanum hlēotan
345 swā wē wīdefeorh weorcum hlōdun
geond sīdne grund. Ūs secgað bēc
hū æt ǣrestan ēadmōd āstāg
in middangeard mægna Goldhord,
in fǣmnan fæðm Frēobearn Godes,
350 Hālig of hēahþu. Hūru ic wēne mē
ond ēac ondrǣde dōm ðȳ rēþran
ðonne eft cymeð engla Þēoden
þe ic ne hēold teala þæt mē Hǣlend mīn
on bōcum bibēad. Ic þæs brōgan sceal
355 gesēon synwræce, þæs þe ic sōð talge,
þǣr monig bēoð on gemōt lǣded

330. **bordgelāc**—the meaning has been completely conventionalized to simply 'strife'.
336. **sceaþan**—probably a gn. pl. in apposition to *lāþra*.
339a. Cf. Latin *in saecula saeculorum*.
343b. Impersonal.
351. **ðȳ rēþran**—MS *dyreþran*; cf. line 356, *lǣded* (MS *lædað*). The comparative contrasts with lines 340ff.
356. **lǣded**—MS *lǣdað*.

fore onsȳne ēces Dēman.
Þonne .ᚳ. cwacað, gehȳreð Cyning mæðlan,
rodera Ryhtend sprecan rēþe word
360 þām þe Him ǣr in worulde wāce hȳrdon
þendan .ᚣ. ond ᚾ. ȳþast meahtan
frōfre findan. Þǣr sceal forht monig
on þām wongstede wērig bīdan
hwæt him æfter dǣdum dēman wille
365 wrāþra wīta. Biþ se .ᚹ. scæcen
eorþan frætwa. .ᚢ. wæs longe
.ᛚ. flōdum bilocen līfwynna dǣl,
ᚠ on foldan. Þonne frætwe sculon
byrnan on bǣle. Blāc rāsetteð
370 recen rēada lēg, rēþe scrīþeð
geond woruld wīde. Wongas hrēosað,
burgstede berstað. Brond bið on tyhte,
ǣleð ealdgestrēon unmurnlīce
gǣsta gīfrast þæt gēo guman hēoldan
375 þenden him on eorþan onmēdla wæs.
Forþon ic lēofra gehwone lǣran wille
þæt hē ne āgǣle gǣstes þearfe
ne on gylp gēote þenden God wille
þæt hē hēr in worulde wunian mōte,
380 somed sīþian sāwel in līce,
in þām gǣsthofe. Scyle gumena gehwylc
on his gēardagum georne biþencan
þæt ūs milde bicwōm meahta Waldend
æt ǣrestan þurh þæs engles word.
385 Bið nū eorneste þonne eft cymeð,
rēðe ond ryhtwīs. Rodor bið onhrēred
ond þās miclan gemetu middangeardes
beofiað þonne. Beorht Cyning lēanað
þæs þe hȳ on eorþan eargum dǣdum

358ff. Runes: C (*cēn*, 'torch'); Y (*ȳr*, 'bow'); N (*nīed*, 'need'); W (*wēn*, 'hope' or *wynn*, 'joy'); U (*ūr*, 'bison' or 'our'); L (*lagu*, 'lake'); F (*feoh*, 'wealth'). In this passage, however, the C-rune has been taken as *cēne*, 'the brave one', and the Y-rune as *yfel*, 'evil'.

369a–370b. I.e., *blāc, recen, rēada lēg rāsetteð.*

373–374. Translate: 'the greediest of spirits (the fire) relentlessly destroys the ancient treasures which men formerly possessed. . . .'

388. **beofiað**—MS *be heofiað.*

390 lifdon leahtrum fā. Þæs hī longe sculon
ferðwērige onfōn in fȳrbaðe,
wælmum biwrecene, wrāþlīc ondlēan,
þonne mægna Cyning on gemōt cymeð,
þrymma Mǣste. Þēodegsa bið
395 hlūd gehȳred bī heofonwōman,
cwāniendra cirm, cerge rēotað
fore onsȳne ēces Dēman
þā þe hyra weorcum wāce trūwiað.
Ðǣr biþ oðȳwed egsa māra
400 þonne from frumgesceape gefrægen wurde
ǣfre on eorðan. Þǣr bið ǣghwylcum
synwyrcendra on þā snūdan tīd
lēofra micle þonne eall þēos lǣne gesceaft,
þǣr hē hine sylfne on þām sigeþrēate
405 behȳdan mæge, þonne herga Fruma,
æþelinga Ord eallum dēmeð,
lēofum ge lāðum, lēan æfter ryhte,
þēoda gehwylcre. Is ūs þearf micel
þæt wē gǣstes wlite ǣr þām gryrebrōgan
410 on þās gǣsnan tīd georne biþencen.
Nū is þon gelīcost swā wē on laguflōde
ofer cald wæter cēolum līðan
geond sīdne sǣ, sundhengestum,
flōdwudu fergen. Is þæt frēcne strēam
415 ȳða ofermǣta þe wē hēr on lācað
geond þās wācan woruld, windge holmas
ofer dēop gelād. Wæs se drohtað strong
ǣrþon wē tō londe geliden hæfdon
ofer hrēone hrycg. Þā ūs help bicwōm
420 þæt ūs tō hǣlo hȳþe gelǣdde,
Godes Gǣstsunu, ond ūs giefe sealde
þæt wē oncnāwan magun ofer cēoles bord
hwǣr wē sǣlan sceolon sundhengestas,
ealde ȳðmēaras, ancrum fæste.
425 Utan ūs tō þǣre hȳðe hyht staþelian,
ðā ūs gerȳmde rodera Waldend,
hālge on hēahþu, þā Hē heofonum āstāg.

404. **þǣr**—'if'.

28. *Soul and Body*

The Exeter Book *Soul and Body* is an example of the personification dialogue poem that appears in many forms throughout medieval literature, often as a debate between Church and Synagogue, Knight and Clerk, Owl and Nightingale. Sometimes the poet's bias is difficult to discern; sometimes, as here, one side of the argument is reduced to extinction, as it is also in the Vercelli Book version of the OE poem and in Vercelli Homily IV. In the ME *Soul and Body*, on the other hand, the Body answers back vigorously.

The characteristically macabre, 'gothic' tone of the poem is relieved in the Vercelli Book version by a rare contrasting companion-piece in which the blessed soul gives thanks to the chaste body:

Wine lēofesta, þēah ðē wyrmas gȳt
gīfre grētaþ, nū is þīn gāst cumen
fægere gefrætewod. . . .

MS: The Exeter Book — Dialect: Late West Saxon

Hūru ðæs behōfaþ hæleþa ǣghwylc
þæt hē his sāwle sīð sylfa bewitige,
hū þæt bið dēoplīc þonne se dēað cymeð,
āsundrað þā sibbe þā þe ǣr somud wǣron,
5 līc ond sāwl. Long bið siþþan
þæt se gǣst nimeð æt Gode sylfum
swā wīte swā wuldor, swā him in worulde ǣr
efne þæt eorðfæt ǣr geworhte.
Sceal se gǣst cuman gēhþum hrēmig,
10 symle ymb seofon niht sāwle findan
þone līchoman þe hēo ǣr longe wæg,
þrēo hund wintra,
būtan ǣr wyrce ēce Dryhten,
ælmihtig God, ende worlde.
15 Cleopað þonne swā cearful caldan reorde,
spriceð grimlīce gǣst tō þām dūste:
'Hwæt drug þū drēorga, tō hwon dreahtest þū mē,
eorþan fȳlnes eal forweornast,
lāmes gelīcnes. Lȳt þū geþōhtes

10. **sāwle**—nm.
12. A defective line.
17. **drug þū**—MS *druguþu*, Vercelli *druh ðu*. Translate 'you dust!'

20 tō won þīnre sāwle sīð   siþþan wurde,
siþþan hēo of līchoman   lǣded wǣre.
Hwæt wīte þū mē wērga,   hwæt þū hūru wyrma gifl
lȳt geþōhtes,   hū þis is long hider,
ond þē þurh engel   ufan of roderum
25 sāwle onsende   þurh His sylfes hond,
Meotud ælmihtig,   of His mægenþrymme,
ond þē þā gebohte   blōde þȳ hālgan;
ond þū mē þȳ heardan   hungre gebunde
ond gehæftnadest   helle wītum.
30 Eardode ic þē in innan.   Nō ic þē of meahte,
flǣsce bifongen,   ond mē firenlustas
þīne geþrungon.   Þæt mē þūhte ful oft
þæt wǣre þrītig   þūsend wintra
tō þīnum dēaðdæge.   Hwæt ic uncres gedāles bād
35 earfoðlīce.   Nis nū se ende tō gōd.
Wǣre þū þē wiste wlonc   ond wīnes sæd,
þrymful þunedest,   ond ic ofþyrsted wæs
Godes līchoman,   gǣstes drinces.
Þǣr þū þonne hogode   hēr on līfe
40 þenden ic þē in worulde   wunian sceolde
þæt þū wǣre þurh flǣsc   ond þurh firenlustas
stronge gestȳred   ond gestaþelad þurh mec
ond ic wæs gǣst on þē   from Gode sended,
nǣfre þū mē swā heardra   helle wīta
45 nēd gearwode   þurh þīnra nēoda lust.
Scealt þū nū hwæþre mīnra gescenta   scome þrōwian
on þām miclan dæge,   þonne monna cynn
se Āncenda   ealle gegædrað.
Ne eart þū nū þon lēofre   nǣngum lifgendra,
50 menn tō gemæccan,   ne mēdder ne fæder
ne nǣngum gesibbra   þonne se swearta hrefn

20. **won**—i.e., *hwon*; Vercelli *hwan.*
30. **Eardode**—not in MS; supplied from Vercelli.
35b. Though both modern and colloquial in sound, actually an example of the favourite OE poetic figure of *litotes.*
42. **stronge**—MS *strong.*
45. **nēd**—MS *ne.*
49–51. A sentiment common to *Soul and Body* poems which reappears—in 'courtly' form—in Middle English (MS Bodleian, Laud 108): *Ne nis no levedī briȝt on ble / Þat wel were iwoned of þe to lete. . . .* Vercelli Homily: *ne fæder ne mōder ne brōðer ne swystor ne nān mǣg ne lufode þē. . . .*

sipþan ic āna of þē ūt sīþade
þurh þæs Sylfes hond þe ic ǣr onsended wæs.
Ne magon þē nū heonan ādōn hyrste þā rēadan
55 ne gold ne sylfor ne þīnra gōda nān,
ac hēr sculon ābīdan bān birēafod,
besliten seonwum, ond þē þīn sāwl sceal
mīnum unwillan oft gesēcan,
wemman mid wordum, swā þū worhtest tō mē.
60 Eart þū dumb ond dēaf, ne sindan þīne drēamas wiht.
Sceal ic þē nihtes seþēah nȳde gesēcan,
synnum gesārgad, ond eft sōna from ðē
hweorfan on honcrēd þonne hālege menn
Gode lifgendum lofsong dōð,
65 sēcan þā hāmas þe þū mē ǣr scrife
ond þā ārlēasan eardungstōwe,
ond þē sculon moldwyrmas monige cēowan,
seonowum beslītan swearte wihte,
gīfre ond grǣdge. Ne sindon þīne gēahþe wiht
70 þā þū hēr on moldan monnum ēawdest.
Forþon þē wǣre sēlle swīþe micle
þonne þē wǣran ealle eorþan spēde—
būtan þū hȳ gedǣlde Dryhtne sylfum—
þǣr þū wurde æt frumsceafte fugel oþþe fisc on sǣ
75 oððe eorþan nēat ǣtes tiolode,
feldgongende feoh būtan snyttro
ge on wēstenne wildra dēora
þæt grimmeste, þǣr swā God wolde,
ge þēah þū wǣre wyrmcynna þæt wyrreste,
80 þonne þū ǣfre on moldan mon gewurde
oþþe ǣfre fulwihte onfōn sceolde.
Þonne þū for unc bū ondwyrdan scealt
on þām miclan dæge þonne eallum monnum bēoð
wunde onwrigene þā þe in worulde ǣr
85 firenfulle menn fyrn geworhton,
ðonne wile Dryhten sylf dǣda gehȳran
æt ealra monna gehwām mūþes reorde,
wunde wiþerlēan. Ac hwæt wilt þū þǣr

60. Cf. ME, *Þi mouth is dumb, þin ere is def. . . .*
74, 78. **þǣr**—'if'.

on dōmdæge Dryhtne secgan?
90 Þonne ne bið nǣnig tō þæs lȳtel lið on lime geweaxen
þæt þū ne scyle for ǣghwylc ānra onsundran
ryht āgieldan; ðonne rēþe bið
Dryhten æt dōme. Ac hwæt dō wit unc,
þonne Hē unc hafað geedbyrded ōþre sīþe?
95 Sculon wit þonne ætsomne siþþan brūcan
swylcra yrmþa swā þū unc ǣr scrife.'
Firenaþ þus þæt flǣschord, sceal þonne fēran on weg,
sēcan helle grund, nāles heofondrēamas,
dǣdum gedrēfed. Ligeð dūst þǣr hit wæs,
100 ne mæg him ondsware ǣnige secgan
ne þǣr edringe ǣnge gehātan
gǣste gēomrum, gēoce oþþe frōfre.
Biþ þæt hēafod tōhliden, honda tōhleoþode,
geaflas tōginene, gōman tōslitene,
105 seonwe bēoð āsogene, swēora bicowen;
rib rēafiað rēþe wyrmas,
drincað hlōþum hrā, heolfres þurstge.
Bið sēo tunge tōtogen on tȳn healfe
hungrum tō hrōþor; forþon hēo ne mæg horsclīce
110 wordum wrixlan wið þone wērgan gǣst.
Gīfer hātte se wyrm þām þā geaflas bēoð
nǣdle scearpran, sē genēþeð tō
ǣrest ealra on þām eorðscræfe.
Hē þā tungan tōtȳhð ond þā tōþas þurhsmȳhð
115 ond tō ǣtwelan ōþrum gerȳmeð
ond þā ēagan þurhiteð ufon on þæt hēafod
wyrmum tō wiste, þonne biþ þæt wērge
līc ācōlad þæt hē longe ǣr
werede mid wǣdum. Bið þonne wyrmes giefl,
120 ǣt on eorþan. Þæt mæg ǣghwylcum
men tō gemyndum mōdsnotterra.

111. **þām**—possessive dt.
116. **ēagan**—so Vercelli; MS *eaxan.*

29. *Sermo Lupi ad Anglos*

Wulfstan (†1023) was Bishop of London in 996 and Bishop of Worcester and Archbishop of York in 1002 or 1003. Like Ælfric, he was a Benedictine, and much of his writing reflects the concerns of the tenth-century Benedictine revival. Like Ælfric too, he was a careful workman in English prose—he revised a number of Ælfric's works—and his style represents the zenith of rhyme, alliteration and elaborate syntactical patterns in OE.

His life coincided with growing Danish raids on England, and he differed most from Ælfric in carrying out the programme of the Benedictine revival in a public post, not as an abbot but as an archbishop, a counsellor to Æthelred and Cnut, a legislator and a reformer of monasteries, as well as a homilist. The traditions of Biblical exegesis and hagiography which influenced Ælfric's work are absent in Wulfstan's; the *Sermo Lupi* is a catalogue of the weaknesses in his nation which most absorbed his attention. Like the Old Testament prophets whom he echoes, and the historian Gildas whom he cites, he regards the afflictions of the English as the outcome of God's anger at their sins, and so the catalogue lists both the afflictions and the sins.

MS: BM, Cotton Nero A.i — Dialect: Late West Saxon

SERMO LUPI AD ANGLOS QUANDO DANI MAXIME PERSECUTI SUNT EOS, QUOD FUIT ANNO MILESIMO XIIII AB INCARNATIONE DOMINI NOSTRI IESU CRISTI.

Lēofan men, gecnāwað þæt sōð is: ðēos worold is on ofste and hit
nēalǣcð þām ende, and þȳ hit is on worolde aa swā leng swā wyrse;
and swā hit sceal nȳde for folces synnan ǣr Antecrīstes tōcyme yfelian
swȳþe, and hūru hit wyrð þænne egeslīc and grimlīc wīde on worolde.
5 Understandað ēac georne þæt dēofol þās þēode nū fela gēara dwelode
tō swȳþe, and þæt lȳtle getrēowþa wǣran mid mannum, þēah hȳ wel
spǣcan, and unrihta tō fela rīcsode on lande. And næs ā fela manna
þe smēade ymbe þā bōte swā georne swā man scolde, ac dæghwāmlīce
man īhte yfel æfter ōðrum and unriht rǣrde and unlaga manege ealles
10 tō wīde gynd ealle þās þēode. And wē ēac forþām habbað fela byrsta
and bysmara gebiden, and gif wē ǣnige bōte gebīdan scylan, þonne
mōte wē þæs tō Gode earnian bet þonne wē ǣr þysan dydan. Forþām
mid miclan earnungan wē geearnedan þā yrmða þe ūs onsittað, and
mid swȳþe micelan earnungan wē þā bōte mōtan æt Gode gerǣcan

Emendations are from MS Bodleian, Hatton 113; corrections in the Cotton MS, which may be Wulfstan's own, are silently accepted.

Title. **Lupi**—Wulfstan's *nom de plume* for himself in this and other writings.

7. **spǣcan**—MS *swæcan* (confusion of *wynn* and *p*). **rīcsode**—MS *riosode*.

12. **earnian**—MS *ernian*.

15 gif hit sceal heonanforð gōdiende weorðan. Lā hwæt, wē witan ful
georne þæt tō miclan bryce sceal micel bōt nȳde, and tō miclan bryne
wæter unlȳtel, gif man þæt fȳr sceal tō āhte ācwencan. And micel is
nȳdþearf manna gehwilcum þæt hē Godes lage gȳme heonanforð
georne and Godes gerihta mid rihte gelǣste. On hǣþenum þēodum ne
20 dear man forhealdan lȳtel ne micel þæs þe gelagod is tō gedwolgoda
weorðunge, and wē forhealdað ǣghwǣr Godes gerihta ealles tō
gelōme. And ne dear man gewanian on hǣþenum þēodum inne ne ūte
ǣnig þǣra þinga þe gedwolgodan brōht bið and tō lācum betǣht bið,
and wē habbað Godes hūs inne and ūte clǣne berȳpte. And Godes
25 þēowas syndan mǣþe and munde gewelhwǣr bedǣlde; and gedwolgoda
þēnan ne dear man misbēodan on ǣnige wīsan mid hǣþenum lēodum,
swā swā man Godes þēowum nū dēð tō wīde þǣr Crīstene scoldan
Godes lage healdan and Godes þēowas griðian. Ac sōð is þæt ic secge:
þearf is þǣre bōte, forþām Godes gerihta wanedan tō lange innan
30 þysse þēode on ǣghwylcan ænde, and folclaga wyrsedan ealles tō
swȳþe, and hālignessa syndan tō griðlēase wīde, and Godes hūs syndan
tō clǣne berȳpte ealdra gerihta and innan bestrȳpte ǣlcra gerisena,
and wydewan syndan fornȳdde on unriht tō ceorle, and tō mænege
foryrmde and gehȳnede swȳþe, and earme men syndan sāre beswicene
35 and hrēowlīce besyrwde and ūt of þysan earde wīde gesealde swȳþe
unforworhte fremdum tō gewealde, and cradolcild geþēowede þurh
wælhrēowe unlaga for lȳtelre þȳfþe wīde gynd þās þēode, and frēoriht
fornumene and þrælriht genyrwde and ælmæsriht gewanode; and,
hrædest is tō cweþenne, Godes laga lāðe and lāra forsawene. And þæs
40 wē habbað ealle þurh Godes yrre bysmor gelōme, gecnāwe sē þe
cunne; and se byrst wyrð gemǣne, þēh man swā ne wēne, eallre þysse
þēode, būtan God beorge.

Forþām hit is on ūs eallum swutol and gesēne þæt wē ǣr þysan oftor
brǣcan þonne wē bēttan, and þȳ is þysse þēode fela onsæge. Ne dohte
45 hit nū lange inne ne ūte, ac wæs here and hunger, bryne and blōdgyte,
on gewelhwylcan ende oft and gelōme, and ūs stalu and cwalu, strīc
and steorfa, orfcwealm and uncoþu, hōl and hete and rȳpera rēaflāc
derede swȳþe þearle, and ūs ungylda swȳþe gedrehtan, and ūs unwedera

18. **manna**—MS *mana* (from *maña*?).
33. It was illegal to marry a woman within the first year of her widowhood, and widows were encouraged not to remarry at all.
36. The sale of Christian men into slavery among the heathen was condemned.
37. The family of a thief, if they countenanced his crime, shared condemnation with him.
44. **þysse þēode**—the Danes.
48. **ūs ungylda**—*ūs* not in MS.

foroft wēoldan unwæstma; forþām on þysan earde wæs, swā hit þincan
50 mæg, nū fela gēara unrihta fela and tealte getrȳwða ǣghwǣr mid
mannum. Ne bearh nū foroft gesib gesibban þē mā þe fremdan, ne
fæder his bearne, ne hwīlum bearn his āgenum fæder, ne brōþor
ōþrum; ne ūre ǣnig his līf fadode swā swā hē scolde—ne gehādode
regollīce, ne lǣwede lahlīce—ac worhtan lust ūs tō lage ealles tō
55 gelōme, and nāþor ne hēoldan ne lāre ne lage Godes ne manna swā
swā wē scoldan; ne ǣnig wið ōþerne getrȳwlīce þōhte swā rihte swā
hē scolde, ac mǣst ǣlc swicode and ōþrum derede wordes and dǣde,
and hūru unrihtlīce mǣst ǣlc ōþerne æftan hēaweþ mid sceandlīcan
onscytan, dō māre gif hē mæge.

60 Forþām hēr sȳn on lande ungetrȳwþa micle for Gode and for
worolde, and ēac hēr sȳn on earde on mistlīce wīsan hlāfordswican
manege. And ealra mǣst hlāfordswice sē bið on worolde þæt man his
hlāfordes sāule beswīce; and ful micel hlāfordswice ēac bið on worolde
þæt man his hlāford of līfe forrǣde oððon of lande lifiendne drīfe;
65 and ǣgþer is geworden on þysan earde. Ēadweard man forrǣdde and
syððan ācwealde and æfter þām forbærnde. And godsibbas and
godbearn tō fela man forspilde wīde gynd þās þēode tōēacan ōðran
ealles tō manegan þe man unscyldige forfōr ealles tō wīde. And ealles
tō mænege hālige stōwa wīde forwurdan þurh þæt þe man sume men
70 ǣr þām gelōgode swā man nā ne scolde, gif man on Godes griðe
mǣþe witan wolde; and Crīstenes folces tō fela man gesealde ūt of
þysan earde nū ealle hwīle. And eal þæt is Gode lāð, gelȳfe sē þe wille.
And scandlīc is tō specenne þæt geworden is tō wīde and egeslīc is tō
witanne þæt oft dōð tō manege þe drēogað þā yrmþe, þæt scēotað
75 tōgædere and āne cwenan gemǣnum cēape bicgað gemǣne, and wið
þā āne fȳlþe ādrēogað, ān after ānum and ǣlc æfter ōðrum, hundum
gelīccast þe for fȳlþe ne scrīfað, and syððan wið weorðe syllað of
lande fēondum tō gewealde Godes gesceafte and His āgenne cēap þe
Hē dēore gebohte.

80 Ēac wē witan georne hwǣr sēo yrmð gewearð þæt fæder gesealde

50. **getrȳwða**—MS *getryða.*
54. 'But we made pleasure our law. . . .'
66. MS CCCC, 419 adds: *and Æþelrēd man drǣfde ūt of his earde.* This logical conclusion may have been omitted in the MSS made in Cnut's reign, and in copies of them, for political reasons.
67. **tōēacen . . . wīde**—written in the margin and partially destroyed by binder; restored from MS Bodleian, Hatton 113.
78. **His āgenne cēap**—startling juxtaposition of ideas.

bearn wīð weorþe and bearn his mōdor, and brōþor sealde ōþerne fremdum tō gewealde; and eal þæt syndan micle and egeslīce dǣda, understande sē þe wille. And gȳt hit is māre and ēac mænigfealdre þæt dereð þysse þēode. Mænige synd forsworene and swȳþe forlogene, and
85 wed synd tōbrocene oft and gelōme, and þæt is gesȳne on þysse þēode þæt ūs Godes yrre hetelīce onsit, gecnāwe sē þe cunne.

And lā, hū mæg māre scamu þurh Godes yrre mannum gelimpan þonne ūs dēð gelōme for āgenum gewyrhtum? Ðēh þrǣla hwylc hlāforde æthlēape and of crīstendōme tō wīcinge weorþe, and hit
90 æfter þām eft geweorþe þæt wǣpngewrixl weorðe gemǣne þegene and þrǣle, gif þrǣl þæne þegen fullīce āfylle, licge ǣgylde ealre his mǣgðe; and gif se þegen þæne þrǣl þe hē ǣr āhte fullīce āfylle, gylde þegengylde. Ful earhlīce laga and scandlīce nȳdgyld þurh Godes yrre ūs sȳn gemǣne, understande sē þe cunne, and fela ungelimpa gelimpð þysse
95 þēode oft and gelōme. Ne dohte hit nū lange inne ne ūte, ac wæs here and hete on gewelhwilcan ende oft and gelōme, and Engle nū lange eal sigelēase and tō swȳþe geyrigde þurh Godes yrre, and flotmen swā strange þurh Godes þafunge þæt oft on gefeohte ān fēseð tȳne and hwīlum lǣs, hwīlum mā, eal for ūrum synnum. And oft tȳne oððe
100 twelfe, ǣlc æfter ōþrum, scendað tō bysmore þæs þegenes cwenan and hwīlum his dohtor oððe nȳdmāgan þǣr hē on lōcað þe lǣt hine sylfne rancne and rīcne and genōh gōdne ǣr þæt gewurde. And oft þrǣl þæne þegen þe ǣr wæs his hlāford cnyt swȳþe fæste and wyrcð him tō þrǣle þurh Godes yrre. Wālā þǣre yrmðe and wālā þǣre
105 woroldscame þe nū habbað Engle eal þurh Godes yrre! Oft twēgen sǣmæn oððe þrȳ hwīlum drīfað þā drāfe Crīstenra manna fram sǣ tō sǣ ūt þurh þās þēode gewelede tōgædre, ūs eallum tō woroldscame, gif wē on eornost ǣnige cūþon āriht understandan, ac ealne þæne bysmor þe wē oft þoliað wē gyldað mid weorðscipe þām þe ūs
110 scendað. Wē him gyldað singallīce, and hȳ ūs hȳnað dæghwāmlīce. Hȳ hergiað and hȳ bærnað, rȳpaþ and rēafiað and tō scipe lǣdað; and lā, hwæt is ǣnig ōðer on eallum þām gelimpum, būtan Godes yrre ofer þās þēode, swutol and gesǣne?

Nis ēac nān wundor þēah ūs mislimpe, forþām wē witan ful
115 georne þæt nū fela gēara mænn nā ne rōhtan foroft hwæt hȳ worhtan

86. **gecnāwe**—MS *gecnewe*.
88. **hwylc**—MS *wylc*.
91. **ǣgylde**—'without payment of his wergild to his kinsmen'.
101. **lǣt**—'considered'.
107. **woroldscame**—MS *wolodscame*.

wordes oððe dǣde, ac wearð þes þēodscipe, swā hit þincan mæg, swȳþe
forsyngod þurh mænigfealde synna and þurh fela misdǣda: þurh
morðdǣda and þurh māndǣda, þurh gitsunga and þurh gīfernessa,
þurh stala and þurh strūdunga, þurh mannsylena and þurh hǣþene
120 unsida, þurh swicdōmas and þurh searacræftas, þurh lahbrycas
and þurh ǣwswicas, þurh mǣgrǣsas and þurh manslyhtas, þurh
hādbrycas and þurh ǣwbrycas, þurh siblegeru and þurh mistlīce
forligru. And ēac syndan wīde, swā wē ǣr cwǣdan, þurh āðbricas
and þurh wedbrycas and þurh mistlīce lēasunga forloren and forlogen
125 mā þonne scolde, and frēolsbricas and fæstenbrycas wīde geworhte
oft and gelōme. And ēac hēr sȳn on earde apostatan ābroþene and
cyrichātan hetole and lēodhatan grimme ealles tō manege, and
oferhogan wīde godcundra rihtlaga and Crīstenra þēawa, and
hocorwyrde dysige ǣghwǣr on þēode oftost on þā þing þe Godes
130 bodan bēodaþ and swȳþost on þā þing þe ǣfre tō Godes lage gebyriað
mid rihte. And þȳ is nū geworden wīde and sīde tō ful yfelan gewunan,
þæt menn swȳþor scamað nū for gōddǣdan þonne for misdǣdan;
forþām tō oft man mid hocere gōddǣda hyrweð and godfyrhte
lehtreð ealles tō swȳþe, and swȳþost man tǣleð and mid olle gegrēteð
135 ealles tō gelōme þā þe riht lufiað and Godes ege habbað be ǣnigum
dǣle. And þurh þæt þe man swā dēð þæt man eal hyrweð þæt man
scolde heregian and tō forð lāðet þæt man scolde lufian, þurh þæt
man gebringeð ealles tō manege on yfelan geþance and on undǣde,
swā þæt hȳ ne scamað nā þēh hȳ syngian swȳðe and wið God sylfne
140 forwyrcan hȳ mid ealle, ac for īdelan onscytan hȳ scamað þæt hȳ
bētan heora misdǣda, swā swā bēc tǣcan, gelīce þām dwǣsan þe for
heora prȳtan lēwe nellað beorgan ǣr hȳ nā ne magan, þēh hȳ eal
willan.

Hēr syndan þurh synlēawa, swā hit þincan mæg, sāre gelēwede
145 tō manege on earde. Hēr syndan mannslagan and mǣgslagan and
mæsserbanan and mynsterhatan; and hēr syndan mānsworan and
morþorwyrhtan; and hēr syndan myltestran and bearnmyrðran and
fūle forlegene hōringas manege; and hēr syndan wiccan and wælcyrian;
and hēr syndan rȳperas and rēaferas and woroldstrūderas and,
150 hrædest is tō cweþenne, māna and misdǣda ungerīm ealra. And
þæs ūs ne scamað nā, ac ūs scamað swȳþe þæt wē bōte āginnan

123. **þurh āðbricas**—MS *þur aðbricas.*
129. **on þā**—MS *of þa.*
133. **godfyrhte**—MS *godfyhte.*
149. **woroldstrūderas**—MS *worolstruderas.*

swā swā bēc tǣcan, and þæt is gesȳne on þysse earman forsyngodon þēode. Ēalā, micel magan manege gȳt hērtōēacan ēaþe beþencan þæs þe ān man ne mehte on hrædinge āsmēagan, hū earmlīce hit gefaren
155 is nū ealle hwīle wīde gynd þās þēode. And smēage hūru georne gehwā hine sylfne and þæs nā ne latige ealles tō lange.

Ac lā, on Godes naman utan dōn swā ūs nēod is, beorgan ūs sylfum swā wē geornost magan þē lǣs wē ætgædere ealle forweorðan. Ān þēodwita wæs on Brytta tīdum Gildas hātte, sē āwrāt be heora
160 misdǣdum hū hȳ mid heora synnum swā oferlīce swȳþe God gegræmedan þæt Hē lēt æt nȳhstan Engla here heora eard gewinnan and Brytta dugeþe fordōn mid ealle. And þæt wæs geworden þæs þe hē sǣde, þurh rīcra rēaflāc and þurh gitsunge wōhgestrēona, ðurh lēode unlaga and þurh wōhdōmas, ðurh biscopa āsolcennesse and þurh
165 lȳðre yrhðe Godes bydela þe sōþes geswugedan ealles tō gelōme and clumedan mid cēaflum þǣr hȳ scoldan clypian. Þurh fūlne ēac folces gǣlsan and þurh oferfylla and mænigfealde synna heora eard hȳ forworhtan and selfe hȳ forwurdan. Ac wutan dōn swā ūs þearf is, warnian ūs be swilcan; and sōþ is þæt ic secge, wyrsan dǣda wē
170 witan mid Englum þonne wē mid Bryttan āhwār gehȳrdan. And þȳ ūs is þearf micel þæt wē ūs beþencan and wið God sylfne þingian georne. And utan dōn swā ūs þearf is, gebūgan tō rihte and be suman dǣle unriht forlǣtan and bētan swȳþe georne þæt wē ǣr brǣcen. And utan God lufian and Godes lagum fylgean, and gelǣstan swȳþe
175 georne þæt þæt wē behētan þā wē fulluht underfēngan, oððan þā þe æt fulluhte ūre forespecan wǣran. And utan word and weorc rihtlīce fadian and ūre ingeþanc clǣnsian georne and āð and wed wǣrlīce healdan and sume getrȳwða habban ūs betwēonan būtan uncræftan. And utan gelōme understandan þone miclan dōm þe wē ealle tō
180 sculon, and beorgan ūs georne wið þone weallendan bryne hellewītes, and geearnian ūs þā mǣrþa and þā myrhða þe God hæfð gegearwod þām þe His willan on worolde gewyrcað. God ūre helpe, āmēn.

154. **ān man**—i.e., Wulfstan himself?
159. **þēodwita**—Gildas (earth sixth century), author of *Liber Querulus de Excidio et Conquestu Brittaniae ac Flebili Castigatione in Reges, Principes et Sacerdotes* and perhaps of other works, had the cognomen *Sapiens*.
162. **fordōn**—MS *fordom* (see following).
179. **miclan**—MS *miclam*.
182. **ūre**—gn. ob. of *helpe*.

30. Doomsday

The Last Judgement is the theme of three OE poems as well as of parts of others and of many homilies. Sometimes the treatment is narrative, but it is homiletic in the present example, where chronological eschatology has been abandoned in favour of a conceptual scheme. The opening four lines and the closing four offer, in markedly similar phrases, an introduction and a conclusion as a frame for the argument, which proceeds from the divine plan to fires on earth and in hell, and thence to the common judgement after the fire has given way to the waters. Like the *Maxims* the subsequent lines have 'notional' order, e.g., the destruction of worldly glory turns the attention to eternal reward, possible only through the Redemption; the Redeemer knows all men's deeds; the evil-doer will perish at Doomsday. The image of the right and left hand of God recalls and develops from the earlier reference to the Crucifixion. Interspersed in this order are a number of phrases which draw the poet—and his audience—into the abstract scheme: ***nis þæt lȳtulu sprǣc / tō gehēganne; ond se bið wīde cūð; oncweþ nū þisne cwide.***

MS: The Exeter Book — Dialect: Late West Saxon

Ðæt gelimpan sceal   þætte lagu flōweð,
flōd ofer foldan: fēores bið ǣt ende
ānra gehwylcum.   Oft mæg sē þe wile
in his sylfes sefan   sōð geþencan.
5 Hafað Him geþinged hider   þēoden ūser
on þām mǣsten dæge,   mægencyninga Hȳhst;
wile þonne forbærnan   Brego moncynnes
lond mid līge.   Nis þæt lȳtulu sprǣc
tō gehēganne.   Hāt bið onǣled
10 siþþan fȳr nimeð   foldan scēatas,
byrnende līg   beorhte gesceafte.
Bið eal þes ginna grund   glēda gefylled,
rēþra bronda,   swā nū rīxiað
gromhȳdge guman,   gylpe strȳnað,
15 hyra hlāforde   gehlæges tilgað
oþþæt hȳ beswīcað   synna weardas,
þæt hī mid þȳ hēape   helle sēcað,
flēogað mid þām fēondum.   Him biþ fȳr ongēan,
drōflīc wīte,   þǣr nǣfre dæg scīneð

9. **onǣled**—MS *onhæled.*

20 lēohte of lyfte, ac ā bilocen stondeð
sipþan þæs gǣstes gryre āgiefen weorþeð.
Ufan hit is enge ond hit is innan hāt;
nis þæt betlīc bold, ac þǣr is brōgna hȳhst,
ne nōht hyhtlīc hām, ac þǣr is helle grund,
25 sārlīc sīðfæt þām þe sibbe ful oft
tōmældeð mid his mūþe. Ne con hē þā mircan gesceaft,
hū hī būtan ende ēce stondeð
þām þe þǣr for his synnum onsægd weorþeð,
ond þonne ā tō ealdre orleg drēogeð.
30 Hwā is þonne þæs forð glēaw oþþe þæs fela cunne
þæt ǣfre mæge heofona hēahþu gereccan,
swā georne þone Godes dǣl swā hē gearo stondeð
clǣnum heortum þām þe þisne cwide willað
ondrǣdan þus dēopne? Sceal se dæg weorþan
35 þæt wē forð berað firena gehwylce,
þēawas ond geþōhtas; þæt bið þearlīc gemōt,
heardlīc heremægen. Hāt biþ ācōlod.
Ne biþ þonne on þisse worulde nymþe wætres swēg
fisces ēþel.
40 Ne biþ hēr bān ne blōd, ac sceal bearna gehwylc
mid līce ond mid sāwle lēanes fricgan
ealles þæs þe wē on eorþan ǣr geworhtan
gōdes oþþe yfles. Ne mæg nǣnig gryre māre
geweorþan æfter worulde, ond se bið wīde cūð.
45 Ne tȳtaþ hēr tungul, ac biþ tȳr scæcen,
eorþan blǣdas. Forþon ic ā wille
lēode lǣran þæt hī lof Godes
hergan on hēahþu, hyhtum tō wuldre
lifgen on gelēafan ond ā lufan Dryhtnes
50 wyrcan in þisse worulde ǣr þon se wlonca dæg
bodige þurh bȳman brynehātne lēg,
egsan oferþrym. Ne bið nǣnges eorles tīr

23. **bold**—MS *blod*; cf. *Beowulf* 1925a, *bold wæs betlīc.*
30. **forð glēaw**—sometimes emended *ferðglēaw.*
31–34. Translate: '. . . that he can ever reckon the heights of heaven, (reckon) the portion of God so readily as it stands, open to clean hearts that are willing to fear this most profound saying'.
32. **Godes**—just possibly *gōdes*; cf. line 73, note.
39. A defective line.

leng on þissum līfe siþþan lēohtes Weard
ofer ealne foldan fæþm fȳr onsendeð.
55 Līxeð lyftes mægen, lēg ōnetteð
blæc byrnende, blōdgyte weorþeð
mongum gemeldad, Mægencyninges þrēa.
Beofað eal beorhte gesceaft, brondas lācað
on þām dēopan dæge, dyneð ūpheofon.
60 Þonne weras ond wīf woruld ālǣtað,
eorþan yrmþu, sēoð þonne on ēce gewyrht.
Þonne bið gecȳþed hwā in clǣnnisse
līf ālifde: him bið lēan gearo.
Hyht wæs ā in heofonum siþþan ūser Hǣlend wæs,
65 middangeardes Meotud, þurh þā mǣstan gesceaft
on ful blacne bēam bunden fæste
cearian clomme. Crīst ealle wāt
gōde dǣde. Nō þæs gilpan þearf
synfull sāwel þæt hyre sīe swegl ongēan
70 þonne hē gehyrweð ful oft hālge lāre,
brigdeð on bysmer. Ne con hē þæs brōgan dǣl,
yfles ondgiet, ǣr hit hine on fealleð.
Hē þæt þonne onfindeð þonne se fǣr cymeþ,
geond middangeard monegum gecȳþeð,
75 þæt hē bið on þæt wynstre weorud wyrs gescāden
þonne hē on þā swīþran hond swīcan mōte,
leahtra ālȳsed. Lȳt þæt geþenceð
sē þe him wīnes glæd wilna brūceð;
siteð him symbelgāl, sīþ ne bemurneð,
80 hū him æfter þisse worulde weorðan mōte.
 Wile þonne forgieldan gǣsta Dryhten
willum æfter þǣre wyrde, wuldres Ealdor,
þām þe his synna nū sāre geþenceþ,
mōdbysgunge micle drēogeð.
85 Him þæt þonne gelēanað līfes Waldend,
heofona Hyrde, æfter heonansīþe
gōdum dǣdum, þæs þe hē swā gēomor wearð,

64. **Hǣlend**—MS *hæ lendes.*
70. **ful**—MS *fol.*
73. **fǣr**—just possibly *fær*, 'journey', with the same meaning as *sīþ*, line 79.
74. **monegum**—MS *mongegum.*
77–80. Cf. 21/27–29.

sārig fore his synnum. Ne sceal sē tō sǣne bēon
ne þissa lārna tō læt sē þe him wile lifgan mid Gode,
90 brūcan þæs boldes þe ūs beorht Fæder
gearwað tōgēanes, gǣsta Ealdor.
Þæt is Sigedryhten þe þone sele frætweð,
timbreð torhtlīce; tō sculon clǣne,
womma lēase, swā se Waldend cwæð,
95 ealra cyninga Cyning. Forþon cwicra gehwylc,
dēophȳdigra, Dryhtne hȳreð,
þāra þe wile heofona hēahþu gestīgan.
Hwæþre þæt gegongeð, þēah þe hit sȳ grēote beþeaht,
līc mid lāme, þæt hit sceal līfe onfōn,
100 fēores æfter foldan. Folc biþ gebonnen,
Ādāmes bearn ealle tō sprǣce.
Bēoð þonne gegædrad gǣst ond bānsele,
gesomnad tō þām sīþe. Sōþ þæt wile cȳþan
þonne wē ūs gemittað on þām mǣstan dæge,
105 rincas æt þǣre rōde, secgað þonne ryhta fela,
eal swylce under heofonum geweorð hātes ond cealdes,
gōdes oþþe yfles. Georne gehȳreð
heofoncyninga Hȳhst hæleþa dǣde.
Nǣfre mon þæs hlūde horn āþȳteð
110 ne bȳman āblāweþ þæt ne sȳ sēo beorhte stefn
ofer ealne middangeard monnum hlūdre,
Waldendes word. Wongas beofiað
for þām ǣrende þæt Hē tō ūs eallum wāt.
Oncweþ nū þisne cwide: cūþ sceal geweorþan
115 þæt ic gewǣgan ne mæg wyrd under heofonum,
ac hit þus gelimpan sceal lēoda gehwylcum
ofer eall beorht gesetu, byrnende līg.
Siþþan æfter þām līge līf bið gestaþelad;
welan āh in wuldre sē nū wel þenceð.

95. **gehwylc**—MS *gewylc*, perhaps correctly; cf. *won* (for *hwon*), 28/20.
103. **cȳþan**—MS *cyþam* (minim error).
108. **hæleþa**—MS *hæle la*.

Glossary

Words are entered under their spellings in the text, except that *Đ, ð* is interchangeable with *Þ, þ*; some words are listed under an alternative spelling if it is no more than three entries from their proper place; and most inflectional endings are not listed. Some obvious derivations, like verbal adjectives, adjectives used as nouns, and prepositions used absolutely as adverbs, have also not been listed separately.

The dotted consonants indicate palatalization: ċ = [tš], ġ = [j], ċg = [dž], sċ = [š]. *Æ* is listed as a separate letter after *A*.

The italicized form of nouns in parenthesis is the nm. pl., except where the bold-face entry is inflected; there the italicized form is the nm. sg. The entry *vb. an.* includes preterite-present verbs; *vb.* alone indicates a weak (consonantal) verb; *vb.* plus a roman numeral indicates a strong (vocalic) verb of that class. With inflected verbs, the form in parenthesis is the infinitive, and the arabic numeral following the infinitive is the principal part which governs the form in the bold-face entry, according to the following system, which—although modelled on the strong verbs—is applied here to the weak and anomalous verbs as well:

1.	2.	3.	4.	5.
infinitive 1st sg. pres. ind. pl. pres. ind. pres. sbv. pres. part. im.	2nd, 3rd sg. pres. ind.	1st, 3rd sg. past ind.	2nd sg. past ind. pl. past ind. past sbv.	past part.

A rather literal version has been given in translating the words, but the reader may wish to choose another which more exactly suits his understanding of the text.

ā, aa *av* always
aam *m* (*-as*) weaver's reed
aan *aj* one, a single, alone
abbudisse *f* (*-an*) abbess
ābēad *vb II* (*ābēodan*) *3* announce
ābēodan *vb II* announce
āberan *vb IV* bear, support
ābīdan *vb I* await
ābiton *vb I* (*ābītan*) *4* chew up
āblāwan *vb VII* blow
ābohte *vb* (*ābyċgan*) *3* redeem
ābolgen *aj* angry
ābrēað *vb II* (*ābrēoþan*) *3* fail, break away
ābrēgan *vb* alarm
ābrēoþan *vb II* fail, break away
ābroþene *vb II* (*ābrēoþan*) *5* fail, break away
ac *cj* but, but rather
āc *f* (*ǣċ*) oak tree
ācennan *vb* give birth to
ācōlian *vb* become cool
ācsung *f* (*-a*) inquiry
āctrēo *n* (-) oak tree
ācwæð *vb V* (*ācweþan*) *3* declare
ācwehte *vb* (*ācweċcan*) *3* brandish
ācwelan *vb IV* die
ācwellan *vb* kill
ācwenċan *vb* quench
ācwið *vb V* (*ācweþan*) *2* declare
ācȳþan *vb* reveal

Ādām *name* Adam
ādihtan *vb* write
ādilġian *vb* destroy
ādl *f* (*-a*) disease
ādliġ *aj* ill
Ādōm *name* Adam
ādōn *vb an* put (aside), (on)
ādrāf *vb I* (*ādrīfan*) *3* drive away
ādrǣfan *vb* drive away
ādrēag *vb II* (*ādrēogan*) *3* experience, suffer
ādrēogan *vb II* experience, suffer
ādroren *vb II* (*ādrēosan*) *5* decline
ādrūgian *vb* become dry
ādruncan *vb III* (*ādrincan*) *4* drown
ādulfe *vb III* (*ādelfan*) *4* dig
ādūn *av* down
ādwǣsċan *vb* extinguish
ādyde *vb an* (*ādōn*) *3, 4* put (aside), (on)
ǣrest *av* first
aerigfaeru *f*(*-a*) arrowflight
āfandian *vb w gn* test
afara *m* (*-an*) son
āfeallan *vb VII* fall
āflȳman *vb* put to flight
āfunde *vb III* (*āfindan*) *4* find out
āfyllan *vb* fell
āfyrran *vb* expel, deprive
āfȳsan *vb* impel, drive
āgan *vb* have, ought
āgǣlan *vb* hinder, neglect
āġeaf *vb V* (*āġiefan*) *3* give
āg(e)n *aj* own
āgend *m* (-) possessor
āġētan *vb* shoot
āġiefan *vb V* give (back)
āġieldan *vb III* repay
āġinnan *vb III* begin
Agostald *name* Agostald
āgoten *vb II* (*āġēotan*) *5* pour out
āgrōf *vb VI* (*āgrafan*) *3* engrave
Agustīnus *Latin name* Augustine (of Canterbury)
āġyfan *vb V* give (back)
āh *vb* (*āgan*) *1, 2* have, ought
āhafen, āhæfen *vb VI* (*āhebban*) *5* lift up
āhangen *vb VII* (*āhōn*) *5* hang
āhēawan *vb VII* cut (down)
āhebban *vb VI* lift up
āhlōd *vb VI* (*āhladan*) *3* deliver
āhōf, -e; -on, -un *vb VI* (*āhebban*) *3, 4* lift up
āhreddan *vb* rescue
āhte, āhton *vb* (*āgan*) *3, 4* have, ought
āhwār *av* everywhere
āhwēttan *vb* renounce
ālǣdan *vb* lead (away)
ālǣtan *vb VII* leave
albeorht *aj* most bright
ald *aj* old
aldor *m* (*-as*) chief
ālēdon, ālēgon *vb* (*ālēċgan*) *4* put down, diminish
ālēsan *vb* release
ālifde *vb* (*ālibban*) *3* live
al(l)walda *m* (*-an*) all-ruler
almihtiġ *aj* almighty
alwaldend *m* (-) all-ruler
alwihte *f pl* all creatures
ālȳfan *vb* allow
ālȳsan *vb* release
ām *m* (*-as*) weaver's reed
āmēn *Hebr* amen
āmyrran *vb* hinder
ān *aj* one, a single, alone
ānæd *n* (*-u*) desert
ānboren *aj* only-born, ***unigenitus***
āncenda *aj* only-born
āncenned *aj* only-born
anc(o)r *m* (*-as*) anchor
ancra *m* (*-an*) hermit
and *cj* and
anda *m* (*-an*) injury, envy
andġit *n* (*-u*) sense, meaning
andġitfullīċ *av* meaningfully
Andreas *name* the disciple Andrew
andsaca *m* (*-an*) apostate, enemy
andswarian *vb* answer
andswaru *f* (*-a*) answer
andweald *m* (*-as*) power
andweard *aj* present
andwyrdan *vb* answer
anfeng *m* (*-as*) taking (hold)
ānfloga *m* (*-an*) lone flyer
ānforlǣtnes *f* (*-sa*) loss
ānforlēte *vb VII* (*ānforlǣtan*) *4* relinquish
ānga *aj* only
ang(e)l *m* (*-as*) angel
Angelcynn *n* (-) English race
anġinn *n* (-) beginning, scheme
ānhaga, ānhoga *m* (*-an*) lone dweller
ānhȳdiġ *aj* single-minded
Anlāf *name* Ólaf
ānlēpe *aj* single
ānmōd *aj* single-minded
ānnys *f* (*-sa*) unity
anōegnan *vb* fear
ānrǣd *aj* single-minded

ānseld *n* (-) hermitage
ānstapa *m* (*-an*) lone walker
ansȳn *f* (*-a*) appearance, countenance
Antecrīst *m* (*-as*) Antichrist
anwald *m* (*-as*) power
anwealda *m* (*-an*) ruler
apostata *m* (*-an*) apostate
apostol *m* (*-as*) apostle
ār *f* (*-a*) honour, mercy
ār *m* (*-as*) messenger
ārās *vb I* (*ārīsan*) *3* arise
ārǣd *aj* resolute, inexorable, wise?
ārǣdan *vb VII* read
ārǣran *vb* raise up
āreaht *vb* (*āreċċan*) *5* interpret, translate, extend, tell
āreċċ(e)an *vb* interpret, translate, extend, tell
ārētan *vb* brighten
ārfæstnes, -nis *f* (*-sa*) honour, virtue
ārhwaṭ *aj* eager for honour
āri(ġ)an *vb* honour, grant mercy to
ariht *av* rightly
ārīsan *vb I* arise
ārlēas *aj* dishonourable
ārwyrð *aj* honourable
ārwyrðnes *f* (*-sa*) honour
āsānian *vb* weaken
āsǣde *vb* (*āseċgan*) *3* say
asca *m gn pl* (*æsc*) spear
āsċān *vb I* (*āsċīnan*) *3* shine
āsċēoc *vb VI* (*āsċeacan*) *3* brandish
āseċgan *vb* say
āsettan *vb* set
āsmēagan *vb* consider
āsogen *vb II* (*āsūgan*) *5* suck
āsolċennes *f* (*-a*) sloth
āsong *vb III* (*āsingan*) *3* sing
āspringan *vb III* spring up
Asser *name* Asser
āstāg, āstāh *vb I* (*āstīgan*) *3* ascend
āstīgan *vb I* ascend
āstīhð *vb I* (*āstīgan*) *2* ascend
āstondan *vb VI* stand up
āstyrian *vb* (re)move
āsundrian *vb* separate
āswāmian *vb* cease
āswefed *vb* (*āswebban*) *5* kill
ātēorian *vb* fail, perish
atol *aj* terrible, bitter
ātt(o)r *aj* poisonous
āttorsċeaþa *m* (*-an*) deadly foe
ātuge *vb II* (*ātēon*) *4* draw
āð *m* (*-as*) oath
āðbriċe *m* (*-as*) oath-breaking
āþeċgan *vb* receive?
āþenċan *vb* devise
āþenian *vb* stretch (out)
āþrong *vb III* (*āþringan*) *3* shove out
āþȳtan *vb* blow, sound
āuefan *vb V* weave
Augustīnus *Latin name* Augustine
āwa *av* always
āwācian *vb* weaken
āwǣfan *vb V* (*āwefan*) *4* weave
āwǣgan *vb* neglect
āweaht *vb* (*āweċċan*) *5* awake, incite
āweallan *vb VII* boil
āweaxan *vb VII* grow (up)
āweċċ(e)an *vb* awake, incite
āweht, -e *vb* (*āweċċan*) *5, 4* awake, incite
āwendan *vb* turn (aside)
āwēox *vb VII* (*āweaxan*) *3* grow (up)
āwierġan *vb* curse
āwiht *av* at all
āwo *av* always
āworpen *vb III* (*āweorpan*) *5* cast (out)
āwrāt *vb I* (*āwrītan*) *3* write
āwræc *vb V* (*āwrecan*) *3* relate, pierce
āwrecan *vb V* relate, pierce
āwrītan *vb I* write
āwunian *vb* remain
axe *f* (*-an*) ash
āxian (āscian) *vb* ask

ǣ *f* (*ǣwa*) law
ǣbylġ *f* (*-a*) offence, anger
ǣċe *aj* eternal
æcer *m* (*-as*) field
ǣdre *av* clearly
ǣfæst *aj* pious
ǣfæstnes *f* (*-sa*) piety
ǣfenglōm *m* (*-as*) twilight
ǣfen(n) *f* (*-a*) evening
ǣfentīd *f* (*-a*) evening
ǣfest *aj* pious
æfēst *n* (-) envy
ǣfestnes, -nis *f* (*-sa*) piety
ǣfre *av* ever, always
ǣfre embe stunde *av* now and again
æftan *av* (from) behind
æfter *aj* second
æfter *prp* after, following, according to, among
æftercweþend *m* (-) reciter of posthumous fame

æfterfylġend *aj* following
æftergenga *m* (*-an*) successor
æfterspyriġean *vb* follow
æfweard *aj* absent
ǣfyllend *m* (-) lawful person
ǣfyn *f* (*-a*) evening
ǣġhwā *prn* (*gn sg ǣġhwæs*) each, any one
ǣġhwǣr *av* everywhere
ǣġhwæþer *prn av* both
ǣġhwylċ *aj* each
ǣġðer (**. . . ġe . . . ġe**) *av* both (. . . and)
ǣġylde *aj* unatoned for
Ǣġypte *name* Egypt
ǣht *f* (*-a*) possession
ǣlan *vb* burn
ælbeorht *aj* most bright
ǣlċ *aj* each
ælde *m pl* men
ældo *f* (*-a*) age
ǣled *m* (*-as*) fire
Ælfere *name* Ælfere
Ælfnōð *name* Ælfnoth
Ælfred *name* Alfred
Ælfriċ *name* Ælfric
Ælfwine *name* Ælfwine
ǣlīċ *aj* lawful
æl(l)meahtiġ, -mehtiġ, -mihtiġ *aj* almighty
ælmæsriht *n* (-) right to receive alms
ælmesġeorn *aj* charitable
ǣn *aj* one
ænde *m* (*-as*) end, district
ǣn(e)ġ, -iġ *aj* any
ænge *aj* narrow
æng(e)l *m* (*-as*) angel
ǣnliċ *aj* unique, precious
ǣr *av*, *cj*, *prp* before, earlier, previous
ærċebiscep *m* (*-as*) archbishop
ǣrdæġ *m* (*-dagas*) previous time
ǣren *aj* brass
ǣrende *n* (*-u*) errand
ǣrendġewrit *n* (*-u*) letter
ǣrendsprǣċ *f* (*-a*) message
ǣrendwreca *m* (*-an*) messenger
ǣrenmerġen *m* (*-as*) early morning
ǣrest, -ist *aj*, *av* first
ǣrġewin(n) *n* (-) former strife
ǣriste *f* (*-a*) ascension
ærnan *vb* ride
ǣror, -ur *av* earlier
ǣrsċeaft *f* (*-a*) ancient work
ǣs *n* (-) carrion
æsc *m* (*-as*) spear
Æscferð *name* Æscferth
æschere *m* (*-gas*) Danish army
æscholt *n* (-) spear
æstel *m* (*-as*) bookmark
æt *prp* at, from, by
ǣt *m* (*-as*) food
ætēawan, ætēowan *vb* show
ætforan *prp* before
ætgæd(e)re *aj*, *av* together
ǣtġeofa *m* (*-an*) food-giver
æthlēapan *vb VII* escape
ætryhte *aj* near
ætsamne, -somne *av* together
ættern, ættryn *aj* poisonous
ǣtwela *m* (*-an*) abundance of food
ætwist *f* (*-a*) sustinence, presence
ætwītan *vb I* reproach (with)
æþele *aj* noble, inborn
Æþelfrið *name* Æthelfrith
Æþelgār *name* Æthelgar
æþelīċ *aj* noble
æþeling *m* (*-as*) prince, hero
æþelo, -u *f* (*-a*) lineage, nobility
Æþelrēd *name* Æthelred
Æþelstān *name* Æthelstan
æþeltung(o)l *n* (*-u*) noble star
Æþeriċ *name* Ætheric
ǣwbryċe *m* (*-as*) adultery
ǣwisċmōd *aj* ashamed
ǣwswiċe *m* (*-as*) violation of law

bād *vb I* (*bīdan*) *3* await, endure
bald *aj* bold
baldlīċe *av* boldly
balu *f* (*-wa*) evil
bān *n* (-) bone
bana *m* (*-an*) slayer
bānfæt *n* (*-fatu*) body
bānloca *m* (*-an*) body
bānsele *m* (*-as*) body
bāt *m* (*-as*) boat
baþian *vb* bathe
baþu *n pl* (*bæþ*) bath
bæċ *av* backwards, behind
bæd *vb V* (*biddan*) *3* request
bǣdan *vb w gn* exist in
bǣdon *vb V* (*biddan*) *4* request
bǣl *n* (-) fire
bǣm *aj dt pl* (*bēġen*) both
bær, bǣre, -on *vb IV* (*beran*) *3, 4* bear
bærnan *vb* burn
bærst *vb III* (*berstan*) *3* burst
bæþ *n* (**baþu**) bath

be *prp* by, along, according to
bēac(e)n *n* (-) sign
bēacnian *vb* make a sign
beado *f* (-*uwa*) battle
Beadohild *name* Beadohild
beaducāf *aj* bold
beadurǣs *m* (-*as*) attack
beaduweorc *n* (-) battle-work
bēag *m* (-*as*) ring
bēahġifa *m* (-*an*) ring-giver
bealdlīċe *av* boldly
bealofūs *aj* ready for evil
bealosīþ *m* (-*as*) evil journey
bealuware *f* (-*an*) evildoer
bēam *m* (-*as*) tree, beam
bearh *vb III* (*beorgan*) *3* save, refrain (from)
bearm *m* (-*as*) bosom, lap
bearn *n* (-) child
bearnmyrðre *f* (-*an*) infanticide
bearo *m* (-*was*) grove
bebēad *vb II* (*bebēodan*) *3* command, ask
bebīodan *vb II* command, ask
bebod *n* (-*u*) command
beboden *vb II* (*bebēodan*) *5* command, ask
bebudon *vb II* (*bebēodan*) *4* command, ask
bēċ *f dt sg*, *pl* (*bōc*) book
becōm, -an, -on, -cwōm *vb IV* (*becuman*) *3*, *4*, *3* come
becuman *vb IV* come
becymeð *vb IV* (*becuman*) *2* come
Bēda *name* Bede
bedǣlan *vb* deprive
bed(d) *n* (-) bed
bedealf *vb III* (*bedelfan*) *3* bury
bedīġlian *vb* conceal
bedrīfan *vb I* drive, beat
bedyrnan *vb* conceal
befangen *vb VII* (*befōn*) *5* clasp
befællan *vb* fell
befæstan *vb* apply
befealdan *vb VII* (en)fold
befeallan *vb VII* fall
befēng *vb VII* (*befōn*) *3*
befēolan *vb III* grant
befēold *vb VII* (*befealdan*) *3* (en)fold
beflōwan *vb VII* flow (over)
beforan *prp* before
befullan *av* fully
began(n) *vb III* (*beġinnan*) *3* begin
bēgan *vb* bend
beġēat, -an, -e, -on *vb V* (*beġietan*) *3*, *4* seize, obtain
bēġen *aj* both
beġietan *vb V* seize, obtain
beġiondan *prp* beyond
begoten *vb II* (*beġēotan*) *5* pour (out)
begrornian *vb* lament
beġyteþ *vb V* (*beġietan*) *2* seize, obtain
behealdan *vb VII* keep, observe
behealt *vb VII* (*behealdan*) *sg im* keep, observe
behēold, -e, -on *vb VII* (*behealdan*) *3*, *4* keep, observe
behētan *vb VII* (*behātan*) *4* promise
behindan *av* (from) behind
behionan *prp* on this side
behlīð *vb* (*behlīgan*) *2* defame
behōfian *vb* require
behrīman *vb* be-rime
behȳdan *vb* hide
behȳdiġ *aj* mindful
belēolc *vb VII* (*belācan*) *3* surround
belifd *vb* (*belibban*) *5* deprive of life
belimpan *vb III* pertain to, happen
belumpen, -on *vb III* (*belimpan*) *4* pertain to, happen
bēme *f* (-*an*) trumpet
bemurnan *vb III* bewail
benċ *f* (-*a*) bench
bend *m*/*f*/*n* (-*as*, -*a*, -) fetters
benēah *vb an* enjoy
benemnan *vb* declare
benn *f* (-*a*) wound
benumen *vb IV* (*beniman*) *5* deprive
bēo *vb an* (*bēon*/*wesan*) *1* to be
bēodan *vb II* announce, command
beofian *vb* tremble
bēon *vb an* to be
beorg *n* (-) mountain
beorgan *vb III* save
beorht *aj* clear, bright
beorhtlīċ *aj* clear, bright
beorhtnes, -nys *f* (-*a*) clarity, brightness
beorn *m* (-*as*) (noble)man, warrior
beorn *vb III* (*biernan*) *3* burn
Beorniċe *m pl* Bernicians
beornþrēat *m* (-*as*) warrior band
bēorsele *m* (-*as*) festive hall
bēot *n* (-) promise, threat
bēotan *vb VII* (*bēatan*) *4* beat
bēotian *vb* promise, threaten
beoð *vb an* (*bēon*/*wesan*) *2* to be
beran *vb IV* bear
bere *m* (-*as*) barley
beren *aj* of barley
berofen *vb II* (*berēofan*) *5* deprive

bēron *vb IV* (*beran*) *4* bear
berstan *vb III* burst
berȳpan *vb* despoil
besāwan *vb VII* sow
besċær *vb IV* (*besċieran*) *3* cut, shear
besċyrian (bi-) *vb* deprive
beseah *vb V* (*besēon*) *3* look, see
beslaġen *vb VI* (*beslēan*) *5* cut (down)
beslītan *vb I* tear
besmītan *vb I* harm
bestōdon *vb VI* (*bestandan*) *4* stand about
bestrȳpan *vb* bestrip
bestrȳðan *vb* heap up, erect
besūðan *av* south
beswāc *vb I* (*beswīcan*) *3* betray, deceive
beswīċan *vb I* betray, deceive
beswylan *vb* stain
besyrwian *vb* deceive
bet *av* better
bētan *vb* improve, amend
betǣċan *vb* dedicate, commit (to)
betǣht *vb* (*betǣċan*) *5* dedicate, commit (to)
bētend *m* (-) improver
bet(e)re *aj* better
bet(e)st *aj* best
Bethania *Lat name* Bethany
Betle(e)m *Hebr name* Bethlehem
betlīċ *aj* excellent
bēt(t)an *vb* improve, amend
betwēonan, -um *prp* between
betwux *prp* between
betȳnan *vb* close
beþ *n* (*-u*) bath
beþeaht *vb* (*beþeċcan*) *5* cover
beþenċan *vb* consider
beweax(e)n *aj* (over)grown
bewindan *vb III* (be)wind
bewiste *vb an* (*bewitan*) *3* watch over
bewitiġan *vb* care for
beworht(e)n *vb* (*bewyrċan*) *5* create
beworpen *vb III* (*beweorpan*) *5* cast
bewrēon *vb I* hide
bewriġen *vb I* (*bewrēon*) *5* cover
bewrīð *vb I* (*bewrēon*) *2* cover
bewunden *vb III* (*bewindan*) *5* (be)wind
bī *prp* by, along, according to
biað *vb an* (*bēon/wesan*) *1* to be
bibēad *vb II* (*bibēodan*) *3* command, ask
bibūgan *vb II* encompass
biċgan *vb* buy
bicowan *vb II* (*biċēowan*) *5* chew through
bicwōm *vb IV* (*bicuman*) *3* come
bīdan *vb I* await, endure
bidǣlan *vb* separate
biddan *vb V* request
bidēaġlian *vb* hide
bidon *vb I* (*bīdan*) *4* await, endure
bidroren *vb II* (*bidrēosan*) *5* deprive
bifæstan *vb* apply, secure
bifian *vb* tremble
bifolen *vb III* (*bifēolan*) *5* grant
bifongen *vb VII* (*bifōn*) *5* clasp
biforan *prp* before
biġ *prp* by
biġeal *vb III* (*biġiellan*) *3* scream
biġeat *vb V* (*biġietan*) *3* seize, obtain
bīgenga *m* (*-an*) companion
biglād *vb I* (*biglīdan*) *3* glide (away)
bīgong *m* (*-as*) circuit
biġstandan *vb VI* stand by
bihongen *vb VII* (*bihōn*) *5* behang
bihroren *vb II* (*behrēosan*) *5* fall
bilēac *vb II* (*bilūcan*) *3* enclose
bileġde *vb* (*bileċgan*) *3* embrace
bilewit *aj* merciful
bilġesleht *n* (-) clash of swords
bill *n* (-) sword
bilocen *vb II* (*bilūcan*) *5 enclose*
biloren *vb II* (*bilēosan*) *5* deprive (of)
bilūcan *vb II* enclose
bindan *vb III* bind
binn *f* (*-a*) manger
binnan *prp* within
binōm *vb IV* (*biniman*) *3* take
birēafian *vb* despoil
bireð *vb IV* (*beran*) *2* bear
biscep, -eop, -op *m* (*-as*) bishop
biscepstōl *m* (*-as*) bishopric
bisċyrian *vb* deprive
biseah *vb V* (*bisēon*) *3* look, see
bisen *f* (*-a*) example, parable
bisgo *f* (*-a*) labour, affliction
bist *vb an* (*bēon/wesan*) *2* to be
bītan *vb I* bite
bite *m* (*-an*) bite
bitolden *vb III* (*biteldan*) *5* cover, overcome
bit(t)(e)r *aj* bitter
bitwēon *prp* between
biþ *vb an* (*bēon/wesan*) *2* to be
biþeahte *vb* (*biþeċcan*) *3* cover
biþenċan *vb* consider
biuorht *vb* (*biwyrċan*) *5* create
biwāun *vb VII* (*biwāwan*) *5* blow
biwerian *vb* (defend (from))
biworpen *vb III* (*biweorpan*) *5* cast
biwrāh *vb I* (*biwrēon*) *3* hide

biwrecen *vb V* (*biwrecan*) *5* afflict
biwrītan *vb I* copy
blāc *aj* pale, white
blācian *vb* become pale
blandenfeax *aj* grey-haired
blāt *aj* pale
blāwan *vb VII* blow, bloom
blæċ *aj* black
blæco *f* (*-a*) pallor
blǣd, blēad *m* (*-as*) prosperity, harvest
blætsian, bletsian *vb* bless
blēd *f* (*-a*) shoot, blade
blēo *n* (-) colour
blīcan *vb I* shine, appear
blinnan *vb III* cease
blis(s) *f* (*-a*) happiness
blissian *vb* enjoy
blīþe *aj* happy
blōd *n* (-) blood
blōdġyte *m* (*-as*) bloodshed
blōdiġ *aj* bloody
blōstm *m* (*-as*) flower
blys(s) *f* (*-a*) happiness
bōc *f* (*bēċ*) book
bōcere *m* (*-as*) author, scholar
boda *m* (*-an*) messenger, herald
bodi(ġ)an *n vb* announce
bōg *m* (*-as*) arm, shoulder
boga *m* (*-an*) bow
bold *n* (-) dwelling
boldāgend *m* (-) householder
bond *vb III* (*bindan*) *3* bind
booc *f* (*beċ*) book
bord *n* (-) shield, side of ship
bordġelāc *n* (-) strife
bordweal(l) *m* (*-as*) shield-wall
bōsm *m* (*-as*) bosom, womb
bōt *f* (*-a*) remedy
Bōthelm *name* Bothelm
botm *m* (*-as*) bottom
brād *aj* broad (sea)
brand *m* (*-as*) sword, fire-brand
bræc, brǣcan, *vb IV* (*brecan*) *3, 4* break
brǣd *vb III* (*breġdan*) *3* pull out, change, cast
brǣdan *vb* spread
bræġdboga *m* (*-an*) treacherous bow
brēac *vb II* (*brūcan*) *w gn 3* enjoy
breaht(e)m *m* (*-as*) sound
brecan *vb IV* break
brega, -o, -u *m indeclinable* chief, prince
brēgan *vb* terrify
breġdan *vb III* draw, change, cast
brēman *vb* celebrate
brēnan *vb* make brown
brengan *vb III* bring
brēost *n* (-) breast
brēostċearu *f* (*-a*) anxiety
brēostcofa *m* (*-an*) mind
brēosthord *m* (*-as*) mind
brēostsefa *m* (*-an*) mind
brēotan *vb II* destroy
brēr *m* (*-as*) briar
Brettas *m pl* British
briċe *m* (*-as*) violation, breaking
briċg *f* (*-a*) bridge
briċgweard *m* (*-as*) bridge-guardian
briċian *vb* benefit
brīd(e)l *m* (*-as*) bridle
briġd *n* (-) change
briġdeð *vb III* (*breġdan*) *2* pull out, change, cast
brim *n* (*-u*) sea
brimfug(o)l *m* (*-as*) sea-bird
brimhengest *m* (*-as*) ship
brimlād *f* (*-a*) sea-path
brimlīþend *m* (-) sailor
brimman(n) *m* (*-men*) sailor
bringan *vb III* bring
brocen *vb IV* (*brecan*) *5* break
brōga *m* (*-an*) terror
brōht, -e *vb III* (*bringan*) *3, 4* bring
brond *m* (*-as*) sword, fire-brand
brondhord *m* (*-as*) burning treasure, diseased thought (?)
brosnian *vb* perish
brōð(o)r *m* (*-, -u*) brother
brūcan *vb II w gn* enjoy, experience
brūn *aj* brown
Brunanburh *name* Brunanburh
brūneċg *aj* brown-edged
bryċe *m* (*-as*) violation, breaking
bryċgian *vb* bridge
brȳd *f* (*-a*) woman
bry(h)tnian *vb* distribute
bryhto *f* (*-a*) brightness
bryne *m* (*-as*) burning
brynehāt *aj* burning hot
Bryten *aj* British
brytta *m* (*-an*) distributor
Bryttas *m pl* British
bryttian *vb* distribute
bū *aj* both
būan *vb* dwell (in)
būgan *vb II* move
bunden *vb III* (*bindan*) 5 bind

būne *f* (*-a*) cup
burg *f* (*byriġ*) town
burgon *vb III* (*beorgan*) *4* save
burgræċed *n* (*-u*) town dwelling
burgsæl *n* (*-salu*) house
burgsele *m* (*-as*) house
burgsorg *f* (*-a*) city-sorrow
burgsteall *m* (*-as*) city
burgstede *m* (*-as*) city
burgtūn *m* (*-as*) city
burgware *f* (*-an*) citizen
burh *f* (*byriġ*) town
burne *m/f* (*-an*) brook
burnsele *m* (*-as*) bath-house
burston *vb IV* (*berstan*) *4* burst
būrþēn *m* (*-as*) chamberlain
būtan, -on *prp cj av* except, unless, without
būtu *aj* both
bydel *m* (*-as*) messenger
byġan *vb* buy
byldan *vb* encourage
bȳme *f* (*-an*) trumpet
byre *m* (*-as*) time
byrġen(n) *f* (*-a*) tomb
Byrhtelm *name* Byrhtelm
Byrhtnōð *name* Byrhtnoth
Byrhtwold *name* Byrhtwold
byr(i)ġ *f dt sg, pl* city
byriġan *vb* taste, eat
byr(i)ġan *vb* bury
byrnan *vb III* burn
byrne *f* (*-an*) coat of mail
byrnwiga *m* (*-an*) warrior
byrst *m* (*-as*) injury
byrð *vb IV* (*beran*) *2* bear
bysen *f* (*-a*) example, parable
bysiġ *aj* busy
bysmar, -er, -or *n* (*-u*) shame
bysm(e)rian *vb* shame
byð *vb an* (*bēon/wesan*) *2* to be

Cadwalla *name* Cadwalla
cāf *aj* bold
cāflīċe *av* boldly
cald *aj* cold
camp *m* (*-as*) battle
campstede *m* (*-as*) battlefield
can(n) *vb an* (*cunnan*) *1, 2* know
canōn *m* (*-as*) canon
carcern *n* (-) prison
cāsere *m* (*-as*) emperor
cændæ *vb* (*cennan*) *3* give birth (to)
ċēafl *m* (*-as*) jaw
ċeald *aj* cold
ċeallian *vb* call
ċēap *m* (*-as*) price, market, purchase
ċēapēadiġ *aj* prosperous
ċearful *aj* miserable
ċearian *vb* sorrow
ċeari(ġ)(e) *aj, av* sorrowful(ly)
ċearo *f* (*-a*) care
ċearseld *n* (-) sorrowful place
ċeast(e)r *f* (*-a*) city
Cedmon *name* Cædmon
Cedwalla *name* Cadwalla
cellod *aj* meaning unknown
cempa *m* (*-an*) warrior
cēne *aj* bold
cēnlīce *av* boldly
cennan *vb* give birth (to)
ċēol *m* (*-as*) ship
Ċēola *name* Ceola
ċēolþelu *f* (*-a*) ship
ċeorl *m* (*-as*) (free)man
ċēosan *vb II* choose
ċēowan *vb II* chew
ċer(i)ġ *aj* sorrowful
ċer(r)an *vb* turn
cherubim *Hebr name* Cherubs
ċild *n* (*-ru*) child
cimð *vb IV* (*cuman*) *2* come
cing *m* (*-as*) king
ċinnan *vb* add to?
ċir(i)ċe *f* (*-an*) church
ċirm *m* (*-as*) clamor
ċīþ *m* (*-as*) sprout
clamm *m* (*-as*) bond
clāþ *m* (*-as*) cloth, (*pl*) clothes
clǣne *aj* clean, pure
clǣne *av* entirely
clǣnnis *f* (*-sa*) purity
clǣnsian *vb* clean
cleopan *vb* call
clif *n* (*-u*) cliff
clomm *m* (*-as*) bond
clufan, -on *vb VII* (*clēofan*) *4* cleave
clumian *vb* mumble
clūst(o)r *n* (*-u, o*) prison, barrier
clypian *vb* call
clyppan *vb* embrace
cnapa *m* (*-an*) boy
cnear(r) *m* (*-as*) warship
cnēo *n* (-) knee, generation
cnēomǣġ *m* (*-māgas*) kinsman
cnēoris *f* (*-sa*) family, generation

cniht *m* (*-as*) boy, retainer
cnoll *m* (*-as*) hill
cnossian *vb* strike
cnyssa(n) *vb* beat, afflict, press
cnyttan *vb* tie
coc(e)r *m* (*-as*) arrow-quiver
cōlian *vb* cool
collenferð *aj* bold
cōm, -e *vb IV* (*cuman*) *3, 4* come
comp *m* (*-as*) battle
condel *n* (-) candle
con(n) *vb an* (*cunnan*) *1, 2* know
corn *n* (-) grain
corð(e)r *n* (*-u*) troop
Costontīnus *Lat name* Constantine
cradolċild *n* (*-ru*) cradle-child
cræft *m* (*-as*) skill, strength, troop
Crēacas *m pl* Greeks
crēad *vb II* (*crūdon*) *3* press
cringan *vb III* perish, fall
Crīst *name* Christ
Crīst(e)n *aj* Christian
crīstendōm *m* (*-as*) Christendom
cruncon, -gon, -gun *vb III* (*cringan*) *4* perish, fall
cuman *vb IV* come
cumbolġehnast *n* (-) clash of banners
cunnan *vb an* know
cunni(ġ)an *vb* test, try, search, experience
curfon *vb III* (*ċeorfan*) *4* carve
cūþ *aj* famous, known
cūðe, -en, -on *vb an* (*cunnan*) *3, 4* know
cwacian *vb* quake
cwalu *f* (*-a*) death
cwanian *vb* lament
cwæð *vb V* (*cweþan*) *3* say, speak
cwǣden, -an, -on *vb V* (*cweþan*) *4* say, speak
cweden *vb V* (*cweþan*) *5* say, speak
cwēn *f* (*-a*) queen
cwene *f* (*-an*) woman
cweþan *vb V* say, speak
cwiċ *aj* alive
cwiċsusl *n* (-) torment
cwide *m* (*-as*) speech, saying
cwideġiedd *n* (-) song
cwið *vb V* (*cweþan*) *2* say, speak
cwīþan *vb* lament
cwōm, -an, -un *vb IV* (*cuman*) *3, 4* come
cwuc *aj* alive
cwyde *m* (*-as*) speech, saying
cwyð *vb V* (*cweþan*) *2* say, speak
cyme *m* (*-as*) coming, advent
cym(e)þ *vb IV* (*cuman*) *2* come
cynelīc *aj* noble, regal
cynerīċe, *n* (-) kingdom
cynestōl *m* (*-as*) throne
cynin(c)g(c) *m* (*-as*) king
cyningcynn *n* (-) royal family
cyningwīċ *n* (-) regal town?
cyn(n) *n* (-) race, tribe
ċȳpan *vb* buy, sell
ċyrċe *f* (*-an*) church
cyre *m* (*-as*) choice
ċyriċhata *m* (*-an*) enemy of the church
ċyrm *m* (*-as*) clamour
cyssan *vb* kiss
cyst *aj* choicest
cȳþan *vb* show, reveal
cȳþþ(o) *f* (*-a*) native country

dagas, -(en)a, -um *m pl* (*dæġ*) day
dagian *vb* dawn
dalo, -a *n pl* (*dæl*) dale
darað, -oþ *m* (*-as*) spear
dareðlācende *aj* spear-wielding
daro *f* (*-a*) injury
Dauid, -þ *name* David
dǣd *f* (*-a*) deed
dæġ *m* (*dagas*) day
dæġhwāmlīċe, -hwōm-, -hwōn- *av* daily
dæġ(red)wōma *m* (*-an*) dawn
dæġweorc *n* (-) work
dǣl *m* (*-as*) portion
dǣlan *vb* share
dēad *aj* dead
dēaf *aj* deaf
dēah *vb an* (*dugan*) *1, 2* profit
dear *vb an 1, 2* dare
dearninga *av* secretly
dēaþ *m* (*-as*) death
dēaþdæġ (*-dagas*) death-day
dēaw *m* (*-as*) dew
dēgol *aj* mysterious
dēma *m* (*-an*) judge
dēman *vb* judge
Dene *name* Danes
Denīs *name* Denis
denu *f* (*-a*) valley
dēof(o)l *n* (-) devil
dēofolġyld *n* (-) idol, idolatry
dēop *aj* deep
dēophȳdiġ *aj* deep-thoughted
dēoplīċ *aj* deep
dēopnys *f* (*-sa*) profundity

dēor *n* (-) wild animal
deorc *aj* dark
dēor(e) *aj, av* brave(ly), dear(ly)
Dēre *m pl* Deirans
derian *vb* injure
dēð *vb an* (*dōn*) *2* do
Difelin *name* Dublin
diġelnys *f* (-*sa*) mystery
dīġlan *vb* hide
dīġle *aj* mysterious
dihtan *vb* write
dimm *aj* dim
Dingesmere *place-name*?
discipulus *Lat* disciple
dogian *vb* suffer?
dōg(o)r *n* (-) day
dohte *vb an* (*dugan*) *3* profit
dohtor *f* (-, -*ru*) daughter
dol *aj* foolish
dolg, dolh *n* (-) wound
dollīċe *av* foolishly
dōm *m* (-*as*) will, judgement
dōmdæġ *m* (-*dagas*) judgement-day
dominationes *Lat f pl* Dominations
dōmsetle *n* (-) judgement-seat
dōn *vb an* do
dorste *vb an* (*dear*) *3* dare
draca *m* (-*an*) dragon
draf *f* (-*a*) drove
drǣfan *vb* drive
drēag *vb II* (*drēogan*) *3* perform, endure, strive
dreahtest *vb* (*dreċċan*) *4*
drēam *m* (-*as*) joy
drēfan *vb* stir (up), drive
dreng *m* (-*as*) warrior
drēogan *vb II* perform, endure, strive
drēorġian *vb* decay
drēor(i)ġ *aj* sad
drēoriġhlēor *aj* sad in countenance
drēorsele *m* (-*as*) sad abode
drēosan *vb II* perish
drīfan *vb I* drive
driht(e)n *m* (-*as*) lord, prince
drinc *m* (-*as*) drink
drincan *vb III* drink
drōflīċ *aj* sad
droht, -aþ *m* (-*as*) way of life
drug *m* (-*as*) dust
drugon *vb II* (*drēogan*) *4* perform, endure, strive
dryht *f* (-*a*) troop
dryht(e)n *m* (-*as*) lord, prince
dryhtlīċ *aj* noble
dryhtsċype *m* (-*as*) nobility, lordship
duguþ *f* (-*a*) retainers, honour
dumb *aj* dumb
dūn *f* (-*a*) hill
Dunnere *name* Dunnere
dunnian *vb* become dark?
dūnscræf *n* (-*scrafu*) mountain cave
durre *vb an* (*dear*) *1* dare
dūst *n* (-) dust
dwǣs *aj* foolish
dwǣscan *vb* extinguish
dwelian *vb* lead astray
dyde, -an, -on *vb an* (*dōn*) *3, 4* do
dȳġle *aj* mysterious
dynian *vb* resound
dȳran *vb* praise
dȳre *aj* dear
dyrne *aj* hidden
dysiġ *aj* foolish

ēa *f* (-) river
ēac *prp av* also, in addition (to)
ēacen *aj* pregnant
ēacnian *vb* add to
ēad *n* (-) prosperity
ēadfruma *m* (-*an*) source of prosperity
ēadġiefa *m* (-*an*) giver of prosperity
ēad(i)ġ *aj* prosperous, happy, blessed
ēad(iġ)nes, -nys *f* (-*sa*) prosperity, happiness
ēadmōd *aj* happy
Ēadmund *name* Edmund
Ēadriċ *name* Eadric
Ēadwacer *name*? *m* (-*as*) Eadwacer, miser?
Ēadweard *name* Edward
Ēadwine *name* Edwin
ēafisċ *m* (-*fixas*) river-fish
eaf(o)ra *m* (-*an*) son
ēage *n* (-*an*) eye
eahtnys *f* (-*sa*) persecution
ēalā *ij* alas, behold
eald *aj* old
ealdafæder *m* (-) grandfather
ealdcȳððu *f* (-*a*) old country
ealdfēond *m* (-*as*) old enemy
ealdġestrēon *n* (-) old treasure
ealdġewyrht *n* (-) former deed
ealdian *vb* grow old
ealdor *m* (-*as*) leader, prince
ealdor *n* (-*u*) life, eternity
ealdorlang *aj* enduring

ealdorlegu *f* (*-a*) death
ealdorman(n) *m* (*-men*) alderman
ealdorstōl *m* (*-as*) throne
Ealdwold *name* Ealdwold
ealgian *vb* defend
Ealhelm *name* Ealhelm
eal(l) *aj* all
eallwealend *aj* omnipotent
ealneġ *av* always
ēalond *n* (-) island
ealswā *av* also
ēam *m* (*-as*) uncle
Ēanfrið *name* Eanfrith
eard *m* (*-as*) (native) land
eardġeard *m* (*-as*) world
eardi(ġ)an *vb* dwell (in)
eardstapa *m* (*-an*) wanderer
eardungstōw *f* (*-a*) dwelling-place
earfeþe, -oþe *aj* troubled
earfoðhwīl *f* (*-a*) troubled time
earfoðlīċ(e) *aj av* troubled, with trouble
earg, earh *aj* cowardly
ēarġebland *n* (-) sea-surge
earhfaru *f* (*-a*) flight of arrows
earhlīċ *aj* bad
earm *aj* miserable
earm *m* (*-as*) arm
earmċeariġ *aj* wretched
earmlīċe *av* miserably
earn *m* (*-as*) eagle
earnian *vb* earn
earnung *f* (*-an*) merit
eart *vb an* (*bēon*/*wesan*) *2* to be
ēastan *av* from the east
Ēastdene *m pl* East Danes
ēastende *m* (*-as*) eastern sector
ēasterne *aj* eastern
Ēastertīd *f* (*-a*) Easter season
ēasteð *n* (*-u*) river-bank
Ēastorlīc *aj* of Easter
Ēastseaxe *m pl* East Saxons
eatole *av* terribly, bitterly
ēaðe *av* easily
ēaþmēde *aj* gentle
ēaðmōd *aj* humble, kind, at ease
ēaðmōdlīċe *av* humbly
ēaþmōdnes *f* (*-sa*) humility
ēawan *vb* show, reveal
eaxl *f* (*-a*) shoulder
eaxleġespann *n* (-) cross-beam
ebba *m* (*-an*) ebb-tide
Ebrēisċ *aj* Hebrew
ēċe *aj* eternal
eċg *f* (*-a*) edge, sword
Eċgberht *name* Egbert
eċghete *m* (*-as*) hostility
Eċglāf *name* Eglaf
ēċnes, -nys *f* (*-sa*) eternity
eder *m* (*-as*) enclosure, dwelling
ednēowe *aj* renewed
edring *f* (*-a*) refuge
ēf(e)n *m* (*-as*) evening
efenēadiġ *aj* equally happy
efenēċe *aj* co-eternal
efenġelīċa *aj w gn* similar (to)
efenpynde *aj* equally pent-in?
efne *av* however, only
efstan *vb* hurry
eft *av* again, thereafter, also
eftēadiġ *aj* repeatedly blessed
eġe *m* (*-as*) fear
eġeful *aj* fearful
eġel *aj* troublesome, terrible
eġelēasnes *f* (*-sa*) fearlessness
eġ(e)sa *m* (*-an*) fear, horror
eġesful(l) *aj* fearful
eġeslīc *aj* fearful
ē(i)ġland, -lond *n* (-) island
elde *m pl* men
el(le)n *n* (*-u*) courage
ellenheard *aj* courageous
ellenrōf *aj* brave
ellensprǣċe *f* (*-a*) speech
ellenwōdnis *f* (*-sa*) fury
elles *av* otherwise
ellor *av* elsewhere
elþēod *f* (*-a*) foreign nation
elþēodiġ *aj* foreign
emb(e) *prp* regarding, about
ende *m* (*-as*) end, district
endebyrdnes *f* (*-sa*) order
endedōg(o)r *m* (*-as*) last day
endelēas *aj* endless
endestæf *m* (*-stafas*) end
endlyfte *aj* eleventh
eng(c)(e)l *m* (*-as*) angel
eng(c)ellīċ *aj* angelic
enge *aj* narrow
engelcynn *n* (-) race of angels
Englaland *name* England
Engle *m pl* the English, Angles
Englisċ *n* (-) English (language)
Englisċġereord *n* (-) English language
eng(y)l *m* (*-as*) angel
ent *m* (*-as*) giant
ēode, -on *vb an* (*gān*) *3, 4* go

eodor *m* (*-as*) enclosure, dwelling
eoh *m* (*ēos*) horse
eom *vb an* (*bēon/wesan*) *1* to be
eorcanstān *m* (*-as*) precious stone
eordorcende *aj* ruminant
ēoredċyst *f* (*-a*) troop
eorl *m* (*-as*) earl, leader, (noble)man
eorlġestrēon *n* (-) treasure
Eormanriċ *name* Eormanric
eornost *f* (*-a*), *aj* zeal(ous)
ēorodċist *f* (*-a*) troop
eorðbūend *m* (-) earth-dweller
eorþe *f* (*-an*) earth, world
eorðfæt *n* (*-fatu*) body
eorðgrāp *f* (*-a*) grip of earth
eorþhrērnes *f* (*-sa*) earthquake
eorðmæġen *n* (*-u*) earthly power
eorðrīċe *n* (-) the earth
eorðscræf *n* (*-scrafu*) cave, sepulchre
eorðsele *m* (*-as*) cave
eorðwaru *f* (*-an*) earth-dweller
eorðweġ *m* (*-as*) earth
eorðwela *m* (*-an*) earthly wealth
ēow *prn* you
ēst *f* (*-a*) grace, prosperity
ēstiġ *aj* fortunate
ēþ(e)l *n/m* (-, *-as*) (native) country
ēþelstōl(l) *m* (*-as*) habitation, throne
Ēve *name* Eve

fācen *n* (*-u*) injury, crime
fadian *vb* arrange
fā(h) *aj* hostile, proscribed, guilty, stained, adorned
fandian *vb* investigate, test, tempt
fandung *f* (*-a*) trial, temptation
faran *vb VI* go
faroþ *n* (*-u*) shore
fæċ *n sg* (*faco*) space (of time)
fǣde *aj* burnished
fæder *m* (-) father
fæderansunu *m* (*-a*) uncle's son
fǣġe *aj* fated to die
fæġen *aj* glad
fæġ(e)r *aj* fair, sweet
fæġere *av* well, pleasantly
fæġernis, -nys *f* (*-sa*) beauty
fæġnian *vb* rejoice (in)
fæġrian *vb* become fair
fǣhþo, -u *f* (*-a*) feud, enmity
fǣle *aj* precious, gracious
fǣmne *f* (*-an*) woman, virgin
fǣr *m* (*-as*) danger
færeld *n* (-) journey
fǣrlīċe *av* suddenly
fǣrsċeaða *m* (*-an*) enemy
fǣrsċyte *m* (*-as*) dangerous shot
fǣrsearo *n* (*-u*) deception
færyld *n* (-) journey
fæst(e) *aj av* fast, secure(ly)
fæsten *n* (*-u*) fastness, fast
fæstenbryċe *m* (*-as*) breach of fast
fæsthȳdiġ *aj* resolute
fæstlīċ(e) *aj av* steadfast(ly), irresistibly
fæstnian *vb* fasten
fæstnung *f* (*-a*) security
fǣtels *m* (*-as*) basket
fæþm *m* (*-as*) embrace, lap, bosom
feaht *vb III* (*feohtan*) *3* fight
feala *aj* many
feallan *vb VII* fall
fealohilte *aj* yellow-hilted
fealu, -e-, -w- *aj* fallow (colour)
fēasċeaftiġ *aj* poor
fēa(w) *aj* few
fēdan *vb* feed
feġere *av* well, pleasantly
fela *aj* many
felafrēcne *aj* very fierce
felalēof *aj* very dear
felameahtiġ *aj* very mighty
fēlan *vb* feel
feld *m* (*-as*) field
feldgongende *aj* field-travelling
fēlon *vb III* (*fēolan*) *4* penetrate
fēng *vb VII* (*fōn*) *3* grasp
fen(n) *n* (-) fen
fēodan *vb* (*fēogan*) *4* vex
fēogan *vb* vex
feoh *n* (-) cattle, property
feohġīfre *aj* avaricious
feohtan *vb III* fight
fēol(l), -on *vb VII* (*feallan*) *3, 4* fall
fēolheard *aj* file-hard
fēond *m* (*-as, fīend*) enemy
fēondsċipe, -sċype *m* (*-as*) enmity
fēore, -es *m/n dt, gn sg* life
feorg, feorh *m/n* (*-as*, -) life
feorgbold *n* (-) body
feorgġedāl, feorh- *n* (-) death
feorhġiefa *m* (*-an*) life-giver
feorhhord *m* (*-as*) body
feorhhūs *n* (-) body
feorhneru *f* (*-a*) salvation
feorlond *n* (-) far land

feor(r) *aj, av* far
feorran *av* from afar
fēorþa *aj* fourth
fēower *aj* four
fēowertiġ *aj* forty
fēran *vb* go
ferġan, ferian *vb* carry
fergrunden *aj* cut down
ferloren *aj* lost
fers *n* (-) verse
ferðloca *m* (-*an*) body, breast
ferþ(þ) *m/n* (-*as*, -) spirit
ferðweriġ *aj* disconsolate
fēsan *vb* drive away
fēt *m dt sg, nm/ac pl* (*fōt*) foot
fet(e)r *f* (-*a*) fetter
fettan *vb* fetch
fēþa *m* (-*an*) troop
fēþe *n* (-) (power of) motion
feþ(e)r *f* (-*a*) feather
feðerhoma *m* (-*an*) plumage
fīf *aj* five
fīfta *aj* fifth
fīfteġ *aj* fifty
filiġan *vb* follow
findan *vb III* find
fing(e)r *m* (-*as*) finger
fīond *m* (-*as*) enemy
fiorm *f* (-*a*) use
fīras *m pl* mankind
firen *f* (-*a*) crime, sin
firenful *aj* sinful
firenian *vb* sin
firenlust *m* (-*as*) sinful pleasure
first *m* (-*as*) time
fisċ *m* (-*as*, -*xas*) fish
flacor *aj* flying
flāh, flāhmāh evil
flān *f/m* (-*a*, -*as*) arrow
flānġeweorc *n* (-) arrows
flānhred *aj* arrow-swift
flānþracu *f* (-*a*) flight of arrows
flǣsċ *n* (-) flesh
flǣsċhoma *m* (-*an*) body
flǣsċhord *n* (-) body
flǣsċlīċ *aj* fleshly
flēag *vb II* (*flēogan*) *3* fly
flēah *n* (-) flight
flēam *m* (-*as*) flight
flēan, flēon *vb II* fly, avoid, put to flight
flēman *vb* banish
flēogan *vb II* fly
flēotende *aj* floating
flet(t) *n* (-) floor
flītan *vb I* contend
flīus *n* (-) fleece
flōd *m/n* (-*as*, -) flood, water, river
flōdweġ *m* (-*as*) ocean-way
flōdwudu *m* (-*as*) ship
flōr *f/m* (-*a*, -*as*) floor
flot *n* (-*u*) sea
flota *m* (-*an*) sailor, ship
flotman *m* (-*men*) sailor
flotweġ *m* (-*as*) sea
flōwan *vb VII* flow
flugon *vb II* (*flēon*) *4* fly, avoid, put to flight
flyġe *m* (-*as*) flight
flyht *m* (-*as*) flight
flȳs *n* (-) fleece
fōda *m* (-*an*) food
fōd(d)(o)r *n* (-*u*) food
folc *n* (-) folk, army
folcġestælla, -stealla *m* (-*an*) war-comrade
folclagu *f* (-*a*) peoples' law
folclond *n* (-) peoples' land
folcstede *m* (-*as*) battlefield
foldærn *n* (-) tomb
folde *f* (-*an*) earth
foldhrērende *aj* earth-travelling
foldweġ *m* (-*as*) earth
foldwela *m* (-*an*) earthly wealth
folgað *m* (-) retainers, office
follc *n* (-) folk, army
folm *f* (-*a*) hand
fōn *vb VII* grasp
fond *vb III* (*findan*) *3* find
for *prp* for, because of
fōr *vb VI* (*faran*) *3* go
forbærnan *vb* consume by fire
forbēah *vb II* (*forbūgan*) *3* flee
forbȳġan *vb* cast down
forcuman *vb IV* vanquish
forcūþ *aj* wicked
ford *m* (-*as*) ford
fordēman *vb* condemn
fordōn *vb an* destroy
fore *prp* because (of), before, in front (of)
foresǣd *aj* aforesaid
foresp(r)eca *m* (-*an*) advocate, spokesman
foresprecen *aj* aforesaid
forfōr *vb VI* (*forfaran*) *3* destroy
forfōru *f* (-*a*) death
forġeaf, -ġēafe *vb V* (*forġiefan*) *3, 4* give (up), forgive
forġet *vb V* (*forġietan*) *3* forget
forġi(e)fan *vb V* give (up), forgive

forġieldan, -ġyldan *vb III* repay
forgrōwan *vb VII* grow
forġӯman *vb* neglect
forhealdan *vb VII* withhold
forheard *aj* very hard
forhēawan *vb VII* cut down
forhelan *vb IV* conceal
forherġian *vb* plunder
forhogdnis *f* (*-sa*) contempt
forhogian *vb* despise
forhtian *vb* fear
forlǣtan *vb VII* leave
forlēas *vb II* (*forlēosan*) *3* lose, destroy
forleġen *aj* adulterous
forlēosan *vb II* lose, destroy
forlēt, -e, -an, -on *vb VII* (*forlǣtan*) *3, 4* leave
forliġ(e)r *n* (*-u*) fornication
forloġen *aj* perjured
forloren, forluran *vb II* (*forlēosan*) *5, 4* lose, destroy
forma *aj* first
formoni *aj* too many
fornōm, -an, fornumen *vb IV* (*forniman*), *3, 4, 5* take, plunder, destroy
fornӯdan *vb* compel
foroft *av* very often
forrǣdan *vb* betray
forsawen *aj* despised
forsċēop *vb VI* (*forsċieppan*) *3* transmogrify
forscomu *f* (*-a*) great shame
forsēon *vb V* despise
forspēon *vb II* (*forspanan*) *3* entice
forspillan *vb* destroy
forst *m* (*-as*) frost
forstōd *vb VI* (*forstandan*) *3* defend, understand
forswāpan *vb VII* hurl
forswelgan *vb III* devour
forsworen *aj* falsely sworn
forswylġen *aj* devoured
forsynġian *vb* sin greatly
forð *av* forward, thereafter
forðām, forðan, forþǣm *av, conj* because, therefore, nevertheless, forth, further
forþbrōhte *vb III* (*forþbringan*) *4* bring forth
forþcymeþ *vb IV* (*forþcuman*) *2* come forth
forðearle *av* very severely
forþēode *vb an* (*forþgān*) *3* go forth (or *vb* [*forþēon*] cover?)
forðfōru *f* (*-a*) death
forþgān *vb an* go forth
forðġeorn *aj* ready to go forth
forþġesċeaft *f* (*-a*) previous decree
forðī *cj* therefore
forþolian *vb* lack
forðon *av, cj* because, therefore, nevertheless, forth, further
forþryċcan *vb* afflict
forðsīð *m* (*-as*) death, departure
forðweġ *m* (*-as*) departure, death
forðӯ *cj* therefore
forweġen *aj* killed
forweornian *vb* decay
forweoron *aj* decayed
forweorðan *vb III* perish
forworhtan, -e *vb* (*forwyrċan*) *4, 5* destroy, obstruct, sin
forwundian *vb* wound
forwurdan *vb III* (*forweorþan*) *4* perish
forwyrċan *vb* destroy, obstruct, sin
forwyrd *f/n* (*-a, -*) damnation
foryldan *vb* delay
foryrman *vb* impoverish
fōst(o)r *n* (*-ru*) sustenance
fōt *m* (*fēt*) foot
fōtmǣl *n* (-) measure of a foot
fracod *aj* evil, criminal
fraetuan, frætwan *vb* adorn
fram *prp* from
franca *m* (*-an*) spear
frætwe *f* (*-a*) adornment
frēa *m* (*-an*) lord
frēamǣre *aj* very famous
frēcne *aj* dangerous
frēfran *vb* comfort
fremde *aj* foreign, strange
frem(m)an *vb* perform
fremming *f* (*-a*) performance
fremsumnes *f* (*-sa*) beneficence
fremu *f* (*-a*) benefit
frēo *aj* noble, free
frēobearn *n* (-) noble child
frēod *f* (*-a*) peace
frēoliċ *aj* noble
frēolsbriċe *m* (*-as*) neglect of church festival
frēolsian *vb* observe a church festival, free
frēomǣġ *m* (*-māgas*) (noble) kinsman
frēon *vb* love
frēond *m* (*-as, frīend*) friend, beloved
frēondlēas *aj* friendless
frēondlīċe *av* kindly
frēondsċipe, -sċype *m* (*-as*) friendship, love
frēonoma *m* (*-an*) cognomen

frēoriġ *aj* sad, afraid
frēoriht *n* (-) rights of freemen
frēosan *vb II* freeze
freoþ *n* (-*u*) peace
freoþian *vb* protect
friċgan *vb V* ask, learn
frīġ *f* (-*a*) love
fri(ġ)nan *vb III* ask
frīo *aj* noble, free
friteþ *vb V* (*fretan*) *2* eat (up)
frið *n* (-*u*) peace
frōd *aj* old, wise
frōdian *vb* be wise
frōf(o)r, -ur *f/m* (-*u*, -*as*) comfort
from *aj* bold
from *prp* from
fromlīċ *aj* confidently
fromsīþ *m* (-*as*) departure
fromweard *aj* about to depart
fruma *m* (-*an*) origin
frumbearn *n* (-) first-born child
frumġesċeap *n* (-*u*) creation
frumsċeaft *f* (-*a*) creation
frumstaþol *m* (-*as*) original state
frymdi *aj* desirous
frȳnd *m pl* (*frēond*) friend
Frysa *aj* Frisian
fug(e)l, -ol *m* (-*as*) bird
fūl *aj* foul
fulfremed *aj* completed
fulfremednys *f* (-*sa*) completion
ful(l) *av*, *aj* very, full
fullīċe *av* fully
fulluht, fulwiht *n* (-) baptism
fultom, -um *m* (-*as*) aid
fulwian *vb* baptise
funde, -en, -on *vb III* (*findan*) *4*, *5*, *4* find
fundiaþ *vb* set out, try
furðon, -um *av* even, as much as
furðor, -ur *av* further
fūs *aj* ready, eager
fūslēoð *n* (-) dirge
fylġean, fyliġan *vb* obey
fyl(l) *m* (-*as*) death
fyllan *vb* fell
fyllan *vb* fill
fȳlnes *f* (-*sa*) foulness
fylstan *vb* help
fȳlþ *f* (-*a*) filth
fȳnd *m pl* (*fēond*) enemy
fȳr *n* (-) fire
fȳrbæð *n* (-*baðu*) fire-bath
fyrd *f* (-*a*) army
fyrdġeatewa *f pl* arms
fyrdrinc *m* (-*as*) warrior
fyrdweorod *n* (-*u*) army
fȳr(e)n *aj* fiery
fyrhtu *f* (-*a*) fear
fyrmest *av*, *aj* first
fyrn *av* for a long time
fyrnġeflita *m* (-*an*) old enemy
fyrnum *av* excessively
fyrnweorc *n* (-) creation
fyrwetġeorn *aj* inquisitive
fȳsan *vb* hasten, shoot

gād *n* (-) lack
Gadd *name* Gadd
gaderian *vb* gather
gafol *n* (-*u*) tribute
gāl *aj* proud
galan *vb VI* sing, cry
gald(o)r *n* (-) divination
galdorword *n* (-) proud word
Galilēisċ *aj* Galilean
gālsċipe *m* (-*as*) pride
gān, gangan *vb an* go
ganet, ganot *m* (-*as*) gannet
gang *m* (-*as*) course, flowing, trip
gār *m* (-*as*) spear
gārberende *aj* spear-carrying
gārfaru *f* (-*a*) spear-flight
gārġetrum *n* (-*u*) spear-flight
gārmitting *f* (-*a*) battle
gārnīþ *m* (-*as*) war
gārrǣs *m* (-*as*) battle
gārseċg *m* (-*as*) ocean
gāst *m* (-*as*) spirit
gāstlīċ(e) *aj*, *av* spiritual(ly)
gǣd *n* (-) lack
gǣlsa *m* (-*an*) pride
gærs *n* (-) grass
gǣsne *aj* barren
gǣst *m* (-*as*) spirit
gǣstġerȳne *n* (-) spiritual mystery
gǣsthāl(i)ġ *aj* holy
gǣsthof *n* (-*u*) body
gǣstlīċ *aj* spiritual, ghastly
gǣstsunu *m* (-*a*) spiritual son
gǣð *vb an* (*gān*) *2* go
ġe . . . ġe *cj* both . . . and . . .
ġē *prn* you
ġēac *m* (-*as*) cuckoo
ġeador *av* together
ġeaf *vb V* (*ġiefan*) *3* give

ġeaflas *m pl* jaws
ġēahþ *f* (*-a*) foolishness, mockery
ġeald *vb III* (*ġieldan*) *3* render
ġealga *m* (*-an*) gallows, cross
ġealġean *vb* defend
ġealgtrēow *n* (-) gallows, cross
ġealp *vb III* (*ġielpan*) *3* boast
ġēap *aj* curved
ġēar *n* (-) year
ġearċiġan *vb* prepare
ġeard *m* (*-as*) dwelling, country
ġēardæġ *m* (*-dagas*) former day
ġeare *av* readily
ġēarġemearc *n* (-) period of a year
ġearolīċe *av* readily
ġearosnottor *aj* wise
gear(o)(w), -u *aj* ready
ġearwian *vb* prepare
ġeāscian *vb* find out (by asking)
ġeat *n* (*-u, gatu*) gate
Ġēat *name* Geat
ġeatum *av* splendidly
ġeatwe *f pl* ornaments
ġēað *f* (*-a*) foolishness, mockery
ġeæfnan *vb* incite (anger)
ġeǣmetiġian *vb* disengage
ġeæþele *aj* inborn
ġebād *vb I* (*ġebīdan*) *3* endure
ġeband *vb III* (*ġebindan*) *3* bind
ġebæd *vb V* (*ġebiddan*) *3* pray
ġebǣdan, ġebēdan *vb* control, compel
ġebǣro *n pl* bearing
ġebed *n* (*-u*) prayer
ġebedda *f* (*-an*) bed-mate
ġebedstōw *f* (*-a*) oratory
ġebeorg *n* (-) defence
ġebēorsċipe *m* (*-as*) feast
ġebēot *n* (-) promise
ġebēotan *vb* promise
ġebētan *vb* make amends
ġebiċgan *vb* buy
ġebīdan *vb I* endure
ġebiddan *vb V* pray
ġebi(e)sġian *vb* occupy
ġebīgan *vb* convert
ġebind *n* (-) binding
ġebindan *vb III* bind
ġeblōwen *vb VII* (*blāwan*) *5* blow, bloom
ġebodsċipe *m* (*-as*) command
ġebohte, -est *vb* (*ġebiċgan*) *3* buy
ġebolgen *aj* angry
ġebond *vb III* (*ġebindan*) *3* bind
ġebonnen *vb VII* (*bannan*) *5* summon
ġeboren *aj* born, own
ġebræc *n* (*-bracu*) clash
ġebrǣcon *vb IV* (*ġebrecan*) *4* break
ġebræġd *vb III* (*ġebreġdan*) *3* draw, change, cast
ġebrēdan *vb III* draw, change, cast
ġebringan *vb III* bring
ġebrocen *vb IV* (*brecan*) *5* break
ġebrocod *aj* afflicted
ġebrōþer *m* (*-þru*) brothers
ġebūgan *vb II* turn, bow
ġebunden *vb III* (*bindan*) *5* bind
ġebyrdu *f* (*-a*) birth
ġebyre *m* (*-as*) opportunity
ġebyrian *vb* pertain to, benefit
ġecamp *m* (*-as*) battle
ġeċēas *vb II* (*ġeċēosan*) *3* choose
ġeċēosan *vb II* choose
ġeċiġed *aj* named
ġecind *f/n* (*-a,* -) kind
ġecnāwan *vb VII* know
ġecoren *vb II* (*ċēosan*) *5* choose
ġecranc, -crong *vb III* (*ġecringan*) *3* fall
gecunnad *vb* (*cunnian*) *5* test, try, search, experience
ġecwæð *vb V* (*ġecweþan*) *3* say, speak
ġecweden *vb V* (*ġecweþan*) *5* say, speak
ġecȳdde *vb* (*ġecȳðan*) *3* reveal
ġecynd *f/n* (*-a,* -) kind
ġeċyrran *vb* turn, convert
ġecȳðan *vb* reveal
ġedafenian *vb* be fitting
ġedāl *n* (-) separation
ġedǣlan *vb* separate
ġedēfe *aj* fitting
ġedēman *vb* judge
ġedeofanian *vb* be fitting
ġedēð *vb an* (*ġedōn*) *2* do
ġedōn *vb an* do
ġedreag *n* (-) tumult
ġedrēas *vb II* (*ġedrēosan*) *3* perish
ġedrēfan *vb* stir (up), drive
ġedrehtan *vb* (*ġedreċcan*) *5* suffer
ġedrēosan *vb II* perish
ġedroren *vb II* (*drēosan*) *5* perish
ġedry(h)t *f* (*-a*) troop
ġedwolgod *m* (*-as*) false god
ġedwyld *n* (-) error
ġedyde, -on *vb an* (*ġedōn*) *3, 4* do
ġedyrnan *vb* hide
ġedyrstiġ *aj* bold
ġeearnian *vb* merit
ġeearnung *f* (*-a*) favour

ġeedbyrdan *vb* (re)create
ġeendebyrdan *vb* ordain
ġeendian *vb* fulfil, finish
ġeēode *vb an* (*ġegān*) *3* go
ġeēþian *vb* ease
ġefaran *vb VI* go, fare
ġefæstnian *vb* fasten, confirm
ġefēa *m* (*-an*) joy
ġefeallan *vb VII* fall
ġefeċgan *vb* take (away)
ġefēgon, -un *vb V* (*ġefēon*) *4* rejoice
ġefēlan *vb* feel
ġefelled *vb* (*fellan*) *5* fill
ġefeoht *n* (-) battle
ġefeohtan *vb III* win in battle
ġefēoll *vb VII* (*ġefeallan*) *3* fall
ġefēon *vb V* rejoice
ġefēra *m* (*-an*) comrade
ġefērscipe, -sċype *m* (*-as*) comradeship
ġefest *aj* prosperous (?)
ġefetiġan *vb* take (away)
ġefetrian *vb* fetter
ġeflǣman, -flēman *vb* put to flight
ġeforþian *vb* accomplish
ġefrǣġe *aj* famous
ġefræġen *vb V* (*friċgan*) *5* ask, learn
ġefrætwian *vb* adorn
ġefremman *vb* perform
ġefrēolsian *vb* free
ġefrēon *vb free*
ġefreoðian *vb* protect
ġefrugnon, -frūnon *vb V* (*ġefriċgan*) *4* ask, learn
ġefullan *vb* baptise
ġefultuman *vb* aid
ġefyllan *vb* fill
ġefylled *vb* (*fyllan*) *5* fell
ġefylstan *vb* aid
ġefȳsan *vb* hasten
ġegada *m* (*-an*) companion
ġegad(e)rian *vb* gather
ġegangan, -gongan *vb an* obtain, happen
ġeġ(e)arwian, -ċian *vb* prepare
ġeglængan, -glengan *vb* adorn
ġegoð *f* (*-a*) youth
ġegræmian, -gremian *vb* anger
gegrētan *vb* greet, attack
ġegrunden *vb III* (*grindan*) *5* grind, cut
ġeġyr(w)ed *vb* (*ġyrwan*) *5* adorn, clothe
ġehādod *aj* ecclesiastic
ġehālged *aj* blessed
ġehāt *n* (-) vow, promise
ġehātan *vb VII* vow, promise
ġehāten *vb VII* (*hātan*) *5* command, (be) name(d)
ġehātland *n* (-) promised land
ġehæftan, -hæftnian *vb* make captive
ġehǣlan *vb* heal
ġehealdan *vb VII* keep
ġehēawan *vb VII* cut (down)
ġehēgan *vb* make
ġehende *aj* near
ġehēolde *vb VII* (*ġehealdan*) *4* keep
ġehered *vb* (*herian*) *5* praise
ġehēt, -e *bv VII* (*ġehātan*), *3*, *4* vow, promise
ġehihtan *vb* comfort
ġehīoldon *vb VII* (*ġehealdan*) *4* keep
ġehlæġ *n* (*-u*) scorn
ġehlēapan *vb VII* leap (over)
ġehlēop *vb VII* (*ġehlēapan*) *3* leap (over)
ġehlid *n* (*-u*) roof
ġehloten *vb II* (*ġehlēotan*) *5* obtain
ġehlystan *vb* listen
ġehnǣgan *vb* humble
ġehnīgan *vb I* bend (down)
ġehola *m* (*-an*) protector
ġehonge *aj* devoted (?)
ġehrēosan *vb II* fall
ġehroren *vb II* (*ġehrēosan*) *5* fall
ġēhþu *f* (*-a*) care
ġehulpe *vb III* (*ġehelpan*) *4* help
ġehwā (-hwæne, -hwæs) *aj* each
ġehwāre *av* everywhere
ġehwæð(e)re *av* however
ġehwelċ, -hwilċ, -hwylċ *aj* each
ġehwerfan, -hwyrfan *vb* turn
ġehwone *aj m ac sg* each
ġehȳdan *vb* hide
ġehyġd *f/n* (*-as*, -) mind
ġehyld *n* (-) hidden place
ġehȳn(e)de *vb* (*hȳnan*) *5* humiliate
ġehȳran *vb* hear, obey
ġehȳrnes *f* (*-sa*) hearing
ġehyrte *aj* encouraged
ġehyrwan *vb* despise
ġelāc *n* (-) rolling
ġelād *f* (*-a*) way, journey
ġelagian *vb* appoint
ġelagu *n pl* sea
ġelaðian *vb* summon
ġelæċċan *vb* obtain
ġelǣdan *vb* lead
ġelǣred *aj* learned
ġelǣstan *vb* obey, carry out
ġelēafa *m* (*-an*) belief

ġelēaffull *aj* faithful
ġelēanian *vb* requite
ġeleċgan *vb* lay
ġeleoren *vb IV* (*ġeleoran*) *5* pass away
ġeleornian *vb* learn
ġelettan *vb* hinder
ġelēwed *aj* blemished
ġelīċ *aj* alike
ġelīcian *vb* please
ġelīċnes *f* (*-sa*) likeness
ġeliden *vb I* (*ġelīðan*) *5* come, sail
ġelīefan *vb* believe
ġelimp *n* (-) happening
ġelimpan *vb III* happen
ġelimplīċ *aj* suitable
ġeliornian *vb* learn
ġellan *vb III* cry (out), (re)sound
ġeloden *vb II* (*ġelēodan*) *5* grow
ġelōgian *vb* lodge
ġelōme *av* often
ġelomp *vb III* (*ġelimpan*) *3* happen
ġelong *aj* attainable
ġelpan *vb III* boast
ġelȳfan *vb* believe
ġelȳfd *aj* advanced (in years)
ġeman *vb an* (*ġemunan*) *1, 2* remember
ġēman *vb* take care, care for
ġemāna *m* (*-an*) meeting
ġemanian *vb* admonish
ġemæċ(c) *aj* suited, mated
ġemǣlan *vb* speak
ġemǣnan *vb* mean
ġemǣne *prp, aj* between, common
ġemǣnelīċe *av* together
ġemæniġfyllan, -fillan *vb* multiply
ġemǣran *vb* proclaim, celebrate, make famous
ġemǣre *n* (*-o, u*) boundary
ġemǣtan *vb* dream
ġemǣðeġian *vb* honour
ġemearcian *vb* appoint
ġemeldian *vb* decree
ġemengan *vb* mingle
ġemeniġfyllan *vb* multiply
ġemet *n* (*-u*) (poetic) measure, limit
ġemētan, -mittan *vb* discover, meet
ġemetfæst *aj* moderate
ġemiltsian *vb* pity
ġemon *vb an* (*ġemunan*) *1, 2* remember
ġemong(e) *prp* among
ġemonian *vb* admonish
ġemōt *n* (-) meeting, encounter
ġemunan *vb an w gn* remember
ġemynd *f/n* (*-a*, -) memory, warning
ġemyndġian *vb* remember
ġemyndiġ *aj* recalling, mindful
ġēn(a) *av* still, yet
ġenāg *vb I* (*ġe[h]nīgan*) *3* sink
ġenām, -an, -e, -on *vb IV* (*ġeniman*) *3, 4* take
ġenāp *vb I* (*ġenīpan*) *3* darken
ġenǣġan *vb* assail, address
ġenæġled *vb* (*næġlan*) *5* nail
ġene(ah)he *av* often, much
ġenēat *m* (*-as*) retainer
ġenemnan *vb* name
ġenēosian *vb* visit
ġenerian *vb* protect
Genesis *Hebr name* Genesis
ġenēþan *vb* venture
gengan *vb* go
genge *aj* useful
ġeniht *f/n* (*-a*, -) sufficiency
ġenimon *vb IV inf* take
ġenip *n* (*-u*) darkness
ġeniðrian *vb* condemn
ġenīwian *vb* renew
ġenōg, -nōh *aj* enough, many
ġenōm, ġenumen *vb IV* (*ġeniman*) *3, 5* take
ġenyr(w)an *vb* restrict
ġēo *av* formerly
ġēoc *f* -(*a*) help
ġeofu *f* (*-a*) gift
ġeogeð, -uð *f* (*-a*) youth
ġeolo *aj* yellow
ġēom(o)r *aj* sad
ġēomormōd *aj* sad
ġeond *prp* through, beyond
ġeondgoten *vb II* (*ġeondġēotan*) *5* pour (over)
ġeondhweorfan *vb III* pass through
ġeondsċēawian *vb* look about
ġeondþenċan *vb* consider
ġeong *aj* young
ġeongerdōm *m* (*-as*) vassalage
ġeongra *m* (*-an*) vassal, disciple
ġeopenian *vb* open, reveal
ġeorn(e) *aj, av* eager(ly)
ġeornful *aj* eager
ġeornfulness *f* (*-sa*) zeal
ġēotan *vb II* pour (over)
ġēr *n* (-) year
ġerǣċan *vb* obtain, reach
ġerǣdan *vb* decide
gerǣdu *n pl* trappings
ġerǣhte *vb* (*ġerǣcan*) 3 obtain, reach
ġereċcan *vb* reckon

ġerēne *n* (-*u*) mystery
ġerēnian *vb* adorn
ġereord *f* (-*a*) meal
ġereord *n* (-) language, speech
ġereordian *vb* feed
ġerestan *vb* rest
ġeriht *aj* directed
ġeriht *n* (-) right
ġerip *n* (-*u*) harvest
ġerīsan *vb I* befit
ġerisene *aj* fitting
ġerisenlīċ *aj* fitting
ġersċype *m* (-*as*) jesting
ġerȳman *vb* open
ġerȳne *n* (-*o*, *u*) mystery
ġerysene *aj* fitting
ġesāg *vb I* (*ġesīgan*) *3* incline, fall
ġesargad *vb* (*sarġian*) *5* afflict
ġesāwan, -e, -on *vb V* (*ġesēon*) *4* see
ġesǣde, -sæġde *vb* (*ġesecgan*) *3* say
ġesǣlan *vb* bind
ġesǣliġ *aj* happy
ġesǣliġlīċ(e) *aj*, *av* happy, fortunate(ly)
ġesǣlþ *f* (-*a*) happiness
ġesǣne *aj* evident
ġesæt *vb V* (*ġesittan*) *3* sit
ġesċād, -sċēad *n* (-) distance, meaning
ġesċadan *vb VII* separate
ġesċe(a)ft *f*/*n* (-*a*, -) creature, creation
gesċeap *n* (-*u*) creature, creation
ġesċeapen *vb VI* (*sċieppan*) *5* create
ġesċeapennis *f* (-*sa*) creation
ġesċēawian *vb* see
ġesċento *f* (-*a*) shame
ġesċēop *vb VI* (*ġesċieppan*) *3* create
ġesċerian, -sċyrian *vb* grant
ġesċildan, -sċyldan *vb* protect
ġesċippan *vb VI* create
ġesċōp *vb VI* (*ġesċieppan*) *3* create
ġeseah *vb V* (*ġesēon*) *3* see
ġesealde, -don *vb* (*ġesellan*) *3, 4* give
ġesēċ(e)an *vb* seek
ġeseċgan *vb* say
ġeseġen *vb V* (*sēon*) *5* see
ġesēgon, ġeseh *vb V* (*ġesēon*) *4, 3* see
ġeselda *m* (-*an*) companion
ġesēman *vb* reconcile
ġesēne *aj* evident
ġesēon *vb V* see
ġesetnys *f* (-*sa*) figure of speech
ġesettan *vb* place
ġesetu *n pl* seats, dwellings
ġesewen *vb V* (*sēon*) *5* see
ġesib *aj* related
ġesīene *aj* evident
ġesīgan *vb I* incline, fall
ġesihð *vb V* (*ġesēon*) *2* see
ġesihð *f* (-*a*) sight
ġesīon *vb V* see
ġesittan *vb V* sit
ġesīðmæġen *n* (-) troop
ġesīþ(þ) *m* (-*as*) companion
ġeslæġen, ġeslōgon *vb VI* (*ġeslēan*) *5, 4* forge, strike
ġesōht, -e, -un *vb* (*ġesēċan*) *3, 4* seek
ġesomnian *vb* gather
ġesomning, -ung *f* (-*a*) union
ġesonc *vb III* (*ġesincan*) *3* sink
ġespæc *vb V* (*ġespecan*) *3* speak
ġespong *f* (-*a*) clasp
ġesprǣcon(n) *vb V* (*ġesprecan*) *4* speak
ġesprecan *vb V* speak
ġestāh *vb I* (*ġestīgan*) *3* ascend
ġestandan *vb VI* stand
ġestaþelian *vb* fix
ġestǣlan *vb* impute
ġesteal(l) *n* (-) structure
ġestīgan *vb I* ascend
ġestōdon *vb VI* (*ġestandan*) *4* stand
ġestrangian *vb* strengthen
ġestrīenan *vb* acquire
ġestyllan *vb* ascend, descend
ġestȳran *vb* govern
ġesunde *aj* healthy
ġesundful *aj* safe
ġeswenċan *vb* afflict
ġesweorcan *vb III* darken
ġeswīcan *vb I* betray
ġeswinċ *n* (-) torment
ġeswinċdæġ *m* (-*dagas*) time of torment
ġeswing *n* (-) rolling
ġeswuġian *vb* keep silent
ġeswutelian *vb* (make) manifest
ġesyhð *f* (-*a*) sight
ġesyllan *vb* give
ġesȳne *aj* evident
ġesyrwed *aj* armed
ġetācnian *vb* signify
ġetācnung *f* (-*a*) signification
ġetæl, -tel *n* (-*u*) (liturgical) series, number
ġeteald *vb* (*ġetellan*) *5* reckon
ġetengan *vb* touch
ġeteoh *n* (-*gu*) creation?
ġetēon *vb* ordain
ġetēon *vb I* draw
ġetimbre *n* (-*o*, *u*) building

ġetīmian *vb* befit
ġetoht *n* (-) battle
ġetong *aj* familiar
ġetong *f* (-*a*) tongs, stride
ġetrēowþ *f* (-*a*) loyalty
ġetrim(m)an, -trymman *vb* make, array, exhort
ġetrūwian *vb* trust
ġetrymnes *f* (-*sa*) firmness, arraying
ġetrȳwlīċe *av* loyally
getrȳwþ *f* (-*a*) loyalty
ġetwǣfan *vb* separate, deprive
ġeþafa wurðan *vb III* consent
ġeþāh *vb V* (*ġeþiċgan*) *3* receive
ġeþanc *n* (-) mind, thought
ġeþancian *vb* thank
ġeþeaht *n*/*f* (-, -*a*) colloquy
ġeþenċ(e)an *vb* consider
ġeðēod *f* (-*a*) language, nation
ġeþēodan *vb* join
ġeþēodnis *f* (-*sa*) association
ġeþēon *vb I* receive, flourish
ġeþēowede *vb* (*þēowian*) *5* enslave
ġeþingian *vb* intercede, intend
ġeðīod *f* (-*a*) language, nation
ġeþōht *m* (-*as*) thought
ġeþōhte, -es *vb* (*ġeþenċan*) *3, 4* consider
ġeþolian *vb* suffer
ġeþonc *n* (-) mind, thought
ġeþrang *n* (-) tumult
ġeþræc *n* (-*u*) violence
ġeþrǣstan *vb* twist
ġeþrōwian *vb* suffer
ġeþrungen, -on *vb III* (*þringan*) *5, 4* constrict, oppress
ġeþūht *vb* (*þynċan*) *5* seem
ġeþungen *aj* excellent
ġeþȳdan *vb* (*ġeþȳwan*) *4* press
ġeþyġeð *vb I* (*ġeþēon*) *2* receive, flourish
ġeþyht *aj* beneficial?
ġeþyldiġ *aj* patient
ġeunnan *vb an* grant
ġewanian *vb* diminish
ġewāt *vb an* (*gewitan*) *1* know
ġewǣde *n* (-) clothes
ġewæf *vb V* (*ġewefan*) *3* weave
ġewǣgan *vb* deceive
ġewealc *n* (-) tossing
ġeweald *n* (-) power, control
ġewealden *vb VII inf* have power, control
ġewearð *vb III* (*ġeweorþan*) *3* happen
ġeweaxan *vb VII* grow
ġewelede *aj* joined together
ġewelġian *vb* strengthen
ġewelhwǣr *av* (almost) everywhere
ġewelhwilċ, -hwylċ *aj* (nearly) every
ġeweorc *n* (-) work
ġeweorpan *vb III* cast
ġeweorþan *vb III* happen, be, become
ġeweorþian *vb* honour
ġewērġad *aj* wearied, cursed
ġewerian *vb* array
ġewīde *av* far apart
ġewiġeð *vb V* (*ġewegan*) *2* feel
ġewilnung *f* (-*a*) desire
ġewinn *n* (-) hostility
ġewinnan *vb III* strive, contest, obtain
ġewirht *n*/*f* (-, -*a*) deed
ġewis *aj* certain, steadfast
ġewissian *vb* guide
ġewit *n* (-) intellect
ġewītan *vb I* depart
ġewītġian *vb* prophesy
ġewitloca *m* (-*an*) mind
ġewōd *vb VI* (*ġewadan*) *3* penetrate
ġeworden *vb III* (*weorþan*) *5* happen, be, become
ġewor(u)ht, -an, -on, -e *vb* (*ġewyrċan*) *5, 4, 3* create
ġewrecan *vb V* avenge
ġewrit *n* (-*u*) a writing
gewrixl *n* (-) exchange, rotation
ġewrixlan *vb* exchange, obtain
ġewuna *f* (-*an*) custom, practice
ġewundian *vb* wound
ġewunelīċ *aj* usual
ġewunian *vb* practise, use
ġewunnen, -on *vb III* (*ġewinnan*) *5, 4* obtain (by toil)
ġewurde *vb III* (*geweorþan*) *4* happen
ġewurðan *vb III* happen, be, become
ġewyldan *vb* subdue
ġewyrċ(e)an *vb* work, perform
ġewyrht *n*/*f* (-, -*a*) (bad) deed
ġewyrpan *vb* recover
ġeyriġan *vb* discourage
ġiedd *n* (-) song, poem, riddle
ġiefan *vb V* give
ġiefl *n* (-) food
ġiefstōl *m* (-*as*) throne
ġiellan, *vb III* cry (out), (re)sound
ġielp *m* (-*as*) boast
ġielpcwide *m* (-*as*) boast
ġīeman *vb* take care, care for
ġīen *av* still, yet
ġiest *m* (-*as*) guest, stranger

ġīet(a) *av* still, yet
ġif *cj* if
ġifan *vb V* give
ġīfer *m* (*-as*) glutton
ġīfernes *f* (*-sa*) greed
ġifl *n* (-) food
ġīfre *aj* greedy
ġifu *f* (*-a*) gift
Gildas *name* Gildas
ġilpan *vb III* boast
ġim(m) *m* (*-as*) gem
ġindwōd *vb VI* (*ġindwadan*) *3* study
ġingra *m* (*-an*) vassal, disciple
ġinn *aj* spacious
ġioguð *f* (*-a*) youth
ġiond *prp* through, beyond
ġiongorsċipe *m* (*-as*) vassalage
ġiongra *m* (*-an*) vassal, disciple
ġit *prn* you two
ġītsung *f* (*-a*) avarice
ġiðræc *n* (*-u*) violence
ġiū *av* formerly
ġiu̅ǣde *n* (-) clothes
ġiung *aj* young
glād *vb I* (*glīdan*) *3* glide
glæd *aj* glad, happy
glædmōd *aj* glad, happy
glǣm *m* (*-as*) brightness
glæshluttur *aj* glass-clear
glēaw *aj* wise
glēawmōd *aj* wise
glēd *f* (*-a*) flame, glowing coal
gleng *f/m* (*-a, -as*) ornament
glengan *vb* adorn
glēobēam *m* (*-as*) harp
gleomu *f* (*-a*) splendour
glīdan *vb I* glide
glisnian *vb* glitter
glīw *n* (-) music, mirth
glīwstæf *m* (*-stafas*) music, joy
gnornian *vb* mourn
gnornung *f* (*-a*) mourning
god *m* (*-as*) God
gōd *aj* good
godbearn *n* (-) child of God
godcund *aj* religious, divine
godcundlīċe *av* divinely
godcundnes *f* (*-sa*) divinity
gōddǣd *f* (*-a*) good deed
goddrēam *m* (*-as*) divine joy
godfæder *m* (-) God the Father
godfyrht *aj* pious
gōdian *vb* improve
godlēas *aj* godless
gōdleċ *aj* goodly
gōdnys *f* (*-sa*) goodness
Godriċ *name* Godric
godsibb *m* (*-as*) sponsor
gōdueb, -webb *n* (*-u*) fine cloth
gōdwebben *aj* finely-woven
Godwīġ *name* Godwig
Godwine *name* Godwin
gofol *n* (*-u*) tribute
gōl *vb VI* (*galan*) *3* sing, cry
gold *n* (-) gold
goldbeorht *aj* gold-bright
goldġiefa *m* (*-an*) gold-giver
goldhord *n/m* (*-, -as*) treasure
goldwine *m* (*-as*) gold-friend, lord
gōma *m* (*-an*) palate
gomel *aj* old
gomelfeax *aj* grey-haired
gomen *n* (*-u*) sport
gong *m* (*-as*) course, flowing, trip
gongan *vb an* go
good *aj* good
Gotan *m pl* Ostrogoths
gram *aj* angry
grama *m* (*-an*) anger
grǣd(i)g *aj* greedy
græf *n* (*-u*) grave
græfan *vb VI* dig, carve
græft *m* (*-as*) graven thing
grǣġ *aj* grey
grēat *aj* huge
Gregorius *Lat name* Gregory I
grēne *aj* green
grēot *n* (-) earth, dust
grēothord *n* (-) body
grētan *vb* visit, greet, touch
Grimbold *name* Grimbold
grimlīċ(e) *aj, av* terrible, angrily
grim(m)(e) *aj, av* fierce(ly), cruel(ly)
grimsian *vb* rage
grind(e)l *m* (*-as*) bolt
gripe *m* (*-as*) grasp
grið *n* (*-u*) truce, peace
griðian *vb* have truce, peace
griðlēas *aj* without peace
grōfe *vb VI* (*grafan*) *4* dig, carve
grom *aj* angry
gromhȳd(i)ġ *aj* angry, fierce
gromtorn *m* (*-as*) fury
grorn *n* (-) grief
grōwan *vb VII* grow
grund *m* (*-as*) bottom, ground

grundlēas *aj* boundless
grundsċēat *m* (*-as*) precinct of earth
grymetian *vb* roar
gryre *m* (*-as*) horror
gryrebrōga *m* (*-an*) horror
gryrelēoð *n* (-) horror-cry
guma *m* (*-an*) man, warrior
gutan *vb II* (*ġēotan*) *4* pour (over)
gūð *f* (*-a*) battle
gūðhafoc *m* (*-as*) war-hawk
Gūðlāc *name* Guthlac
gūðplega *m* (*-an*) battle
gūðrinc *m* (*-as*) warrior
ġyfl *n* (-) food
ġyldan *vb III* repay
ġylp *m* (*-as*) boast
ġylpword *n* (-) boast
ġȳman *vb* take care, care for
ġynd *prp* beyond, through
ġyr(w)an *vb* adorn
ġȳsel *m* (*-as*) hostage
ġyst *m* (*-as*) guest, stranger
ġȳt(a) *av* yet, still

habban *vb an* have
hād *m* (*-as*) order, condition, office
hādbryċe *m* (*-as*) injury to one in holy orders
hafast, -að, -est *vb an* (*habban*) *2* have
hafæ *vb an* (*habban*) *1* have
hafen *vb VI* (*hebban*) *5* raise (up)
hafenian *vb* raise (up)
hafoc *m* (*-as*) hawk
hafu *vb an* (*habban*) *1* have
haġ(o)l *m* (*-as*) hail
hal *f* (*-a*) hall
hāl *aj* healthy
hāleġ, (i)ġ *aj* holy
hālettan *vb* greet
hāliġnes *f* (*-sa*) holiness
hals *m* (*-as*) neck
hāls *f* (*-a*) salvation
hālsiġan *vb* implore
hām *m* (*-as*), *av* home
hamor *m* (*-as*) hammer
hand *f* (*-a*) hand
handġeweorc *n* (-) work
handlēan *n* (-) recompense
handmæġen *n* (*-u*) might
hār *aj* hoary
hasupāda *m* (*-an*) dun-coated
hāt *aj* hot
hātan *vb VII* command, (be) name(d)
hātheort *aj* fierce
hatiġan *vb* hate
hǣahsetl *n* (-) throne
hæbbað, -e, -en *vb an* (*habban*) *1* have
hǣdre, *aj av* clear(ly)
hæfd, -e, -est, -on, hæfð *vb an* (*habban*) *5, 3, 4* have
hæft *m* (*-as*) captivity
hæftnēd *f* (*-a*) captivity
hæġl *m* (*-as*) hail
hæġlfaru *f* (*-a*) hailstorm
hǣlan *vb* heal, save
hǣlend *m* (-) saviour
hæle(þ), -æð *m* (*-as*) man, hero
hǣlo *f* (*-a*) health, salvation
hǣlobearn, hǣlu- *n* (-) child saviour
hǣr *n* (-) hair
hǣto *f* (*-a*) heat
hǣþ(e)n *aj* heathen
hē *prn* he
hēa *aj* high
hēaf *m* (*-as*) lamentation
heafela *m* (*-an*) head
heafen *m* (*-as*) heaven
hēaf(o)d *n* (*-u*) head
hēah *aj* high
hēahcræft *m* (*-as*) high skill
hēahcyninc *m* (*-as*) high king
hēahengl *m* (*-as*) archangel
hēahfæder *m* (-) patriarch, God the Father
hēahhleoþ *n* (*-u*) high hill
hēahsetl *n* (-) throne
hēahþrym(m) *m* (*-as*) high glory
hēahþu *f* (*-a*) height
healdan *vb VII* hold
healf *f* (*-a*) half, side, piece
hēaliċ(e) *aj, av* high, proud(ly)
heall *f* (*-a*) hall
heals *m* (*-as*) neck
hēan *aj* poor
hēanes, -nys *f* (*-sa*) highness
hēanliċ *aj* disgraceful
hēap *m/f* (*-as, -a*) troop
heard *aj* hard
hearding *m* (*-as*) warrior
heardliċ(e) *aj, av* severe(ly)
heardmōd *aj* resolute
heardnys *f* (*-sa*) severity
heardsǣliġ *aj* unfortunate
hearm *m* (*-as*) harm
hearmsċearu *f* (*-as*) affliction
hearpe *f* (*-an*) harp

hearra *m* (*-an*) lord
heaþolind *f* (*-a*) shield
heaþowealm *m* (*-as*) surge of heat
hēawan *vb VII* hew, kill
hebban *vb VI* raise (up)
hefi(ġ) *aj* severe
hefiġnes *f* (*-sa*) affliction
hēhcræft *m* (*-as*) high skill
hēhst *aj* highest
hēht *vb VII* (*hātan*) *3* command, (be) name(d)
hēhðu *f* (*-a*) height
heldor *n* (*-u*) hell-door
heleð, -ið *m* (*-as*) man, hero
hell *f* (*-a*) hell
hellewīte *n* (-) hell-torment
hellwaru *f* (*-an*) inhabitant of hell
helm *m* (*-as*) helmet, protector
help *f*/*m* (*-a, -as*) help
helsċeaða *m* (*-an*) demon
hentan *vb w gn* pursue
hēo *prn* she, they
Heoding *m* (*-as*) Heoding
heof(e)n, -(o)n *f* (*-a*) heaven, sky
heofenlīċ, -onlīċ, -leċ *aj* heavenly
heofoncondel *f* (*-a*) heaven-candle
heofoncyning *m* (*-as*) God
heofondrēam *m* (*-as*) celestial joy
heofoneng(e)l *m* (*-as*) angel
Heofonfeld *name* Heavenfield
heofonrīċe *n* (-) kingdom of heaven
heofontungol *n* (*-u*) celestial body
heofonwōma *m* (*-an*) heavenly sound
hēold, -an, -on *vb VII* (*healdan*) *3, 4* hold
heolf(o)r *n* (*-u*) blood
heolst(o)r *m* (*-as*) darkness
heom *prn* him, them
heonan *av* hence
heonanforð *av* henceforth
heonansīþ *m* (*-as*) departure
heora *aj* their
heord *f* (*-a*) herd, custody
heorra *m* (*-an*) lord
Heorrenda *name* Heorrenda
heorte *f* (*-an*) heart
heorðġenēat *m* (*-as*) retainer
heorðwerod *n* (*-u*) retainers
hēow *n* (-) appearance, colour
hēow, -an, -on *vb VII* (*hēawan*) *3, 4* hew, kill
hēowsīþ *m* (*-as*) various fate(s)?
hēr *av* here
hēran *vb* hear, obey
here *m* (*-ġas*) army, war, host
hereflēma *m* (*-an*) fugitive warrior
hereġeat *n* (*-u*) war-tribute, heriot
hereġian *vb* praise
herehy(h)þ *f* (*-a*) booty
herelāf *f* (*-a*) war-remnant
heremæġen *n* (*-u*) army
herenes, -nys *f* (*-sa*) praise
hererēaf *n* (-) booty
hereswēġ *m* (*-as*) martial sound
heretoga *m* (*-an*) leader
herġian *vb* plunder, make war
herġung *f* (*-a*) harrowing
herheard *m* (*-as*) primitive dwelling?
her(i)ġa, -as, -e, -es *m gn pl, nm ac pl, dt gn sg* (*here*) army, war, host
her(i)(ġ)(e)an *vb* praise
hērsumian *vb* obey
hērtōēacen *av* in addition to this
hēt, -on *vb VII* (*hātan*) *3, 4* command, (be) name(d)
hete *m* (*-as*) hate, punishment
hetelīċ(e) *aj, av* hostile(ly)
hetesprǣċ *f* (*-as*) hostile speech
hetol *aj* hostile
hettend *m* (-) enemy
hī *prn* they, them
hiċgan *vb* think, consider
hider, hieder *av* hither
hidercyme *m* (*-as*) advent
hīe *prn* they, them, her
hiene *prn* him
hīenþu *f* (*-a*) scorn
hīera *aj* higher
hīeran *vb* hear, obey
Hierdebōc *f* (*-bēċ*) Cura Pastoralis
Hierusalem *Hebr name* Jerusalem
hiġe *m* (*-as*) mind
hiht *m*/*f* (*-as, -a*) hope, joy
hild *f* (*-a*) battle
hilderinc, -ring *m* (*-as*) warrior
hildesċūr *m* (*-as*) shower of weapons
him *prn* him, them
hindan *av* (from) behind
hinder *av* below
hine *prn* him
hīo she
hiofen *f* (*-a*) heaven, sky
hiofenrīce *n* (-) kingdom of heaven
hīoldon *vb VII* (*healdan*) *4* hold
hiora *prn* their
hīowbeorht *aj* bright
hīran *vb* hear, obey
hire *prn* her, their

hīred *m* (*-as*) retainers
hīredman *m* (*-men*) retainer
his *prn* his, its
hit *prn* it
hīw *n* (-) appearance, colour
hlāf *m* (*-as*) loaf
hlāford *m* (*-as*) lord
hlāfordlēas *aj* lordless
hlāfordswica *m* (*-an*) traitor
hlāfordswiċe *m* (*-as*) treason
hlæden *vb VI* (*hladan*) *5* draw, amass
hle(a)ht(o)r *m* (*-as*) laughter
hlehhan *vb VI* laugh
hlēo *n* (-) protection
hlēomǣġ *m* (*-māgas*) kinsman
hlēonian *vb* lean
hlēotan *vb II* obtain
hlēoþ(o)r *n* (*-u*) sound, voice
hlēoþorcwide *m* (*-as*) sound, voice
hlēoþrian *vb* sound, say
hlēt *m* (*-as*) lot, group
hlīfi(ġ)an *vb* tower
hlimman *vb III* resound
hlinġan *vb* lean
hlīoðorcwide *m* (*-as*) sound, voice
hlīsa *m* (*-an*) fame
hliþ *n* (*-u*) hill(side)
hlōdun *vb VI* (*hladan*) *4* draw, amass
hlōh *vb VI* (*hlehhan*) *3* laugh
hlōþ *f* (*-a*) (enemy) troop
hlūd(e) *aj*, *av* loud(ly)
hlūtt(o)r *aj* pure
hlynian *vb* resound
hlȳp *m* (*-as*) leap
hlystan *vb* listen, heed
hnāg, hnigon *vb I* (*hnīgan*) *3, 4* bend (down)
hocer *n* (*-u*) derision
hocorwyrde *aj* derisive
hof *n* (*-u*) dwelling, chapel
hōf *m* (*-as*) hoof
hogian *vb* think, consider
hōl *n* (-) malice(?)
hold *aj* loyal, dear
holen *n* (*-u*) holly (prince?)
holm *m* (*-as*) ocean
holmþræce *f pl* tossing sea
holmwudu *m* (*-as*) sea-wood?
holt *n*/*m* (-, *-as*) wood
honcrēd *m* (*-as*) cock-crow
hond *f* (*-a*) hand
hondplega *m* (*-an*) battle
hondwyrm *m* (*-as*) worm
hord *n*/*m* (-, *-as*) hoard
hordcofa *m* (*-an*) mind
hōring *m* (*-as*) fornicator
horn *m* (*-as*) horn
hornġestrēon *n* (-) richness of gables
hors *n* (-) horse
horsċ *aj* brave, wise
horsċlīċe *av* bravely, wisely
hraðe *av* quickly
hrā(w), hrǣ *n*/*m* (-, *-as*) corpse
hrædest *aj* quickest
hræding *f* (*-a*) haste
hrædwyrde *aj* hasty of speech
hræfn, hrefn *m* (*-as*) raven
hræġl *n* (-) dress
hrǣw *n*/*m* (-, *-as*) corpse
hrēam *m* (*-as*) clamour
hrēas *vb II* (*hrēosan*) *3* fall
hrēman *vb* exult
hrēmiġ *aj* exultant, lamenting
hremm *m* (*-as*) raven
hrēo(h) *aj* stormy, brave, fierce
hrēor(i)ġ *aj* ruinous
hrēosan *vb II* fall
hrēow *f* penitence
hrēowan *vb II* (cause) sorrow
hrēowċeariġ *aj* sorrowful
hrēowlīċe *av* cruelly
hrēran *vb* stir, drive
hreþ(e)r *m* (*-as*) heart, mind
hreþerloca *m* (*-an*) heart, mind
hrīm *m* (*-as*) hoarfrost
hrīmċeald *aj* frosty
hrīmġiċel *m* (*-as*) icicle
hrīnan *vb I* touch
hring *m* (*-as*) ring
hringloca *m* (*-an*) corslet
hringmere *m* (*-as*) bath
hringþegu *f* (*-a*) receiving of rings
hrīsil *m* (*-as*) shuttle
hrīþ *f* (*-a*) storm
hrōf *m* (*-as*) roof
hrōstbēag *m* (*-as*) vaulted roof
hrōþor *m* (*-as*) benefit
hrunġeat *n* (*-gatu*) barred gate
hrūse *f* (*-an*) earth, ground
hrūtan *vb II* resound
hryċg *m* (*-as*) back, surface
hryre *m* (*-as*) fall
hrysted *aj* adorned
hrȳð(i)ġ *aj* ruinous, stormy (?)
hū *av* how
huethrae *av* however

huilpe *f* (*-an*) curlew
Humb(er) *name* Humber
hund *m* (*-as*) dog
hung(e)r, -g(o)r *m* (*-as*) hunger
hungriġ *aj* hungry
huniġflōwende *aj* honey-flowing
hūru *av* clearly, indeed
hūs *n* (-) house
hūsl *n* (-) Eucharist
hūþ *f* (*-a*) booty
hūxlīċ *aj* shameful
hwā, hwæn *prn* who, a certain
hwanon *av* whence
hwæl *m* (*-as*) whale
hwælweġ *m* (*-as*) whale-path, ocean
hwænne *av* when
hwǣr *av* (some, every)where
hwærf *vb III* (*hweorfan*) *3* (re)turn
hwæt *ij*, *prn*, *av* behold, what, why
hwæthwego, -hwugu *prn* something
hwætrēd *aj* ingenious
hwæþ(e)r(e) *cj* whether, however
hwearfian *vb* turn, wander
hwearft *m* (*-as*) circle
hwelċ *aj* each, what (one)
hwelp *m* (*-as*) whelp
hweorfan *vb III* turn, wander, change
hwetan *vb* whet
hweþre *av* whether, however
hwider *av* whither
hwīl *f* (*-a*) time
hwilċ *aj* each, what (one)
hwīlon, -um *av* at times
hwīltīdum *av* sometimes
hwīt *aj* white, bright
hwītan *vb* whiten, polish
hwon *prn inst* (*hwæt*) what
hwōn *aj* little
hwonan, -on *av* whence
hwonne *av* when
hwurfan *vb III* (*hweorfan*) *4* turn, wander, change
hwȳ *av* why
hwylċ *aj* each, what (one)
hwylċnehwego *m ac* something
hwyrfan *vb* turn, wander, change
hȳ *prn* they, them
hyċgan *vb* think, consider
hȳdan *vb* hide
hydercyme *m* (*-as*) advent
hyġe *m* (*-as*) mind
hȳġedryht *f* (*-a*) retainers?
hyġeġēomor *aj* sad
hyġelēast *f* (*-a*) folly
hyġerōf *aj* brave
hyġesċeaft *f* (*-a*) mind
hyġesorg *f* (*-a*) sorrow
hyġeþonc, hyġi- *m* (*-as*) thought
hȳhst *aj* highest
hyht *m*/*f* (*-as, -a*) joy, hope
hyhtan *vb* rejoice
hyhtġiefu *f* (*-a*) happy gift
hyhtlīċ(e) *aj*, *av* joyful(ly), hopeful(ly)
hyhtplega *m* (*-an*) sport
hyldan *vb* bow
hyldo *f* (*-a*) grace, allegiance
hyll *f* (*-a*) hell
hyll *m* (*-as*) hill
hylt *vb VII* (*healdan*) *2* hold
hȳnan *vb* harm, strike
hyra *prn* their
hȳran *vb* hear, obey
hyrde *m* (*-as*) guardian, leader
hyre *prn* her
hyrnednebba *aj* horny-beaked
hyrst *f* (*-a*) jewel
hyrwan *vb* abuse
hys(s)e *m* (*-as*) young man
hyt *prn* it
hȳþ *f* (*-a*) haven, port
hyðelīċ *aj* convenient

iċ *prn* I
īd(e)l *aj* idle, empty
ides *f* (*-a*) virgin, woman
īeċan *vb* increase, add
ī(e)ġ *f* (*-a*) island
īeġbūend *m* (-) island-dweller
ieldra *m* (*-an*) parent, ancestor
ieteð *vb V* (*etan*) *2* eat
īġland *n* (-) island
īhte *vb* (*īeċan*) *3* increase, add
ilca *aj* same
in *prp* in
inbindan *vb III* unbind
inbryrdnis *f* (*-sa*) inspiration
inc *prn* you two
incer *prn* of you two
indryhten *aj* noble
indryhto *f* (*-a*) nobility
inġeþanc, -þonc *n*/*m* (-, *-as*) thought
ingong *m* (*-as*) entry
innan, inne *prp* within
innanbordes *av* at home
innanweard *av* within

innað, -oþ *m* (*-as*) interior, viscera
intinga *m* (*-an*) cause
intō *prp* into
inwidda *m* (*-an*) enemy
inwidhlemm *m* (*-as*) malicious wound
Iob *name* Job
Iohannes *name* John
Iōseph *m* (*-as*) Joseph
īow *prn* you
Īraland *name* Ireland
īren *n* (*-u*) iron, sword
īrenbend *m/f/n* (*-as, -a, -*) iron bond
is *vb an* (*bēon/wesan*) *2* to be
īs *n* (-) ice
īsċ(e)ald *aj* ice-cold
īsiġfeþera *aj* icy-feathered
Isra(h)ēl *Hebr name* Israel
iū *av* formerly
Iudēas *Hebr name* Jews
Iudēisċ *aj* Jewish
iugoð *f* (*-a*) youth
iūwine *m* (*-as*) former friend

kynerīċe *n* (-) kingdom
kyning *m* (*-as*) king
kwealde *vb* (*kwellan*) kill

lā *ij* alas
lāc *n/f* (*-, -a*) gift, game, fight, sacrifice
lācan *vb VII* fight, toss, disport
lād *f* (*-a*) path, track, journey
lāf *f* (*-a*) remains
lāgon *vb V* (*liċgan*) *4* lie
lagu *f* (*-a*) law
lagu *n pl* sea
lagufæðm *m* (*-as*) embrace of waters
laguflōd *m* (*-as*) sea
lagulād *f* (*-a*) sea
lagustrēam *m* (*-as*) sea
lahlīċ(e) *aj, av* lawful(ly)
lahbryċe *m* (*-as*) breach of law
lām *n* (-) earth, clay
lamb *n* (*-ru*) lamb
lāmrind *f* (*-a*) crust of mud
land *n* (-) land, earth
landsċipe *m* (*-as*) region
lang *aj* long
lange *av* for a long time
langoþ *m* (*-as*) longing
langsum *aj* long
langunghwīl *f* (*-a*) time of longing
lār *f* (*-a*) teaching
lārcwid *m* (*-as*) doctrine
lārēow *m* (*-as*) teacher
lāst *m* (*-as*) track
lāstword *n* (-) posthumous fame
lata *aj* late
late *av* hardly
latiġan *vb* delay
lāð *aj* loathed
lāðettan *vb* loathe
laþian *vb* summon
lāðlīċ(e) *aj, av* loathly
lǣdan *vb* lead, carry
Læden *aj* Latin (language)
Lædenġeðīod *n* (-) Latin language
Lædenspræ̅ċ *f* (*-a*) Latin language
Lædenware *m pl* Romans
lǣfan *vb* leave
læġ, lǣġe, -un *vb V* (*liċgan*) *3, 4* lie
lǣn *f* (*-a*) loan
lǣne *aj* transitory
lǣran *vb* teach, inform
læriġ *m* (*-as*) rim of shield
lǣs *aj, av* less, lest
lǣstan *vb* obey, fulfil
læt *aj* late
lǣtan *vb VII* leave, allow
lǣwed *aj* unlearned, lay
lēaf *n* (-) leaf
leaht(o)r *m* (*-as*) vice
leahtorbealo *f* (*-a*) vicious injury?
lēan *n* (-) reward
lēanian *vb* reward
lēas *aj* without, false
lēasung *f* (*-a*) falsehood
leċgan *vb* lay, put
lēfan *vb* allow
leġ, -de, -dun *vb* (*leċgan*) *4* lay, put
lēġ *m/n* (*-as, -*) flame
leġe *vb V* (*liċgan*) *4* lie
leġer *n* (*-u*) bed
lēġetu *f* (*-a*) lightning
lehtrian *vb* revile
leng *aj, av* longer
lengan *vb* prolong, delay
lēod *f* (*-a*) nation
lēodfruma *m* (*-an*) lord
lēodhata *m* (*-an*) tyrant
lēof *aj* dear
leofian *vb* live
Lēofsunu *name* Leofsunu
lēoftǣl *aj* kind
lēofwende *aj* kind

lēoht *n* (-), *aj* light
Lēohtberend *name* Lucifer
lēohtmōd *aj* gracious
leom *n* (-*u*) limb
lēoma *m* (-*an*) radiance
leornere *m* (-*as*) pupil
leornian *vb* learn
leorningcniht *m* (-*as*) disciple
lēoð *n* (-) song, poem
lēoðcræft *m* (-*as*) art of poetry
lēoðcræftiġ *aj* skilled in poetry
leoþian *vb* lead
lēoðsong *m* (-*as*) poem, song
leoþu *f* (-*a*) guidance?
lēt, -an, -on *vb VII* (*lǣtan*) *3, 4* leave, allow
lēw *f* (-*a*) injury, blemish
libban *vb* live
līċ *n* (-) body
liċgan *vb V* lie
līchama, -homa *m* (-*an*) body
līċhamlēas *aj* incorporeal
līcian *vb* please
lid *n* (-*u*) ship
lida *m* (-*an*) sailor
lidmann *m* (-*men*) sailor
līf *n* (-) life
līffruma *m* (-*an*) creator
lif(i)(ġ)an *vb* live
līfwynn *f* (-*a*) joy of life
līġ *m*/*n* (-*as*, -) flame
liġan *vb V* lie
lihtan *vb* alight
lim *n* (-*u*) limb
līm *m* (-*as*) cement
limpan *vb III* happen
limwēriġ *aj* limb-weary
lind *f* (-*a*) shield
linden *aj* lime-wood
līnen *aj* linen
linnan *vb III* desist, leave
līof *aj* dear
līofwende *aj* kind
līoht *n* (-), *aj* light
liornung *f* (-*a*) learning
lioðobend *m*/*f*/*n* (-*as*, -*a*, -) fetter
liss *f* (-*a*) joy
list *m*/*f* (-*as*, -*a*) skill, cunning
līt(e)l *aj* little
lið *n* (-*u*) joint
līð *vb V* (*liċgan*) *2* lie
līðan *vb I* sail
līþe *aj* soft, mild
līxan *vb* shine
lōcian *vb* look
lof *n* (-*u*) praise, glory
lofian *vb* praise
lofsong *m* (-*as*) psalm
lond *n* (-) land, earth
londryht *n* (-) estate
londstede *m* (-*as*) land, country
long *aj* long
longaþ *m* (-*as*) longing
longe *av* for a long time
longian *vb* long
longung *f* (-*a*) longing
losian *vb* be lost
lūcan *vb II* close, lock
Lucifer *name* Lucifer
lucon *vb II* (*lūcan*) *4* close, lock
lufi(ġe)an *vb* love
luflīċ(e) *aj*, *av* loving(ly)
lufsum *aj* kind
lufu *f* (-*a*) love
lust *m* (-*as*) pleasure
lyft *m* (-*as*) air, sky
lyġesearo *n* (-*wu*) wile
lȳsan *vb* redeem
lyteġian *vb* dissemble
lȳt(e)(l), -ul *aj* little
lȳtlian *vb* dwindle
lȳðre *aj* wicked

mā *av* more
Maccus *name* Maccus
macian *vb* make
māga *m gn pl* (*mǣġ*) kinsman
mage, -an, -on, -un *vb V* (*magan*) *1* can
mago *m* (-*as*) warrior
magutūd(o)r *n* (-*u*) offspring
maguþeġn *m* (-*as*) retainer
mān *n* (-) sin
mancus *m* (-*essas*) thirty pence
mancyn(n) *n* (-) mankind
māndǣd *f* (-*a*) sin, crime
maneġ, -iġ *aj* many
mānfull *aj* sinful
manian *vb* exhort
maniġeo *f* (-*a*) multitude
maniġfeald *aj* manifold
mannslaga *m* (-*an*) homicide
man(n) *m* (*men*) man, one
mannsylen *f* (-*a*) slave-trading
mānsċild *f* (-*a*) guilt
manslyht *m* (-*as*) manslaughter
mānswora *m* (-*an*) perjurer
māre *aj*, *av* larger, more

Maria *name* Mary
māð *vb I* (*miþan*) *3* conceal
maþelian *vb* speak
māðm *m* (*-as*) treasure
māþþumġyfa *m* (*-an*) gift-giver
mæċg *m* (*-as*) man
mæġ, -e *vb V* (*magan*) *2* can
mǣġ *m* (*māgas*) kinsman
mæġ(e)n *n* (*-u*) might, miracle
mæġencyning *m* (*-as*) mighty king
mæġenheard *aj* strong
mæġenþrymm *m* (*-as*) power, glory
mæġ(e)ð *f* (*-a*) virgin, girl
mæġnian *vb* gain strength
mǣġrǣs *m* (*-as*) attack on kinsmen
mǣġslaga *m* (*-an*) slayer of kinsmen
mǣġð *f* (*-a*) nation
mǣġðeġsa *m* (*-an*) terror of nations?
mæġyn *n* (*-u*) might, miracle
mæht *f* (*-a*) might
mǣl *n* (-) time, sign
mǣlan *vb* speak
mæn(n) *m pl* (*man*) man, one
mǣnan *vb* mean, relate
mæneġ, -iġ *aj* many
mæniġfeald *aj* manifold
mǣre *aj* famous, pure
mærg *m* (*-as*) horse
Mæringas *name* Visigoths
mǣrsian *vb* proclaim, praise
mǣrþ(u) *f* (*-a*) glory
mæssseprēost, -prīost *m* (*-as*) priest
mæsserbana *m* (*-an*) priest-killer
mǣst *aj* most, greatest
mǣte *aj* small, few
mǣð *f* (*-a*) what is right, honour
Mǣðhild *name* Matilda
mæðlan *vb* speak
mǣw *m* (*-as*) seagull
mē *prn* me
meaduburg *f* (*-byriġ*) mead-city
meaht *f* (*-a*) might
meaht, -e, -an, -on *vb V* (*magan*) *2, 3, 4* can
meahtiġ *aj* mighty
mēar *m* (*-as*) horse
meċ *prn* me
mēċe *m* (*-as*) sword
mēċg *m* (*-as*) man, one
mēd *f* (*-a*) reward
mēd(d)er *f dt sg* (*mōdor*) mother
medmiċ(e)l *aj* small
medodrinċ *m* (*-as*) mead
mehte *vb V* (*magan*) *3* can
melda *m* (*-an*) informer
meltan *vb III* melt
mengan *vb* mix
men(i)ġo, -eo, u *f* (*-a*) multitude
men(n) *m pl* (*man*) man, one
menniscˊ *aj* human
menniscnes, -nys *f* (*-sa*) humanity
meodo, -u *f* (*-a*) mead
meododrēam *m* (*-as*) festivity
meodoheall, meodu- *f* (*-a*) mead-hall
meodorǣden(n) *f* (*-a*) strong drink?
meolċgende *aj* suckling
mēos *m* (*-as*) moss
meotod, -ud *m* (*-as*) lord
mēowle *f* (*-an*) virgin, woman
mere *m* (*-as*) pool, sea
mereflōd *m* (*-as*) sea
merelād *f* (*-a*) sea
merestrēam *m* (*-as*) sea
merewer(i)ġ *aj* sea-weary
merġen *m dt sg* (*morgen*) morning
mete *m* (*-tas*) food
metelīst *f* (*-a*) hunger
metod, -ud *m* (*-as*) lord
mettrumnys *f* (*-sa*) illness
mēðe *aj* weary
meþelcwide *m* (*-as*) discourse
meþelstede *m* (*-as*) meeting-place
miċ(c)(e)l *aj, av* much, great(ly)
Michahēl *name* Michael
mid(d) *aj, prp* middle, with
middaneard, -ġeard *m* (*-as*) earth
miht *f* (*-a*) might
miht, -e, -on *vb V* (*magan*) *2, 3, 4* can
mihtiġ *aj* mighty
milde *aj, av* kind(ly)
mildheort *aj* merciful
mildheortlīċ(e) *aj, av* merciful(ly)
mildheortnes *f* (*-sa*) mercy
mildsian, miltsiġan *vb* pity
mīlpaþas *m pl* (*-pæþ*) high road?
milts *f* (*-a*) mercy
miltsung *f* (*-a*) mercy
mīn *aj* my, mine
mine *m* (*-as*) mind
minsian *vb* diminish
mirċe *aj* evil
misbēodan *vb II* misuse
misdǣd *f* (*-a*) misdeed
mislimpan *vb III* befall badly
mis(sen)līc(e) *aj, av* various(ly)
mist *m* (*-as*) mist
mistlīċ(e) *av, aj* various(ly)

misþāh *vb I* (*misþēon*) *3* decline
mith *prp* with
mīþan *vb I* conceal
mōd *n* (-) mind, pride, courage
mōdbysgung *f* (*-a*) anxiety
mōdċeariġ *aj* anxious
mōdċearu *f* (*-a*) grief
mōdcræft *m* (*-as*) intelligence
mōdelīċ(e) *aj, av* brave(ly), proud(ly)
mōdġeþanc, -þonc *m* (*-as*) thought
mōdġeþōht *m* (*-as*) mind, thought
mōdglæd *aj* happy
mōd(i)(ġ) *aj* brave, proud
mōdiġan *vb* be proud
mōdiġnis, -nys *f* (*-sa*) pride
mōdlufu *f* (*-an*) love
mōdor *f* (-) mother
mōdsefa *m* (*-an*) mind, heart
mōdsēoc *aj* sad
mōdsnotter *aj* wise
mōdweleġ *aj* intelligent
mōdwlonc *aj* proud
molde *f* (*-an*) earth
moldern *n* (-) grave, tomb
moldwyrm *m* (*-as*) worm
mōna *m* (*-an*) moon
mondryht(e)n *m* (*-as*) lord
moneġ, -iġ *aj* many
mong *n* (-) company?
monian *vb* exhort
moniġfeald *aj* manifold
mon(n) *m* (*men*) man, one
mon(n)cyn(n) *n* (-) mankind
monþwǣre *aj* kind
mor(g)(e)n *m* (*-as*) morning, morrow
morgentīd *f* (*-a*) morning
mōrstapa *m* (*-an*) moor-traveller
morþ *f* (*-a*) reward
morðdǣd *f* (*-a*) sin, murder
morð(e)r, -or *n* (*-u*) injury, murder
morþorwyrhta *m* (*-an*) criminal, murderer
mōst, -e, -on, -un *vb an 2, 3, 4* must, be allowed, able
mōt, -an, -e, -en, -on, -un *vb an 1* must, be allowed, able
Moyses *name* Moses
mund *f* (*-a*) protection, custody
mundbyrd *f* (*-a*) protection
mundheals *f* (*-a*) protection
Mūniċep *name* York
munt *m* (*-as*) mountain
munuchād *m* (*-as*) monastic state
murnan *vb III* be anxious (for)
mūð *m* (*-as*) mouth
mūðlēas *aj* without a mouth
myċ(c)(e)l *aj, av* much, great(ly)
mylensċearp *aj* (mill-)sharp
myltestre *f* (*-an*) whore
myne *m* (*-as*) mind
mynst(e)r *n* (*-u*) monastery, convent
mynsterhata *m* (*-an*) persecutor of monasteries
Myrċe *m pl* Mercians
myrġþ, myrhþ *f* (*-a*) joy
myriġ *aj* joyful
mȳse *f* (*-an*) table

nā *av* no, not, never
nabban *vb an* (*ne habban*) not to have
naca *m* (*-an*) boat
nāh *vb* (*ne āgan*) *1* not to have
nāht *av* not at all
nālæs, -es, nalles *av* not (at all)
nām *vb IV* (*niman*) *3* take
nama *m* (*-an*) name
nān *aj* not one
nāneġ *aj* not any
nāp *vb I* (*nīpan*) *3* grow dark
nāt *vb an* (*ne witan*) *1* not to know
nāþor *cj* neither
næbbe *vb an* (*ne habban*) *2* not to have
nǣdl *f* (*-a*) needle
næfde, -on, -ð *vb an* (*ne habban*) *3, 4, 2* not to have
nǣfre *av* never
nǣġan *vb* speak (to)
næġel *m* (*-as*) nail
næġled *aj* nailed
næġledcnearr *m* (*-as*) nailed ship
nǣn *aj* not one
nǣn(i)ġ *aj* not any
nǣren, -on *vb an* (*ne bēon/wesan*) *4* not to be
næs *vb an* (*ne bēon/wesan*) *3* not to be
nǣtan *vb* vex
ne *neg particle* no, not, nor
nēah *aj, av* near
neaht *f* (*-a*) night
nēalǣċan, -lēċan *vb* draw near
nearo, -u *aj* (*-was*) narrow, difficult
nearwian *vb* diminish
nēat *n* (-) (domestic) animal
nēd *f* (*-a*) need, necessity
nēdþearfnis *f* (*-sa*) necessity, difficulty
nefne *prp, cj* unless, except
nēh *aj, av* near

nel(l)an *vb an* (*ne willan*) not to wish (to)
nem(n)an *vb* name
nemne, nemþe *prp, cj* unless, except
nēod *f* (*-a*) desire
nēolnes *f* (*-sa*) depth
neoman *vb IV* take
neorxnawang *m* (*-as*) paradise
nēosan *vb* visit
nēotan *vb II w gn* use, enjoy
neoðan, -one *av* below
nerġend *m* (-) saviour
nēten *n* (*-u*) animal
nēþan *vb* venture (on)
ni *neg particle* no, nor, not
nīedbeðearf *aj* necessary
nigon *aj* nine
niht *f* (*-a*) night
nihtes *av* at night
nihthelm *m* (*-as*) night-shadow
nihtlīċ(e) *aj, av* nightly
nihtscūa *m* (*-an*) night-shadow
nihtwaco *f* (*-a*) night-watch
niman *vb IV* take
nīobedd *n* (-) bed of death?
nīotan *vb II w gn* use, enjoy
nīpan *vb I* grow dark
nis *vb an* (*ne bēon/wesan*) *2* not to be
nīþ *m* (*-as*) hostility
Nīðhād *name* King Níðuðr
niþre *av* below
niþ(þ)as *m pl* men
nīþwer *m* (*-as*) hostile man
nīudlīcae *av* eagerly
nīwe *aj* new
nō *av* no, not, never
nōht *av* not at all
nōhwæðer *aj* neither (of two)
noldan, -e, -on *vb an* (*ne willan*) *4, 3* not to wish (to)
noma *m* (*-an*) name
norð *av* north
norþan *av* from the north
Norþanhymbre *m pl* Northumbrians
norþdǣl *m* (*-as*) north part
norþende *m* (*-as*) north part
norþerne *aj* northern
Norðman(n) *m* (*-men*) Norseman
norþrodor *m* (*-as*) northern sky
notu *f* (*-a*) use
nōwiht *av* not at all
nū *av* now
numen *vb IV* (*niman*) *5* take
nȳdbysgo *f* (*-a*) distress
nȳdcosting *f* (*-a*) affliction
nȳde *av* necessarily
nȳdġedāl *n* (-) enforced separation, death
nȳdgrāp *f* (*-a*) inevitable grasp
nȳdġyld *n* (-) tribute
nȳdmāġe *f* (*-an*) female dependant
nȳdþearf *f* (*-a*) necessity
nȳhst *aj, av* nearest, (at) last
nyle *vb an* (*ne willan*) *2* not to wish (to)
nymþe *cj, prp* unless, except
nyste, -est, -on *vb an* (*ne witan*) *3, 4* not to know
nȳten *n* (*-u*) animal
nytenys *f* (*-sa*) ignorance
nȳttan *vb II w gn* use, enjoy
nyttost *aj* most needed

ob *prp* (out) of, from
Odda *name* Odda
of *prp* (out) of, from
ofaer, ofer *prp* over, against
ōfer *m* (*-as*) bank
ofer bæc *av* back
oferċeald *aj* very cold, too cold
ofercōman, -cumen *vb IV* (*ofercuman*) *4, 5* overcome
oferēode *vb an* (*ofergān*) *3* pass
oferfēran *vb* cross over
oferfyllu *f* (*-a*) gluttony
oferhēah *aj* very high
oferhoga *m* (*-an*) despiser
oferhyġd *f/n* (*-a*, -) pride
oferhyġdiġ *aj* proud
oferhyrned *aj* greatly horned, horned above?
oferlēof *aj* very dear
oferlīċe *av* excessively
ofermǣte *aj* limitless
ofermēde *n* (-) pride
ofermētto *f* (*-a*) pride
ofermōd *n* (-), *aj* pride, proud
ofermōdiġnys *f* (*-sa*) pride
oferstīgan *vb I* climb over
oferswīþan *vb* overcome
ofertēah *vb II* (*ofertēon*) *3* cover
oferþeaht *vb* (*oferþeċċan*) *5* cover
oferþrym(m) *m* (*-as*) great power
oferwann, -wunnen *vb III* (*oferwinnan*) *3, 5* overcome
ofestum *av* quickly
Offa *name* Offa
ofġeaf, -ġēafon *vb V* (*ofġiefan*) *3, 4* abandon, leave

oflongian *vb* afflict w. longing
ofōll *vb VI* (*ofalan*) *3* diminish?
ofor *prp* over, against
oforġēat *vb II* (*oferġēotan*) *3* cover
oforþeaht *vb* (*oforþeċcan*) *5* cover
oforþeċcan *vb* cover
oforwrȳhþ *vb I* (*oforwrēon*) *2* cover
ofostlīċe *av* quickly
ofsċēat *vb II* (*ofsċēotan*) *3* shoot
ofsittan *vb V* repress
ofslaġen, -sleġen, -slōg *vb VI* (*ofslēan*) *5, 3* slay
ofslēan *vb VI* slay
ofst *f* (*-a*) haste
ofstlīċe *av* quickly
ofstondan *vb VI* remain standing
oft *av* often
oftredan *vb V* tread down
ofþyrsted *aj* thirsty
ōhwonan *av* (from) anywhere
ōl *vb VI* (*alan*) *3* produce
ōleċcan *vb* propitiate
oll *n* (-) scorn
ombehtþeġn *m* (*-as*) amanuensis
on *prp* on, to
on aldre *av* ever
onǣlan *vb* kindle, burn
onbærnan *vb* kindle, burn
onbehtþeġn *m* (*-as*) amanuensis
onbyriġan *vb* taste
oncnāwan *vb VII* know, understand
oncnēow *vb VII* (*oncnāwan*) *3* know, understand
onconn *vb an 2* accuse, deprive?
oncwæð *vb V* (*oncweþan*) *3* cry, answer, say
oncweþan *vb V* cry, answer, say
onċyrran *vb* change, turn (from)
oncȳðiġ *aj* devoid
ond *cj* and
ondġiet *n* (*-u*) sense, meaning
ondlēan *n* (-) retribution
ondlong *aj* entire
ondrǣdan *vb VII* fear
ondsæc *n* (*-sacu*) denial
ondswarian *vb* answer
ondswaru *f* (*-a*) answer
ondweard *aj* present
ondwrāð *aj* hostile
ondwyrdan *vb* answer
onemn *prp* close by
ōnettan *vb* quicken
onfeng *m* (*-as*) taking (hold)
onfēng, -e, -on *vb VII* (*onfōn*) *3, 4* take (on)
onfindan *vb III* find (out)
onfōn, -fonn *vb VII* take (on)
onfond, -funde *vb III* (*onfindan*) *3, 4* find (out)
onfongen *vb VII* (*onfōn*) *5* take (on)
ongan *vb III* (*onġinnan*) *3* begin
onġēan *prp* against
onġeat, -ġēaton *vb V* (*onġietan*) *3, 4* perceive, know
Ongel *aj* English
Ongelþēod *f* (*-a*) English nation
onġemang *prp* among
onġi(e)tan, -ġiotan *vb V* perceive, know
onġinnan, -ġynnan *vb III* begin
ongon, -gunne, -gunnon *vb III* (*onġinnan*) *3, 4* begin
onġyldan *vb III* pay, lose
onġyr(w)an *vb* disrobe
onġytan *vb V* perceive, know
onhrēran *vb* lift, stir up
onhwearf, -hworfen *vb III* (*onhweorfan*) *3, 5* cancel, reverse
onhyldan *vb* lean
onlāg, -lāh *vb I* (*onlēon*) *3* grant
onlēac *vb II* (*onlūcan*) *3* open
onlīcnes *f* (*-sa*) likeness
onlihtan *vb* illuminate
onlūtan *vb II* bow, incline
onlȳsan *vb* redeem, free
onmēdla *m* (*-an*) glory
ono *ij* behold
onsæġd, -e *vb* (*onseċgan*) *5, 4* sacrifice, reject
onsǣġe *aj* attacking
onsċyte *m* (*-an*) calumny
onsendan *vb* send
onsīen *f* (*-a*) lack
onsittan *vb V* oppress, occupy
onslēpte *vb VII* (*onslǣpan*) *3* (go to) sleep
onspreht *vb* (*onspreċcan*) *5* become fruitful?
onstāl *m* (*-as*) supply
onstealde *vb* (*onstellan*) *3* institute
onsundre *aj* apart, separate
onsȳn *f* (*-a*) appearance, countenance
ontȳnan *vb* open, reveal
ontȳnnes *f* (*-a*) aperture
onwald *m* (*-as*) power
onwalg *aj* entire
onwǣċan *vb* mollify
onwæcnian *vb* awake
onweġ *av* away
onwendan *vb* turn (aside), change

onwrāh, -wrēah, -wriġe *vb I* (*onwrēon*) *3, 1* reveal
onwrēon *vb I* reveal
open *aj* open
openian *vb* open
openung *f* (*-a*) opening, revelation
ōr *n* (-) beginning
ōra *m* (*-an*) bank
ord *m* (*-as*) point, source, leader
ordfruma *m* (*-an*) creator, chief
oreþ, or(o)ð *n* (*-u*) breath
orfcwealm *m* (*-as*) murrain
orleġ *n* (*-u*) hostility
ormǣdum *av* greatly
orsāwle *aj* lifeless
ortrȳwnes *f* (*-sa*) doubt
orþanc, -þonc *aj* skilful
orþonc *m*/*n* (*-as*, -) thought, mind
orwēne *aj* despairing
Ōsriċ *name* Osric
Ōswald, -wold *name* Oswald
oþ *prp* until, up to
oþbær *vb IV* (*oþberan*) *3* carry (away)
oðēowan *vb* show, appear
ōþ(e)r *aj* other, second
oðfæstan *vb* commit
oðfeallan *vb VII* fall away, decline
oððan, oððe, oððon, *cj* (either) . . . or
oððæt *cj* until
oðþringan *vb III* deprive
oðwendan *vb* deprive
oðȳwan *vb* show, appear
ōuana *av* (from) anywhere
ōwiht *av* at all

pandher *m* (*-as*) panther
Pante *name* river Blackwater
pāpa *m* (*-an*) Pope
Pastoralis *Lat aj* pastoral
Paulīnus *Lat name* Paulinus
Paulus *Lat name* Paul
Pega *name* Pega
Pehtas *name* Picts
peningwurð *n* (-) pennyworth
Pēter *name* Peter
Philippus *Lat name* Philip
plega *m* (*-an*) play, fighting
plegian *vb* plot, fight
Pleġmund *name* Plegmund
potestates *Lat f pl name* Powers
prass *m* (*-as*) array (?)
principatus *Lat m pl name* Principalities
prȳte *f* (*-an*) pride

racente *f* (*-an*) chain
rād *f* (*-a*) journey, riding
rād *vb I* (*rīdan*) *3* ride
ran *vb III* (*iernan*) *3* run
ranc *aj* brave
rand *m* (*-as*) shield
rāsettan *vb* rage
raðe *av* quickly
rǣċan *vb* extend
rǣd *m* (*-as*) counsel, decision
rǣdan *vb* rule, read
rǣdend *m* (-) ruler
rǣdmæġ(e)n *n* (*-u*) band of advisers?
ræġhār *aj* lichen-grey
rǣran *vb* raise
rǣs *m* (*-as*) attack
ræst *f* (*-a*) rest
rēad *aj* red
rēadfāh *aj* coloured red
rēaf *n* (-) booty
rēafere *m* (*-as*) robber
rēafian *vb* plunder
rēaflāc *m*/*n* (*-as*, -) robbery
rēc *m* (*-as*) smoke
reċċ(e)an *vb* give, rule, explain, care
reċċelēas *aj* negligent
recen(e) *aj*, *av* quick(ly)
reċyd *n* (*-u*) hall
reġn, rēn *m* (*-as*) rain
regolleċ(e), -līċ(e) *aj*, *av* religious(ly)
rehte, -on *vb* (*reċcan*) *3, 4* give, rule, explain, care
rēniġ *aj* rainy
reord *f* (*-a*) speech, voice, language
reordberend *m* (-) man
rēotan *vb II* lament
rēotuġ *aj* sad
rest *f* (*-a*) rest
restan *vb* rest
rēðe *aj* savage, stern, zealous
rib(b) *n* (-) rib
rīċceter *n* (*-u*) violence
rīċe *aj* powerful, wealthy
rīċe *n* (-) kingdom
ricen(e) *aj*, *av* quick(ly)
rīcsian *vb* rule
rīdan *vb I* ride
riht *n* (-) right
riht(e) *aj*, *av* right, direct(ly)
rihtlagu *f* (*-a*) just law
rihtlīċe *av* rightly, directly
rihtwīs *aj* righteous
rīm *n* (-) number

rīnan *vb* rain
rinc *m* (*-as*) man, warrior
rīxian *vb* rule
rōd *f* (*-a*) rood
rod(e)r, -or *m* (*-as*) firmament, sky
rodorcyning *m* (*-as*) heavenly king
rōf *aj* brave, strong
rōgian *vb* prevail
rōhtan, -on *vb* (*reċċan*) *4* give, rule, explain, care
Rōm *name* Rome
Rōmānisċ *aj* Roman
rōmiġan *vb w dt* possess
Rōmware *m* (*-an*) Roman
rōt *aj* glad, good
rōwan *vb VII* row
rūm(e) *aj*, *av* wide(ly)
rūmheort *aj* liberal, kind
rūn *f* (*-a*) mystery, secret
rycen(e) *aj*, *av* quick(ly)
ryht *n* (-) right
ryht(e) *aj*, *av* right, direct(ly)
ryhtend *m* (-) ruler
ryhtspell *n* (-) true teaching
ryhtwīs *aj* righteous
ryne *m* (*-as*) course
rȳpan *vb* plunder
rȳpere *m* (*-as*) robber

saga *vb* (*seċgan*) *1 im* say
sāh *vb I* (*sīgan*) *3* sink, descend
sāl *m/f* (*-as, -a*) rope
Salomon *Hebr name* Solomon
saluwiġpād *aj* dark-coated
same *av* similarly
samni(ġ)an *vb* gather
samod *av* together
sanctus *Lat* saint
sand *n* (-) sand, shore
sang *vb III* (*singan*) *3* sing
sang *m* (*-as*) song
sāriġ *aj* pained
sārlīċ *aj* painful
sār(r) *aj* painful
sārwylm *m* (*-as*) pain
Sātan *Hebr name* Satan
sāul, sāw(e)l, sāwul *f* (*-a*) soul
sāwan *vb VII* sow
sǣ *f/m* (*-, -s*) sea
sæċcu *f* (*-a*) fight
sæd *aj* sated
sǣd *n* (-) seed
sǣde, -on *vb* (*seċgan*) *3, 4* say
sǣfōr *f* (*-a*) voyage
sæġd, -e, -on, -þ *vb* (*seċgan*) *5, 3, 4, 2* say
sǣġe *vb V* (*sēon*) *4* look, see
sǣl *m/f* (*-as, -a*) time
sǣlan *vb* bind
sǣlida *m* (*-an*) sailor
sǣman(n) *m* (*-mæn, -men*) sailor
sǣnaca *m* (*-an*) ship
sǣne *aj* slow
sǣrinc *m* (*-as*) sailor
sæt, sǣton *vb V* (*sittan*) *3, 4* sit
sǣweall *m* (*-as*) cliff
sǣȳþ *f* (*-a*) wave
sċadu *f* (*-wa*) shadow, darkness
sċamian *vb* be ashamed
sċamu *f* (*-a*) shame
sċān *vb I* (*sċīnan*) *3* shine
sċandlīċ(e) *aj*, *av* disgraceful(ly)
sċæcen *vb VI* (*sċacan*) *5* shake, depart
sċēadan *vb VII* separate, fall
sċeadu *f* (*-wa*) shadow, darkness
sċēaf *vb II* (*sċūfan*) *3* thrust
sċeaft *f/m* (*-a, -as*) creation
sċeal, sċealt *vb an* (*sċulan*) *1, 2* be obliged, must
sċealc *m* (*-as*) man, warrior
sċeamu *f* (*-a*) shame
sċeandlīċ *aj* disgraceful
sċeard *aj* deprived, vacant
sċearp *aj* sharp
sċēat *vb II* (*sċēotan*) *3* shoot
sċēat *m* (*-as*) surface, area
sċeatt *m* (*-as*) property, money
sċeaþa *m* (*-an*) adversary, evil one
sċēawi(ġ)an *vb* see
sċefþa *m* (*-an*) scraping
sċelfan *vb III* shake
sċendan *vb* shame, injure
sċēne *aj* beautiful
sċēoh *aj* fearful?
sċeole, -an, -on, -dan, -de, -don *vb an* (*sċulan*) *1, 3, 4* be obliged, must
sċēop *vb VI* (*sċieppan*) *3* create
sċēotan tōgædere *vb II* club together
sċēotend *m* (-) archer
Sċeottas *name* Irish, Scots
sċeppend *m* (-) creator
sċēð *f* (*-a*) sheath
sċeððan *vb VI* injure
sċeþþend *m* (-) enemy
sċild *m* (*-as*) shield

sċildan *vb* protect
sċildhrēada *m* (*-an*) shield
sċīma *m* (*-an*) brightness
sċīnan *vb I* shine
sċip *n* (*-u*) ship
sċipen *f* (*-a*) stall
sċipflota *m* (*-an*) sailor
sċippend *m* (-) creator
sċīr *aj* bright
sċīrwered *aj* bright
Sċittisċ *aj* Irish
sċoldan, -e, -on *vb an* (*sċulan*) *4, 3* be obliged, must
sċomu *f* (*-a*) shame
sċop *m* (*-as*) poet
sċopġereord *n* (-) poetry
sċoren *vb IV* (*sċieran*) *5* cut
sċoten *vb II* (*sċēotan*) *5* shoot
Sċotland *name* Scotland
Sċottas *name* Irish, Scots
sċrād *m* (*-as*)? ship?
sċrīfan *vb I* have regard for, allot
sċrīþan *vb I* glide
sċulan *vb an* be obliged, must
sċūr *m* (*-as*) shower, gust
sċūrbeorg *m* (*-as*) roof
sċyl, -e, -an *vb an* (*sċulan*) *1, 2* be obliged, must
sċyld *f* (*-a*) sin
sċyld *m* (*-as*) shield
sċyldburh *f* (*-a*) shield-wall
sċyldiġan *vb* protect
sċyndan *vb* hasten
sċyndan *vb* shame, injure
sċȳne *aj* beautiful
sċyp *n* (*-u*) ship
sċyppend *m* (-) creator
sċȳte *m* (*-an*) shot, dart
sċyttel *m* (*-as*) bolt
se *art* that, the
sē *rel prn* who
seah *vb V* (*sēon*) *3* look, see
sealde *vb* (*syllan*) *3* sell, give
sealm-sang *m* (*-as*) psalm
sealt *aj* salten
sealtȳþ *f* (*-a*) salt-wave
searacræft *m* (*-as*) fraud
sēarian *vb* wither
searo *n* (*-wu*) skill, treachery
searocǣġ *f* (*-a*) treacherous key
searofær *n* (*-fearo*) cunning ship?
searogim(m) *m* (*-as*) precious stone
searohwīt *n* (-) artificial beauty?
searolīċ(e) *aj, av* clever(ly)
searoþonc *m* (*-as*) skill, guile
searwian *vb* betray
sēað *m* (*-as*) pit
seax *n* (*-u*) knife
Seaxe *name* Saxons
sēċan *vb* seek
seċg *m* (*-as*) warrior
seċg *f* (*-a*) sword
seċg(g)(e)an, -un *vb* say
seċgrōf *aj* valiant
sefa *m* (*-an*) mind
sēfte *aj* easy, mild
seġe, -eð *vb* (*seċgan*) *1* say
sēgon, -un *vb V* (*sēon*) *4* look, see
seldan *av* seldom
seldcyme *m* (*-as*) infrequent visit
sele *m* (*-as*) hall
seledrēam *m* (*-as*) hall-joy
seleseċg *m* (*-as*) retainer
self *aj* self
sēl(l) *aj, av* good, well
sel(l)an *vb* sell, give
sellend *m* (-) giver
sellīċ(e) *aj, av* excellent(ly), strange(ly)
sēman(n) *m* (*-men*) sailor
semninga *av* suddenly, then
sendan *vb* send
senn *f* (*-a*) sin
sēo *f* (-) pupil of eye
sēo *art* the
sēoc *aj* sick
seofen, -on *aj* seven
seofeða *aj* seventh
seofian *vb* sigh
seolf *aj* self
seolf(o)r *n* (-) silver
sēon *vb V* look, see
seono *f* (*-wa*) sinew
seonobend *m/f/n* (*-as, -a,* -) sinew-bond
seoþþan *av* afterwards, since
sēow *vb VII* (*sāwan*) *3* sow
seraphim *Hebr name* Seraphs
setl *n* (-) seat, resting place
setlgang, -gong *m* (*-as*) setting
settan *vb* set
sētung *f* (*-a*) deceit
seþēah *cj* however, yet
sī, sīæ *vb an* (*bēon/wesan*) *1* to be
sib(b) *f* peace
sibleġer *n* (*-u*) incest
siblufu *f* (*-an*) love
Sībyrht *name* Sibyrht

sīd(e) *aj, av* wide(ly)
sīde *f* (*-an*) side
sīdian *vb* extend
sīe, sīen *vb an* (*bēon/wesan*) *1* to be
siexta *aj* sixth
sīgan *vb I* sink, descend
siġe *m* (*-as*) victory
siġebēacen *n* (*-u*) banner
siġebēam *m* (*-as*) tree of victory
siġebearn *n* (-) Christ
siġedryhten *m* (*-as*) lord of victory
siġefæst, -fest *aj* victorious
siġehrǣmiġ, -hrēmiġ *aj* triumphant
siġelēas *aj* defeated
siġelēoð *n* (-) song of triumph
siġesċeorp *n* (-) triumphant garb
siġeþēod *f* (*-a*) victorious nation
siġeþrēat *m* (*-as*) victorious band
sigor *m* (*-as*) victory
sigorfæst *aj* victorious
sihste *aj* sixth
silf *aj* self
simle *av* always
sīn *aj* his
sinc *n* (-) treasure
sincġewǣġe *n* (-) precious cup
sincġiefa, -ġyfa *m* (*-an*) giver of treasure
sinchroden *aj* adorned with treasure
sincþeġu *f* (*-a*) receiving treasure
sind, -an, -on *vb an* (*bēon/wesan*) *1* to be
singal(līċe) *aj, av* continuous(ly)
singan *vb III* sing
singryn *m* (*-as*) constant evil?
sinnan *vb* have care for
sinsorg *f* (*-a*) continual sorrow
sīo *art* the
sīo *vb an* (*bēon/wesan*) *1* to be
siodo *m* (*-a*) custom, morality
sit(t)an *vb V* sit
sīð *m* (*-as*) journey, life
sīð *av* late, afterwards
sīðfat, -fæt *m/n* (*-as, -u*) journey, time
sīþian *vb* journey
siððan *cj, av* after(wards)
six *aj* six
sixta *aj* sixth
slāt *vb I* (*slītan*) *3* slit, tear
slǣp *m* (*-as*) sleep
slǣpan *vb VII* (go to) sleep
sleġe *m* (*-as*) blow, slaughter
slidor *aj* slippery
slītan *vb I* slit, tear
slīþen *aj* cruel
slīðheard *aj* cruel
slōġe, slōh *vb VI* (*slēan*) *4, 3* strike, slay
smēa(ga)n *vb* reflect, study
smedma *m* (*-an*) flour
smītan *vb I* pollute
smylte *aj* mild, kind
snāw *m* (*-as*) snow
snell *aj* quick, strong
snēome *av* quickly
snēr *f* (*-a*) harpstring
snīwan *vb* snow
snotorlīċ(e) *aj, av* wise(ly)
snott(o)r *aj* wise
snūd *aj* soon to come
snyttro, -u *f* (*-a*) wisdom
soden *vb II* (*sēoþan*) *5* boil, afflict
sōfte *av* easily
sōhtan, -e, -on *vb* (*sēċan*) *4, 3* seek
sōlian *vb* (become) foul
some *av* similarly
somed, -od, -ud *aj* together
somwist *f* (*-a*) union
sōna *av* soon, immediately
sond *f* (*-a*) what is sent
sond *n* (-) sand, shore
sondhof *n* (*-u*) grave
song *vb III* (*singan*) *3* sing
song *m* (*-as*) song
songcræft *m* (*-as*) poetry
sorg *f* (*-a*) sorrow
sorgċeariġ *aj* sorrowful
sorgian *vb* sorrow
sorglufu *f* (*-an*) sad love
sorgwælm *m* (*-as*) sorrow
sorhful *aj* sorrowful
sorhlēoð *n* (-) dirge
sōð *aj* true
sōðcwide *m* (*-as*) true saying
sōðcyning *m* (*-as*) true king
sōðfæst *aj* true, faithful
sōþfæstnis *f* (*-sa*) truth, loyalty
sōðġied(d) *n* (-) true tale
sōðlīċ(e) *aj, av* true, truly
spǣcan *vb V* (*specan*) *4* speak
specan *vb V* speak
spēd *f* (*-a*) success
spēdan *vb* succeed
spēdiġ *aj* successful
spell *n* (-) tale, saying
spēone *vb VII* (*spannan*) *4* fasten, oblige
spēow *vb VII* (*spōwan*) *3* succeed
spere *n* (*-u*) spear
spillan *vb* destroy

spōn *m* (*-as*) chip
spor *n* (*-u*) track
spōwan *vb VII* succeed
sprang *vb III* (*springan*) *3* spring
spræc, sprǣce, -on, spriceð *vb V* (*sprecan*) *3, 4, 2* speak
sprǣċ *f* (*-a*) speech
sprecan *vb V* speak
sprengan *vb* crack
stafas *m pl* (*stæf*) writing
stalu *f* (*-a*) theft
stān *m* (*-as*) stone
stānclif *n* (*-u*) stone cliff
standan *vb VI* stand
stang *vb III* (*stingan*) *3* stab
stānhleoþ, -hliþ *n* (*-u*) stone slope
stānhof *n* (*-u*) stone house
starian *vb* gaze on
staþel, -ol, -ul *m* (*-as*) foundation
staþelian *vb* found
staþolǣht *f* (*-a*) estate
staþolfæst *aj* firm
stædefæst *aj* steadfast
stǣlġ *aj* steep
stǣn(e)n *aj* stony
stǣr *n* (-) history
stæð *n* (*-aðu*) bank
stēam *m* (*-as*) vapour
stēap *aj* tall
stearn *m* (*-as*) tern
stede *m* (*-as*) place
stedefæst *aj* steadfast
stefn *f* (*-a*) voice
stefn *m* (*-as*) foundation, stem, time
stefna *m* (*-an*) prow
stemnettan *vb* stand firm, cry out?
stenċ *m* (*-as*) odour
stēold *vb VII* (*stealdan*) *3* possess
stēor *f* (*-a*) guidance
steorfa *m* (*-an*) pestilence
steorra *m* (*-an*) star
stepegong *m* (*-as*) path
stiell *m* (*-as*) leap
stīeran *vb* guide, restrain
stīgan *vb I* rise, ascend
stihtan *vb* exhort
stilnes *f* (*-sa*) quiet
stincan *vb III* (have a) smell
stirġan *vb* touch, play, stir
stīþ *aj* stiff, fierce, hard
stīðferhð *aj* brave, resolute
stīðhiċgende *aj* resolute
stīðlīċ(e) *aj, av* firm(ly), harsh(ly)
stīðmōd *aj* resolute, fierce
stōd, -an, -on *vb VI* (*standan*) *3, 4* stand
stōl *m* (*-as*) seat, throne
stondan *vb VI* stand
stōp *vb VI* (*steppan*) *3* step, stride
storm *m* (*-as*) storm
stōw *f* (*-a*) place
strang *aj* strong
strǣl *m* (*-as*) arrow
strēam *m* (*-as*) stream
strēgan *vb* spread
streġdan *vb III* spread
strenglīċ *aj* strong
strengra *aj* stronger
strengðu *f* (*-a*) strength, force
strīċ *n* (-) sedition, pestilence?
strīð *m* (*-as*) struggle
strong(līċ) *aj* strong
strūdung *f* (*-a*) robbery
strȳnan *vb* acquire
stund *f* (*-a*) time
Stūrmere *name* Sturmer, Essex
styde *m* (*-as*) place
stȳlan *vb* harden
styll *m* (*-as*) leap
styllan *vb* leap
stynt *vb VI* (*standan*) *2* stand
styrian *vb* touch, play, stir
styrnlīċ *aj* harsh
suāeðēh *cj* however, yet
sum *aj* some, a certain
sumer, -or *m* (*-as*) summer
sumorlang *aj* summer-long
sumurhāt *f* (*-a*) summer heat
suna *m* (*-a*) son
sund *n* (-) sea
sundhengest *m* (*-as*) ship
sundor *av* apart
sundorġecynd *n* (-) unusual nature
sundwudu *m* (*-as*) ship
sungen, -on *vb III* (*singan*) *5, 4* sing
sunne, -a *f/m* (*-an*) sun
sunu *m* (*-a*) son
sūsl *n/f* (-, *-a*) torment
sutol *aj* evident
sūð *av* southward
sūðan *av* from the south
sūþerne *aj* southern
swā *av, cj* so, thus; (correlative) whether . . . or
swā hwā swā *prn* whoever
swāt *n* (-) perspiration, blood
swāðēah *cj* however, yet

swǣ *av*, *cj* so, thus
swæcc *m* (*-as*) taste, smell
swǣs *aj* dear, own
swǣtan *vb* perspire, bleed
swæð *n* (*-u*) track
swealg *vb III* (*swelgan*) *3* swallow
swearc *vb III* (*sweorcan*) *3* become dark
sweart *aj* black, dark, evil
swecc *m* (*-as*) taste, smell
swefn *n* (-) dream
swefot *m* (*-as*) sleep
swēġ *m* (*-as*) sound, music
swēġhlēoþor *m* (*-as*) melody
sweġl *n* (-) sky, sun
sweġlbeorht *aj* sun-bright
sweġlrād *f* (*-a*) music?
sweġlwuld(o)r *n* (*-u*) heavenly glory
sweġlwund(o)r *n* (*-u*) heavenly wonder
swelċ(e) *aj*, *av*, *cj* such, like, as
sweltan *vb III* die
swenċan *vb* afflict
sweng *m* (*-as*) blow
swēora *m* (*-an*) neck
sweorcan *vb III* become dark
sweord *n* (-) sword
sweostor *f* (*-a*, *-u*) sister
sweotol, -ul *aj* evident
swēte *aj* sweet
swētnes, -nis, -nys *f* (*-sa*) sweetness
sweþrian *vb* cease
swīcan *vb I* go, betray
swicc *m* (*-as*) taste, smell
swicdōm *m* (*-as*) treason
swician *vb* go, betray
swīfan *vb I* go, drift
swift *aj* swift
swilċ(e) *aj*, *av*, *cj* such, like, as
swimman *vb III* swim
swinsian *vb* make melody
swinsung *f* (*-a*) melody
Swīoriċe *name* Sweden
swīð *aj* strong, right
swīþe *av* very, much
swīþhwæt *aj* active, brave
swonc(o)r *aj* supple
sworettan *vb* sigh, breathe deeply
sworetung *f* (*-a*) sighing, breathing
swulte *vb III* (*sweltan*) *4* die
swurd *n* (-) sword
swustersunu *m* (*-a*) nephew
swustor *f* (*-a*, *-u*) sister
swutol *aj* evident
swylċ(e) *aj*, *av*, *cj* such, like, as
swylt *m* (*-as*) death
swȳþe *av* very, much
sȳ *vb an* (*bēon*/*wesan*) *1* to be
syfling *f* (*-a*) seasoning
sygor *m* (*-as*) victory
sylf *aj* self
sylfor *n* (-) silver
sȳl(l) *aj*, *av* good, well
syl(l)an *vb* give, sell
syllīċ(e) *aj*, *av* wonderful(ly) joyous(ly)
sym(b)(e)l *n* (*-u*) feast
symbelgāl *aj* flushed w. feasting
sym(b)le *av* always
sȳn *vb an* (*bēon*/*wesan*) *1* to be
synd, -an, -on *vb an* (*bēon*/*wesan*) *1* to be
syndriġlīċ(e) *aj*, *av* special(ly)
synfull *aj* sinful
synġian *vb* sin
synlēaw *f* (*-a*) evil injury
synn *f* (*-a*) sin
synsċeaða *m* (*-an*) evil-doer
synt *vb an* (*bēon*/*wesan*) *1* to be
synwræcu *f* (*-a*) punishment
synwund *f* (*-a*) injury of sin
synwyrċende *aj* sinning
syþþan *av* afterwards, since
syx *aj* six
syxta *aj* sixth

tāc(e)n *n* (-) sign, miracle, rood
tācnung *f* (*-a*) sign, betokening
talġan *vb* think, believe
tān *m* (*-as*) twig, lot
tǣċan *vb* teach
tǣhte *vb* (*tǣċan*) *3* teach
tǣlan *vb* blame
tǣsan *vb* wound
tēaforġeap *aj* red curved
tēag *f* (*-a*) bond
tēag, tēah *vb II* (*tēon*) *3* draw, pull
teala *av* well
tealt *aj* unstable
telg *m* (*-as*) colour
telga *m* (*-an*) branch
telġian *vb* flourish
telian *vb* tell, calculate
Temes *name* Thames
temp(e)l *n* (*-u*) temple
tēne *aj* ten
tēon *vb* create, arrange
tēon *vb II* draw, pull
tēoðe *aj* tenth

throni *Lat m pl name* Thrones
tīd, tiid *f (-a)* time
tīdeġ *m (-dagas)* last day
tiġel *f (-a)* tile
tiht *m (-as)* motion, course
til *aj* good, blessed
til *prp* to
til(ġ)(i)an *vb* strive, seek for, provide
tillīċ(e) *aj, av* good, well
timbran *vb* build
tinnan *vb* stretch, burn?
tintreġlīċ *aj* torment
tiolian *vb* strive, seek for, provide
tīr *m (-as)* glory
tīrfæst *aj* glorious
tō *av* too
tō *prp* to, as
tō aldre *av* forever
tōbǣron *vb IV (toberan) 4* carry off
tōbærst, -byrst *vb III (tōberstan) 3, 2* burst
tōbræc, -brocen *vb IV (tōbrecan) 3, 5* break
tōcyme *m (-as)* advent
tōdǣlan *vb* separate
tōēacan *prp av* beside(s)
tōflōwen *vb VII (tōflōwan)* disperse
tōgæd(e)re *av* together
tōġēanes, -ġēġnes, -gēnes *prp* toward, against
tōġeþēodan *vb* join
tōġīnan *vb I* split open
tōhiht *m (-as)* hope
tōhlēoþian *vb* disjoint
tōhlīdan *vb I* crack
tōlȳsan *vb* release, separate
tōmældian *vb* destroy by speech
tōmiddes *prp* amidst
torht *aj* bright, beautiful
torhtlīċ(e) *aj, av* bright(ly)
torn *m (-as)* anger
tor(r) *m (-as)* tower
tōsēċan *vb* seek, try
tōslītan *vb I* tear to pieces
tōtoġen, -tȳhð *vb II (tōtēon) 5, 2* pull to pieces
tōtwǣman *vb* divide, discern
tōþ *m (tēþ, tōþas)* tooth
tōweard *aj* present
tōwiþre *prp* against
tōwurpe *vb III (tōweorpan) 4* destroy
tōyrnan *vb III* run (to, about)
trāg *aj* evil
trahtnian *vb* explain
traisċ *aj* tragic
trēocynn *n (-)* race of trees
trēo(w) *n (-)* tree, cross, wood
trēow *f (-a), aj* truth, loyalty, loyal
trēowlēas *aj* false
trēowlufu *f (-an)* loyal love
trēowþrāg *f (-a)* time of faith, life?
trūwian *vb* trust, believe
trym *m/n (-as, -u)* step, space
trym(m)(i)an *vb* make, array, strengthen
trȳw *f (-a)* truth, loyalty
tūcian *vb* ill-treat
tū(d)der, -or *n (-u)* race, offspring
tunece *f (-a)* tunic
tunge *f (-an)* tongue
tūnġerēfa *m (-an)* bailiff
tung(o)l, -ul *n (-u)* star
twā *aj* two
twēġa, -en *aj* two
twelf *aj* twelve
twelffeald *aj* twelvefold
twēo, twȳ *m (-n)* doubt
twēoġean *vb* doubt
Tȳberiadis *name* Tiberias
tȳdran *vb* bring forth, rear
tyht *m (-as)* motion, course
tȳn *aj* ten
tȳr *m (-as)* glory
tȳtan *vb* shine

þā *av* then (. . . when)
þā, þām, þān, þane *def art, aj* the, that
þafian *vb* consent (to)
þafung *f (-a)* consent
þanc *m (-as)* thought, thanks
þancian *vb* thank
ðār *av* there, where
þāra, þāre, þǣm, þæne *def art, aj* the, that
þās *aj* this
þæġn *m (-as)* retainer
þænne *av* then, when
þǣr *av* there, where, if
þǣra, þǣre, þæt, *def art, aj* the, that
ðǣron *av* thereon
þæs *def art, aj, av* the, that, therefore
þæt(te) *cj* that
þe *rel prn* who, which
þē *prn* thee
þēah(hwæþere) *av, cj* however, yet
þearf *f (-a)* need
þearle *av* very, excessively
þearlīċ *aj* severe
þearlwīs *aj* severe

þēaw *m* (*-as*) custom, virtue
þeċ *prn* thee
þeġ(e)n *m* (*-as*) retainer
þeġenġyld *n* (-) wergild of a retainer
ðeġenlīċ(e) *aj*, *av* loyal(ly)
þeġnsċipe *m* (*-as*) allegiance
þeġnweorud *n* (*-u*) body of retainers
ðēh *av*, *cj* however, yet
þēn *m* (*-as*) retainer
þenċ(e)an *vb* think, intend
þendan, -en *cj*, *av* (mean)while
þenian *vb* stretch out
ðēning *f* (*-a*) service
ðēod *f* (*-a*) nation, language
þēodbūend *m* (-) man
þēodeġsa *m* (*-an*) terror of the nations
þēod(e)n *m* (*-as*) chief, prince
þēodenmadm *m* (*-as*) noble treasure
Ðēodriċ *name* Theodric, Wolfdietrich the Frank
þēodsċipe *m* (*-as*) nation, discipline
þēodwita *m* (*-an*) sage
þeos, ðēos, ðeosse *aj* this
þēostorcofa *m* (*-an*) dark chamber, grave
þēostru *f* (*-a*) dark(ness)
þēow *m* (*-as*) servant
þēowdōm *m* (*-as*) service
þēowian *vb* serve
ðer(i)h *prp* through, by
þes *aj* this
þēs *prn* this one
þī *def art*, *aj* the, that
þider *av* thither
þiġeð *vb V* (*þiċgan*) *2* take, eat
þīn *aj* thy, thine
ðinc, þing(c) *n* (-) thing
þinċan *vb* seem
þingian *vb* intercede
þingstede *m* (*-as*) meeting-place
þingung *f* (*-a*) mediation
ðīod *f* (*-a*) nation, language
ðīow *m* (*-as*) servant
ðīowotdōm *m* (*-as*) service
þis *aj* this
þōht *m* (*-as*) thought
þōhte *vb* (*þenċan*) *3* think, intend
þolian *vb* suffer, endure
þon, þone *def art*, *aj* the, that
þonan, -on *av* thence, whence
þonc *m* (*-as*) thought, thanks
þon(ne) *cj* than
ðon(n)(e) *av*, *cj* then, when, whilst
þorfte, -on, -un *vb an* (*þurfan*) *3, 4* need
þrāg *f* (*-a*) time
þræce *f ac sg* (*þracu*) force, power
þrǣd *m* (*-as*) thread
þrǣl *m* (*-as*) servant
þrǣlriht *n* (-) serf's right
þrēa *f/m/n* (-, *-n*) threat, suffering
þrēanȳd *f/n* (*-a*, -) affliction
þrēat *m* (*-as*) threat, troop, force
þrēo *aj* three
þrēonihta *f pl* three nights
ðrēt *m* (*-as*) threat, troop, force
þridda *aj* third
ðrīnes *f* (*-sa*) trinity
ðrīostru *f* (*-a*) dark(ness)
þrīste *av* boldly
þrītiġ *aj* thirty
þrong *m* (*-as*) crowd
þrong *vb III* (*þringan*) *3* crowd
þrosm *m* (*-as*) smoke
þrōwian *vb* suffer
þrōwing, -ung *f* (*-a*) suffering
þrūh *f* (*-a*) coffin
þrungon *vb III* (*þringan*) *4* crowd
þrȳ *aj* three
þrymcyme *m* (*-as*) glorious advent
þrymfæst *aj* glorious, powerful
þrymful *aj* glorious, powerful
þrym(m) *m* (*-as*) glory, power
þrȳnys *f* (*-sa*) trinity
þrȳþ *f* power
þū *prn* thou
þūhte *vb* (*þynċan*) seem
þuner, -or *m* (*-as*) thunder
þunian *vb* be proud
þurfe, -on *vb an* (*þurfan*) *1* need
þurh *prp* through, by
þurhdrīfan *vb I* pierce
þurhiteð *vb V* (*þurhetan*) *2* consume
þurhlonge *av* continuously?
þurhsmȳhð *vb II* (*þurhsmūgan*) *2* penetrate
þurhwōd *vb VI* (*þurhwādan*) *3* pass through
þurhwunian *vb* persist
Þurstān *name* Thurstan
þurst(i)ġ *aj* thirsty
þus *av* thus, so
ðūsend *aj* thousand
þwītan *vb I* cut off
þȳ *def art*, *aj*, *av* the, that, therefore
þȳfþ *f* (*-a*) theft
þȳlēas *cj* lest
ðynċan *vb* seem

þyslīċ(e) *aj, av* such, so
þys(s) *aj* this
þȳstru *f* (*-a*) dark(ness)

uaat *vb an witan) 1* know
uarp *n* (-) warp
uefl *f* (*-æ*) woof
uēt *aj* wet
ufan, ufon *av* (from) above
ufancund *aj* divine
ūhtċearu *f* (*-a*) dawn sorrow
ūhte *f* (*-an*) dawn
uīdæ *av* widely
uillan *vb an* will, desire
uirtutes *Lat f pl name* Virtues
unbefohten *aj* unresisted
unberende *aj* barren
unbliss *f* (*-a*) misery
unc *prn* us two
uncer *aj* of us two
uncoþu *f* (*-a*) disease
uncræft *m* (*-as*) deceit
uncūþ *aj* strange, unkind
undǣd *f* (*-a*) crime
under *prp* under
undereotan *vb V* undermine
underfēngan, -on *vb VII* (*underfōn*) *4* receive, comprehend
underġitan *vb V* understand
underhnīgan *vb I* submit to
undern *m* (*-as*) third hour, morning
understandan, -stondan *vb VI* understand
understent *vb VI* (*understandan*) *2* understand
underþēodan *vb* subject
underwreþian *vb* support
unearg *aj* brave
unforcūð *aj* dauntless
unforht *aj* unafraid, very afraid
unforworht *aj* innocent
unġearo *aj* unprepared
unġeendod *aj* endless
unġelēafful *aj* unbelieving
unġelīċ *aj* dissimilar
unġelimp *m/n* (*-as*, -) misfortune
unġemet, -um, -un *av* excessively
unġerīm *aj* measureless
unġerīs(e)ne *aj* improper
unġesǣliġ *aj* unfortunate
unġetrȳwþ *f* (*-a*) disloyalty
unġewunelīċ *aj* unusual
ungnȳðe *aj* liberal
ungrynde *aj* deep
unġylde *n* (-) excessive tax
unhnēaw *aj* liberal
unholda *m* (*-an*) devil
unhȳrsumnes *f* (*-sa*) disobedience
unlagu *f* (*-a*) injustice
unlǣd *aj* poor, contentious
unlȳtel *aj* much
unmǣle *aj* immaculate
unmǣte *aj* great
unmurnlīċe *av* pitilessly
unnytt *aj* useless
unorne *aj* humble
unrǣd *m* (*-as*) folly
unriht *n* (-) wrong
unrihtlīċe *av* wrongly
unrīm *aj* innumerable
unrōt *aj* sad
unrōtnes *f* (*-sa*) sadness
unryht *n* (-) wrong
unsċyldiġ *aj* innocent
unsidu *m* (*-a*) abuse
unsmēþe *aj* rough
unstille *aj* restless
unsȳfernes *f* (*-sa*) impurity
untrum *aj* weak, ill
untrumnys *f* (*-sa*) weakness, illness
unþinged *aj* unprepared for
unwāclīċ(e) *aj, av* brave(ly)
unwærlīċ(e) *aj, av* heedless(ly)
unwæstm *m* (*-as*) crop failure
unwearnum *av* irresistibly
unweaxen *aj* young
unweder *n* (*-u*) bad weather
unwemme *aj* immaculate
unwēne *aj* hopeless
unwilla *m* (*-an*) unwanted thing; *dt pl*, against one's will
unwurðlīċ(e) *aj, av* unworthy, unworthily
unwynsum *aj* unpleasant
uong *m* (*-as*) field
ūp *prp* up
ūpastiġnes *f* (*sa-*) ascension
ūpgang *m* (*-as*) ąccess
ūphēa *aj* high
ūpheofon *m* (*-as*) heaven, sky
upp, uppe *av* up
ūp(p)līċ *aj* lofty
ūprodor *m* (*-as*) heaven, sky
ūpstiġe *m* (*-as*) ascent
ūpweġ *m* (*-as*) way to heaven
ūre *aj* our, of us
ūriġfeþera *aj* wet-winged

ūs, ūsiċ *prn* us
ūs(s)er *aj* our, of us
utan *vb an* let us . . .
ūtan *av* (from) outside
ūtanbordes *av* abroad
ūt(e) *av* out, abroad
ūtēode *vb an* (*ūtgān*) *3* go out
ūtgong *m* (*-as*) going out
uton *vb an* let us . . .
ūtsīþ *m* (*-as*) departure
ūðe *vb an* (*unnan*) *3* grant
ūþwita *m* (*-an*) sage
uulle *f* (*-an*) wool
uund(e)n *aj* twisted
uundrum *av* strangely
uuton *vb an* let us . . .
uyrd *f* (*-a*) fate
uyrm *m* (*-as*) worm, serpent

wā *m* (-) woe
wāc *aj* weak, timid
wācian *vb* weaken
wacol *aj* awake, watchful
wadan *vb VI* step, advance, wade
wāg *m* (*-as*) wall
wāgas *m pl* (*wǣġ*) wave
wālā *ij* alas
walden(d) *m* (-) ruler
waldendwyrhta *m* (*-an*) master builder
wallan *vb VII* boil, well
walo *n pl* (*wæl*) slaughtered man
wand *vb III* (*windan*) *3* fly, brandish, wind
wandian *vb* draw back
wanhȳdiġ *aj* careless, fearful
wanian *vb* diminish
wann *aj* dark
warian *vb* guard, possess, inhabit
wāriġ *aj* sea-stained
warnian *vb* guard against, refrain from
wāt *vb an* (*witan*) *1, 2* know
watur *n* (*-u*) water
waþem *m* (*-as*) wave
wæċcende *aj* waking
wǣd *f* (*-a*) clothes
wǣfersȳn *f* (*-a*) spectacle
wæġ *m* (*-as*) path, way
wǣġ *m* (*wāgas*) wave
wǣgon *vb V* (*wegan*) *4* carry
wæl *n* (*-u*) slaughter
wælċyrie *f* (*-an*) sorceress
wælfeld *m* (*-as*) field of battle
wælgār *m* (*-as*) spear
wælġīfre *aj* deadly
wæl(h)rēow *aj* fierce
wælm *m* (*-as*) wealm, surging
wælpīl *m* (*-as*) deadly arrow
wælræst *f* (*-a*) death in battle
wælsleaht *m* (*-as*) battle
wælspere *n* (*-u*) spear
wælstōw *f* (*-a*) battle-field
wælstrǣl *m/f* (*-as, -a*) deadly arrow
wælweġ *m* (*-as*) way of the dead
wælwulf *m* (*-as*) warrior
wǣn *m* (*-as*) chariot
wǣp(e)n *n* (-) weapon
wǣpnġewrixl *n* (-) hostile encounter
wǣr *f* (*-a*) treaty, oath
wǣran, -e, -en, -on *vb an* (*bēon/wesan*) *4* to be
wǣrfæst *aj* loyal, faithful
Wærferð *name* Wærferth
wærlīċ(e) *aj, av* cautious(ly), careful(ly)
wæs *vb an* (*bēon/wesan*) *3* to be
wæsċan *vb* wash
wæstm *m/n* (*-as, -*) form, fruit, prosperity
wǣt *aj* wet
wæt(e)r *n* (*-u*) water
wē *prn* we
wēa *m* (*-n*) woe, grief
wealcan *vb VII* whirl
weald *m* (*-as*) forest
wealdan *vb VII* wield, rule
wealdend *m* (-) ruler
wealh *aj* (*wealas*) foreign, (cap.) Welsh
wealhstōd *m* (*-as*) translator
weal(l) *m* (*-as*) wall
weallan *vb VII* boil, well
weallwala *m* (*-an*) foundation
wealstān *m* (*-as*) wall-stone
wealsteal(l) *m* (*-as*) foundation
weard *m* (*-as*) guardian, lord
weard *f* (*-a*) watch, protection
weardi(ġ)an *vb* protect, possess
wearm *aj* warm, hot
wearp *m* (*-as*) warp
wearp *vb III* (*weorpan*) *3* cast
wearð *vb III* (*weorpan*) *3* happen, be, become
wearþan *vb III* happen, be, become
wēaþearf *f* (*-a*) great need
weċcan *vb* awake
wed *n* (*-u*) pledge
wedbryċe *m* (*-as*) violation of pledge
wēdenheortnis *f* (*-sa*) rage
wed(e)r *n* (*-u*) weather

wedertācen *n* (-) sun
wefl *f* (*-a*) woof
weġ *m* (*-as*) path, way
wēġ *m* (*wēgas*, *wāgas*) wave
wegan *vb V* carry
wēgon *vb V* (*wegan*) *4* carry
wela *m* (*-an*) happiness, riches
weleġ, -iġ *aj* prosperous
welġian *vb* flourish
wel(l) *av* well
welm *m* (*-as*) wealm, surging
Wēlund *name* Weland, the smith
wēman *vb* attract
wemman *vb* injure, rebuke
wēn *f* (*-a*) hope, expectation
wēnan *vb* await, hope for, believe
wendan *vb* translate, alter, go
wenian *vb* treat kindly
wenn *f* (*-a*) joy
wēofod *n* (*-u*) altar
wēold -an *vb VII* (*wealdan*) *3, 4* wield, rule
wēoll *vb VII* (*weallan*) *3* boil, well
weolme *f* (*-an*) paragon
wēop *vb VII* (*wēpan*) *3* weep
weorad, -red, -r(o)d, -rud *n* (-) troop
weorc *n* (-) work, hardship
weorþ *n* (-) worth, price
weorð *vb III* (*weorðan*) *3* happen, be, become
weorðan *vb III* happen, be, become
weorþian *vb* honour
weorðlīċ(e) *aj, av* glorious(ly)
weorðsċipe *m* (*-as*) glory, honour
weorðung *f* (*-a*) praise
weoruld *f* (*-a*) world
weoruldhād *m* (*-as*) secular life
wēos *m pl* (*wēoh*) idol
weota *m* (*-an*) councillor
wēox, -on *vb VII* (*weaxan*) *3, 4* grow
wēpan *vb VII* weep
wer *m* (*-as*) man
wercyn(n) *n* (-) mankind
wered *n* (-) troop
wēreġ, -(i)ġ *aj* weary, cursed
werg *m* (*-as*) criminal
werian *vb* defend
wēriġmōd *aj* afflicted
werlīċ(e) *aj, av* man(ful)ly
werod, -ud *n* (*-u*) troop
werþēod *f* (*-a*) nation
wesan *vb an* to be
Wesseaxe *aj* West Saxon
west *av* west
westdǣl *m* (*-as*) west part
wēste *aj* waste
wēsten(n) *n* (*-u*) wasteland
wēstenstaþol *m* (*-as*) waste place
wexan *vb VII* grow
wīċ *n/f* (-, *-a*) dwelling, village
wiċce *f* (*-an*) witch
wīċfreoþu *m* (*-a*) protection of a dwelling
wiċg *n* (-) horse
wīċing *m* (*-as*) viking, pirate
wīd(e) *aj, av* wide(ly)
wīdeferh, -feorh *av* forever
wīdġiel *aj* far-reaching
wīdlāst *m* (*-as*) long journey
wīdlond *n* (-) spacious earth
wīdsċeop *aj* extensive
wīdsīð *m* (*-as*) long journey, far traveller
wīdweġ *m* (*-as*) great distance
wīf *n* (-) woman, wife
wīfmann *m* (*-men*) woman
wīġ *n* (-) war, battle
wiga *m* (*-an*) warrior, man
Wīġelm *name* Wigelm
wīġend *m* (-) warrior
wīġheard *aj* battle-hard
wīġhyrst *f* (*-a*) war-trapping
wīġplega *m* (*-an*) battle
wīġsmiþ *m* (*-as*) warrior
wīġsteall *m* (*-as*) fortress, defence
wīhaga *m* (*-an*) phalanx
wiht *f/n* (*-a, -u*) thing, creature
wiht *av* at all
wiite *n* (-) punishment
wīlbeċ *m* (*-as*) river of sorrow?
wilboda *m* (*-an*) angel
wilcuma *m* (*-an*) welcome guest
wildæġ *m* (*-dagas*) joyous day
wilde *aj* wild
wildēor, wild(e)r *n* (-) wild animal
wilġifa *m* (*-an*) king
wilian *vb* wish, be willing
willa *m* (*-an*) will, what is desired
willan *vb an* wish, be willing
wilnian *vb* wish for, ask for
wilnung *f* (*-a*) desire
wīn *n* (-) wine
wind *m* (*-as*) wind
windan *vb III* fly, brandish, wind
wind(i)ġ *aj* windy
wine *m* (*-as*) friend, lord
winedryht(e)n *m* (*-as*) lord
winelēas *aj* friendless

winemǣġ *m* (*-māgas*) kinsman
winesċype *m* (*-as*) friendship
winetrēow *f* (*-a*) fidelity
wīngāl *aj* flushed w. wine
winn *n* (-) conflict
winnan *vb III* toil, fight, endure
wīnsæl *n* (*-salo*) wine-hall
wint(e)r *m* (-, *-u*) winter, year
winterċeald *aj* winter-cold
winterċeariġ *aj* winter-sad
winterstund *f* (*-a*) winter(-short) time
wiota *m* (*-an*) councillor
wiotan *vb an* know
wīr *m* (*-as*) wire
wīsdōm *m* (*-as*) wisdom
wīs(e) *aj*, *av* wise(ly)
wīse *f* (*-an*) manner, way
wīsfæst *aj* wise
wīsian *vb* guide
wislīċ(e) *aj*, *av* certain(ly)
wīslīċ(e) *aj*, *av* wise(ly)
wisse *vb an* (*witan*) *3, 4* know
wist *f* (*-a*) food, feast
Wīstān *name* Wistan
wiste, -est, -on *vb an* (*witan*) *3, 4* know
wit *prn* we two
wita *m* (*-an*) councillor, sage
witan *vb an* know
wīte *n* (-, *-u*) punishment
wīt(e)ga *m* (*-an*) prophet, sage
wīt(e)ġian *vb* prophesy
wītegung *f* (*-a*) prophecy
wītiġ *aj* wise
wið *prp* against, with, toward
wiþerbrōga *m* (*-an*) adversary
wiþerlēan *n* (-) requittal
wiþersynes *av* contrary to experience?
wiþmetan *vb V* compare
wiðstandan, -stondan *vb VI* withstand, oppose
wlanc *aj* proud, fine
wlāt *vb I* (*wlītan*) *3* look
wlite *m* (*-as*) presence, appearance, glory
wlitiġ *aj* beautiful
wlitiġan *vb* become beautiful
wlitesċȳne *aj* beautiful
wlō *av* hardly
wlonc *aj* proud, fine
wōd, wōdon *vb VI* (*wadan*) *3, 4* step, advance, wade
Wōden *name* the god Woden
wōhdōm *m* (*-as*) unjust sentence
wōhġestrēon *n* (-) ill-gotten gains
wolc(e)n *n* (*-u*) cloud
wōldæġ *m* (*-dagas*) day of pestilence
wolde, -en, -est, -on *vb an* (*willan*) *3, 4* wish, be willing
wōma *m* (*-an*) terror
womm *m/n* (*-as*, -) sin
won(n) *aj* dark
won *prn* who, a certain
wong *m* (*-as*) field
wongstede *m* (*-as*) field
won(n) *aj* dark
wonn *vb III* (*winnan*) *3* toil, fight, endure
wōp *m* (*-as*) weeping
worc *n* (-) work, hardship
word *n* (-) word
wordbēotung *f* (*-a*) promise
wordcwide *n* (*-u*) agreement, statement
wordġerȳne *n* (-) parable
wordlaþu *f* (*-a*) eloquence
worhtan, -e, -est *vb* (*wyrċan*) *4, 3* make, cause
wōrian *vb* crumble
worn *m* (*-as*) troop
wor(o)ld, -uld *f* (*-a*) world
woroldmann, woruld- *m* (*-men*) layman
woroldsċamu *f* (*-a*) public disgrace
woroldstrūdere *m* (*-as*) robber
wor(u)ldcund *aj* secular
woruldġesǣliġ *aj* prosperous
woruldhād *m* (*-as*) secular life
woruldlīf *n* (-) present life
woruldrīċe *n* (-) earthly kingdom
woruldðing *n* (-) worldly matter
wōþ *f* (*-a*) sound, melody
wraċian *vb* be in exile
wracu *f* (*-a*) revenge, cruelty
wrāð(e) *aj*, *av* fierce(ly), angry, angrily
wrāþlīċ *aj* severe
wraþu *f* (*-a*) help
wræc *n* (*wracu*) exile, misery
wræċ(c)a *m* (*-an*) exile, wretch
wræcfæc *n* (*-facu*) time of misery
wrǣclāst *m* (*-as*) exile
wræcsīþ *m* (*-as*) exile
wrǣtlīċ(e) *aj*, *av* splendid(ly)
wrecan *vb V* avenge, speak
wreċca *m* (*-an*) exile, wretch
wreoton *vb I* (*wrītan*) *4* write
wrītan *vb I* write
wrītere *m* (*-as*) writer
wrīþian *vb* grow
wrixlan, -ian *vb* (ex)change
wrōhtbora *m* (*-an*) author of evil

wudu *m* (*-a -as*) wood
wudublēd *f* (*-a*) wood-blossom
wuht *f/n* (*-a, -u*) thing, creature
wuld(o)r *n* (*-u*) glory
wuldordrēam *m* (*-as*) heavenly joy
wuldorfæder *m* (-) heavenly father
wuldorfæst *aj* glorious
wuldormago *m* (*-a*) saint
wuldrian *vb* glorify
wulf *m* (*-as*), *name?* wolf
Wul(f)mǣr *name* Wulfmær
Wulfstān *name* Wulfstan
wull *f* (*-a*) wool
wund *f* (*-a*) wound
wund *aj* wounded
wunden *vb III* (*windan*) *5* fly, brandish, wind
wunderlīċ *aj* wonderful
wundon *vb III* (*windan*) *4* fly, brandish, wind
wund(o)r *n* (*-u*) wonder
wundrian *vb* wonder, admire
wuni(ġ)an *vb* dwell, remain, last
wurdan, -e, -on *vb III* (*weorþan*) *4* happen, be, become
wurm *n* (-) worm, serpent
wurþan *vb III* happen, be, become
wurþe *aj* worthy, esteemed
wurðfulnis *f* (*-a*) honour
wurðian *vb* honour
wurðlīc(e) *aj, av* glorious(ly)
wurðmynt *f/m/n* (*-a, -as, -*) glory
wutan, -on *vb an* let us . . .
wydewe *f* (*-an*) widow
wylfen(n) *aj* wolfish
wyl(l)e *vb an* (*willan*) *1, 2* wish, be willing
wylm *m* wealm, surging
wyncondel *f* (*-a*) sun
wynlīċ *aj* joyful
wyn(n) *f* (*-a*) joy
wynstre *aj* left(hand)
wynsum *aj* pleasant, fine
wynsumian *vb* rejoice
wyrċ(e)an *vb* make, cause
wyrd *f* (*-a*) fate, event
wyrm *m* (*-as*) worm, serpent
wyrmcynn *n* (-) race of serpent
wyrmlīċ *n* (-) serpentine design?
wyrnan *vb* withhold
wyrp *m* (*-as*) casting
wyrs *aj* worse
wyrsian *vb* worsen
wyrt *f* (*-a*) plant, flower
wyrtruma *m* (*-an*) root
wyrð *vb III* (*weorþan*) *2* happen, be, become
wyrðe *aj* worthy, esteemed
wyrþmynd *f/m/n* (*-a, -as, -*) glory
wyrþsċype *m* (*-as*) glory, honour
wȳsċan *vb* wish
wyt *prn* we two

yfel *n* (*-u*) evil
yf(e)l(e), yfyl *aj, av* bad(ly), evil(ly)
yfelian *vb* worsen
yfelnys *f* (*-sa*) evil
yldincg *f* (*-a*) delay
yldu, -o *f* (*-a*) age
ylfetu *f* (*-a*) wild swan
ymbclyppan *vb* embrace
ymb(e) *prp* about
ymbhwyrft *m* (*-as*) circuit
ymbseald *vb* (*ymbsyllan*) *5* surround
yrfe *n* (-) inheritance
yrfestōl *m* (*-as*) hereditary throne
yrhðo *f* (*-a*) cowardice
yrmen *aj* spacious
yrm(p)ð(u) *f* (*-a*) misery
yrnan *vb III* run
yr(re) *aj, n* angry, anger
ys *vb an* (*bēon/wesan*) *2* to be
ȳtemest *aj* last
ȳþ *f* (*-a*) wave
ȳþan *vb* devastate
ȳþast *av* most easily
ȳðmēarh *m* (*-mēaras*) ship
ȳðre *aj* easier